# PT・OT

理学療法士
作業療法士

## 基礎から学ぶ
# 運動学ノート

第3版
解答集

中島 雅美　中島 晃徳　著

医歯薬出版株式会社

# 第1章　運動学総論

## 1 力学の基礎

**演習問題　本文4ページ**

1. 答 …2, 4（❶× ❷○ ❸× ❹○ ❺×）
   解説 …1. 力＝加速度に比例する．
   2. 運動量＝速度に比例する．
   3. トルク＝力×距離（トルク＝回転軸のまわりの力のモーメント＝力に比例する）
   4. 運動エネルギー＝速度$^2$に比例する．
   5. 摩擦力＝接触面に作用する力の垂直分力（摩擦係数×質量が生み出す接触面に作用する）に比例する．

2. 答 …3, 4（❶× ❷× ❸○ ❹○ ❺×）
   解説 …1. 加速度（m/s$^2$）＝速度（m/s）を時間（s）で微分（÷）する．
   　　(m/s$^2$)＝(m/s)÷(s)
   2. 運動量＝質量×速度
   3. 仕事＝力×移動距離
   4. 力＝質量×加速度
   5. 運動エネルギー＝速度$^2$に比例する．

3. 答 …2, 5（❶× ❷○ ❸× ❹× ❺○）
   解説 …1. 加速度（m/s$^2$）＝速度（m/s）を微分（÷）する．
   2. 仕事＝力×移動距離
   3. ニュートン＝力の単位
   4. ワット（W）仕事率の単位
   5. パワー＝単位時間あたりの仕事（仕事率）

4. 答 …3（❶× ❷× ❸○ ❹× ❺×）
   解説 …1. 運動量＝質量×速度
   2. 仕事＝力×移動距離
   3. ニュートン＝力の単位
   4. ワット＝仕事率の単位
   5. ジュール＝エネルギーや仕事の単位

5. 答 …3（❶○ ❷○ ❸× ❹○ ❺○）
   解説 …1. 加速度（m/s$^2$）＝速度（m/s）を時間（s）で微分（÷）
   2. 仕事＝力×移動距離
   3. ニュートン＝力の単位
   4. パワー＝単位時間当たりの仕事（仕事率）
   5. ワット＝仕事率（パワー）の単位

## 3 加速度・ベクトル・モーメント

**演習問題　本文11ページ**

1. 答 …2（❶× ❷○ ❸× ❹× ❺×）
   解説 …2. M＝aF1＋bF2＝適切

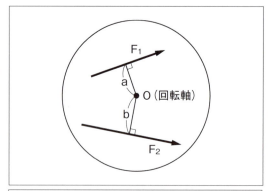

- モーメント（物体を回転させる作用）の値は「回転軸Oから力の作用線に下ろした垂線の長さと力の積」で表わす．
- ベクトル$F_1$が生み出すモーメント＝a×$F_1$＝a$F_1$
- ベクトル$F_2$が生み出すモーメント＝b×$F_2$＝b$F_2$
- $F_1$と$F_2$の2つの力は同一平面上に同時に作用しているので，それぞれの力が生み出したモーメントを加算する→M＝a$F_1$＋b$F_2$

2. 答 …2（❶○ ❷× ❸○ ❹○ ❺○）
   解説 …1. 力×移動距離＝仕事
   2. 時間あたりの仕事量＝仕事率
   3. 物体の水平移動に伴う接触面＝摩擦力からの抵抗
   4. 回転運動に伴う軸出力＝トルク
   5. 力の大きさと向き＝ベクトル

## 5 仕事と力学的エネルギー

**演習問題　本文16ページ**

1. 答 …2（❶× ❷○ ❸× ❹× ❺×）
   解説 …仕事量は力×移動距離．鉛直方向で考えると力はmgで，移動距離はH．

2. 答 …3, 4（❶○ ❷○ ❸× ❹× ❺○）
   解説 …1. 力＝質量×加速度
   2. 運動量＝質量×速度
   3. 力学的エネルギー＝位置エネルギー＋運動エネルギー
   4. 1ワット＝1秒間に1ジュールの仕事率，1馬力＝745.699872ワット
   5. 1ニュートン＝質量1kgの物体に1m/sec$^2$の加速度を生じさせる力の大きさ

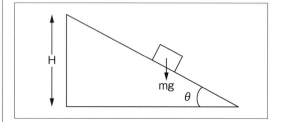

# 6 身体とてこ

**演習問題　本文25ページ**

1. **答**…1 (❶○ ❷× ❸× ❹× ❺×)
   **解説**…1. W1＋W2＝適切

〈剛体が静止して動かない条件〉
【バネばかりで考えてみよう】
下図に示すようにこの位置でバネばかりに吊るしているてこが釣り合っているので,「てこがバネを下方に引く力とバネばかりがてこを上方に引く力は等しい」ということが分かる.

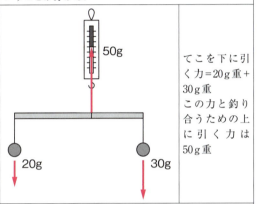

てこを下に引く力＝20g重＋30g重
この力と釣り合うための上に引く力は50g重

つまり，下図の支点Cに作用する力はW1＋W2

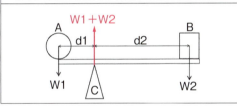

2. **答**…2 (❶× ❷○ ❸× ❹× ❺×)
   **解説**…上下肢の関節運動は多くが第3のてこに属するが，このために関節を素早く動かすことができる．

3. **答**…3 (❶× ❷× ❸○ ❹× ❺×)
   **解説**…てこで考える．
   Fの運動成分を$F_1$とした場合
   $F_1 \times 3cm = 2kgw \times 18cm$
   $F_1 = 12kgw$
   $F_1 = F \times \cos 30°$
   ゆえに $F = F_1 \div \cos 30°$
   $= 12kgw \div 0.87$
   $= 13.79kgw \fallingdotseq 14kgw$

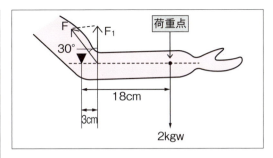

4. **答**…2 (❶× ❷○ ❸× ❹× ❺×)
   **解説**…てこで考える．
   $X cm \times 60 kg = 100 cm \times 24 kg$
   $X cm = 100 cm \times 24 kg \div 60 kg = 40 cm$
   よって足圧中心は踵より前方
   $50 cm - 40 cm = 10 cm$

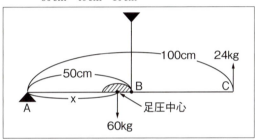

5. **答**…4 (❶× ❷× ❸× ❹○ ❺×)
   **解説**…手部，前腕による伸展トルクは$1.5(kg) \times 0.2(m) = 0.3(kg \cdot m)$である．重りによる伸展トルクは$4(kg) \times 0.4(m) = 1.6(kg \cdot m)$である．解答はこの合計値で，$1.9(kg \cdot m)$である．
   　等尺性収縮で静止しているということは，下方へ落ちようとする力を上方に持ち上げようとする力で平衡させていることになる．ゆえに上方へのトルクは下方への重りのトルク＝$1.5kg \times 0.2m = 4kg \times 0.4m = 0.3kg \cdot m + 1.6kg \cdot m = 1.9kg \cdot m$

6. **答**…2 (❶× ❷○ ❸× ❹× ❺×)
   **解説**…左片脚立ちになっているため，実際にWにかかる力は左脚の重さの11.1kg（片脚は体重の18.5％，$60 \times 0.185 = 11.1$といわれている）を引いた$60 - 11.1 = 48.9kg$である．

＜全重量に対する各節の体重比＞

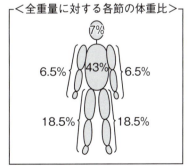

片脚立位における大腿骨頭（股関節）にかかるてこの原理は「第1のてこ」である．骨盤を水平に保つために中殿筋が股関節を支点として骨盤を下方に引く．重心Wには48.9kgが加わっているので，Fにかかる力を計算すると，
$W \times 2 = F \times 1 \rightarrow F = 48.9 \times 2 \div 1 = 97.8$ kg
大腿骨頭にかかる力＝
$W + F = 48.9 + 97.8 = 146.7$ kg

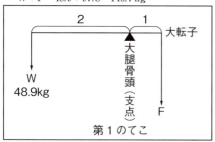

答え：約150kg

7. 答…2（❶〇 ❷× ❸〇 ❹〇 ❺〇）
   解説…第3のてこである．

## 7 関節の構造と機能

演習問題 本文28ページ

1. 答…4（❶× ❷× ❸× ❹〇 ❺×）
   解説…1. 環軸関節＝車軸関節で，1軸性である．
   2. 距腿関節＝らせん関節で，1軸性である．
   3. 肩鎖関節＝平面関節で，多軸性である．
   4. 橈骨手根関節＝楕円関節で，2軸性である．
   5. 腕尺関節＝らせん関節で，1軸性である．
2. 答…2（❶× ❷〇 ❸× ❹× ❺×）
   解説…1. 手指PIP関節＝1軸関節（蝶番関節）
   2. 橈骨手根関節＝2軸関節（楕円関節）
   3. 腕尺関節＝1軸関節（蝶番（らせん）関節）
   4. 上橈尺関節＝1軸関節（車軸関節）
   5. 肩甲上腕関節＝3軸関節（球関節）
3. 答…3（❶× ❷× ❸〇 ❹× ❺×）
   解説…1. 肩関節＝球関節
   2. 肘関節＝車軸関節
   3. 上橈尺関節＝車軸関節
   4. 橈骨手根関節＝楕円関節
   5. 母指CM関節＝鞍関節
4. 答…2,3（❶× ❷〇 ❸〇 ❹× ❺×）
   解説…1. 肩甲上腕関節＝球関節
   2. 腕尺関節＝らせん関節
   3. 橈骨手根関節＝顆状関節（楕円関節でもよい）
   4. 手根間関節＝平面関節
   5. 母指の手根中手関節＝鞍関節
5. 答…1,3（❶〇 ❷× ❸〇 ❹× ❺×）
   解説…距腿関節，上橈尺関節，指節間関節はすべて1軸性関節に分類．
6. 答…2,3（❶× ❷〇 ❸〇 ❹× ❺×）
   解説…顎関節は顆状関節ないしは楕円関節．椎間関節は平面関節．脛骨大腿関節は顆状関節に分類．

## 8 骨格筋の構造と機能

演習問題 本文31ページ

1. 答…4（❶〇 ❷〇 ❸〇 ❹× ❺〇）
   解説…1. 筋小胞体＝カルシウムイオン（$Ca^{2+}$）を貯蔵している．
   2. 活動電位＝筋収縮に先行して発生する．
   3. 神経筋接合部＝ニコチン性アセチルコリン受容体のうち$N_M$受容体が分布する．
     ※アセチルコリン受容体＝ニコチン性アセチルコリン受容体とムスカリン性アセチルコリン受容体がある．
     ①ニコチン性アセチルコリン受容体＝
       ①$N_N$受容体（副交感神経の節前線維終末の受容体）
       ②$N_M$受容体（運動神経終末の受容体）
     ②ムスカリン性アセチルコリン受容体（M受容体）＝副交感神経の節後線維終末の受容体
   4. 単収縮＝支配神経に単一の刺激を加えると起こる．
     強縮＝単収縮の反復刺激の頻度を高くすると単収縮が加重して強縮となる．
   5. 階段現象＝反復刺激を加えると単収縮が連続して起こる不完全強縮を起こす．

| 部位 | 運動神経終末<br>（神経骨格筋接合部） |
|---|---|
| 受容体の種類<br>（サブタイプ） | ニコチン性受容体<br>（$N_M$受容体） |
| 興奮／抑制 | 興奮（脱分極） |
| アゴニスト | ニコチン |
| アンタゴニスト | ツボクラリン |

### 単収縮と強縮

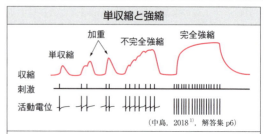

（中島，2018[1]），解答集p6）

単収縮：支配神経に単一の刺激を加えると起こる．
強縮：単収縮の反復刺激の頻度を高くすると単収縮が加重して強縮となる．
反復刺激を加えると単収縮が連続して起こり階段現象である不完全強縮を起こす．

(本文・31〜36ページ) 4

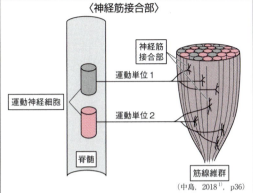

神経筋接合部の受容器：ニコチン性アセチルコリン受容体（NM受容体）である．

2. 答…3（❶× ❷× ❸○ ❹× ❺×）
   解説…1. アクチン＝筋原線維の構造を形づくっている筋肉の構造蛋白質のうちの細いフィラメント
   2. ミオシン＝筋原線維の構造を形づくっている筋肉の構造蛋白質のうちの太いフィラメント
   3. トロポニン＝筋小胞体から放出された$Ca^{2+}$と結合する．
   4. ミオグロビン＝筋中に含まれるヘム蛋白質で，筋組織中に酸素を保持する．
   5. トロポミオシン＝アクチンフィラメントの軸となる筋蛋白質で，トロポニンが$Ca^{2+}$と結合するとトロポミオシンが移動しアクチンの結合部位が露出する．
3. 答…4（❶× ❷× ❸× ❹○ ❺×）
   解説…1. 筋小胞体＝$Ca^{2+}$を貯蔵している．
   2. 活動電位＝活動電位の発生により筋収縮が引き起こされる（何らかの刺激に応じて細胞膜に生じる一過性の膜電位の変化で，主として$Na^+$，$K^+$が細胞内外の濃度差に従いイオンチャネルを通じて受動的拡散を起こすことにより起こる）．
   3. $Ca^{2+}$＝筋小胞体から筋漿内に放出されることで筋収縮が起こる．
   4. ミオシン頭部の角度が戻る＝ATPの加水分解が起こる．
   5. 神経筋接合部での興奮の伝達＝神経から筋に向かって一方向性である．
4. 答…1, 4（❶○ ❷× ❸× ❹○ ❺×）
   解説…1. A帯の長さ＝（筋収縮時に）一定
   2. H帯の長さ＝（筋収縮時に）短くなる．
   3. I帯の長さ＝（筋収縮時に）短くなる．
   4. Z帯の長さ＝（筋収縮時に）一定
   5. 筋節の長さ＝（筋収縮時に）短くなる．
5. 答…3, 5（❶× ❷× ❸○ ❹× ❺○）
   解説…1. A帯＝暗帯で中央部分にやや明るいH帯がある（明帯＝I帯）．
   2. A帯＝筋収縮時の長さは変化しない（筋収縮時に短縮する＝H帯）．
   3. I帯＝中央部にZ帯がある．
   4. Z帯＝筋収縮時に短縮する．
   5. 筋節＝Z帯とZ帯との間
6. 答…2（❶× ❷○ ❸× ❹× ❺×）
   2. タイプⅡB＞タイプⅡA＞タイプⅠ

| 種類 | 速筋線維（白筋） | | 遅筋線維（赤筋） |
|---|---|---|---|
| | FG（タイプⅡb） | FOG（タイプⅡa） | SO（タイプⅠ） |
| エネルギー代謝 | 解糖 | 解糖＋酸化 | 酸化 |
| 毛細血管 | 少 | 中 | 多 |
| 収縮力 | 強い | やや強い | 弱い |
| 持久力 | − | ± | ＋ |
| 乳酸 | 蓄積し易い | 中間 | 蓄積し難い |
| ミオグロビン | 少 | 中 | 多 |
| ミトコンドリア | 少 | 中 | 多 |
| 太さ | 太 | 中 | 細 |
| 動員順序 | 3 | 2 | 1 |
| 色 | 白 | ピンク | 赤 |

# 9 筋収縮　その1
**演習問題　本文36ページ**

1. 答…2, 5（❶× ❷○ ❸× ❹× ❺○）
   解説…1. 頭上に手を挙げるときの三角筋前部線維＝求心性収縮（肩関節は屈曲する→起始付着が近づく）
   2. 懸垂で体を下ろすときの上腕二頭筋＝遠心性収縮（肘関節は伸展する→起始付着が遠ざかる）
   3. 腕立て伏せで肘を伸ばすときの上腕三頭筋＝求心性収縮（肘関節は伸展する→起始付着が近づく）

4. 椅子から立ち上がるときの大腿四頭筋＝求心性収縮（膝関節は伸展する→起始付着が近づく）
5. しゃがみ込むときのヒラメ筋＝遠心性収縮（足関節は背屈する→起始付着が遠ざかる）

〈求心性収縮と遠心性収縮〉

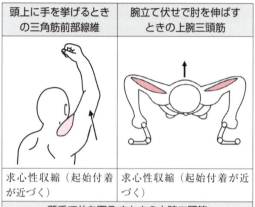

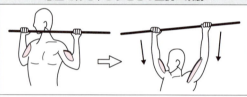

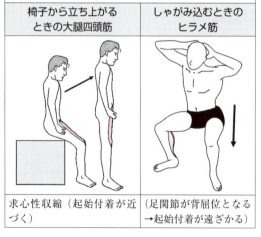

2. 答…3（❶× ❷× ❸○ ❹× ❺×）
解説…1. 角速度が一定＝等速性運動
2. 血圧が上昇しやすい＝等尺性運動
3. 等張性運動＝等尺性運動に比べ収縮時の筋血流が増加しやすい．
4. 等張性運動＝求心性運動では等尺性運動より心拍数は増加しにくいが，遠心性運動では等尺性運動に比べ心拍数が増加しやすい．
5. 負荷に抗して姿勢を維持するときに起こる＝等尺性運動

3. 答…3, 4（❶× ❷× ❸○ ❹○ ❺×）
解説…1. 立脚初期の中殿筋＝同時収縮
2. 踵接地期の前脛骨筋＝遠心性収縮
3. 踵離地期の下腿三頭筋＝求心性収縮
4. つま先離地期の腸腰筋＝求心性収縮
5. 踵接地期直前のハムストリングス＝遠心性収縮

4. 答…3（❶× ❷× ❸○ ❹× ❺×）
解説…1. 静止長で等尺性収縮＝腕相撲で両者拮抗しているときの主動作筋
2. 静止長で求心性収縮＝求心性収縮の場合には筋は短縮位となる．
3. 短縮位で求心性収縮＝腕相撲で勝勢にある人の主動筋
4. 短縮位で遠心性収縮＝腕相撲で負勢にある人の主動筋
5. 伸張位で等尺性収縮＝等尺性収縮の場合には筋は静止長となる．

〈腕相撲での上肢の筋の作用〉

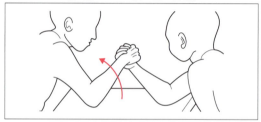

5. 答…3（❶○ ❷○ ❸× ❹○ ❺○）
解説…3. は片脚立位時に遊脚中殿筋が収縮すると股外転が起こる．これは正作用である．立脚側の中殿筋が骨盤を水平に保つ作用がリバースアクションである．

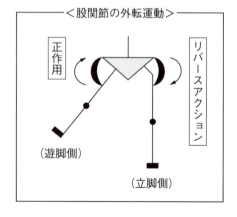

1. は上腕二頭筋による鉄棒の懸垂では前腕に対して上腕が近づいてくる．この作用がリバースアクションである．

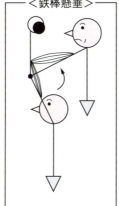
＜鉄棒懸垂＞

2. は腸腰筋による骨盤の前傾運動では，大腿に対して骨盤が屈曲するのでリバースアクションである．

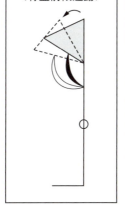
＜骨盤前傾運動＞

4. は大腿四頭筋による椅子からの立ち上がりでは，下腿に対して大腿側が伸展してくるのでリバースアクションである．

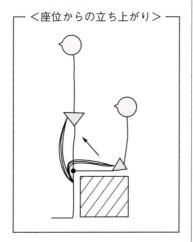
＜座位からの立ち上がり＞

5. は腹直筋による背臥位での両下肢伸展挙上に伴う骨盤後傾では，腹直筋が骨盤前部を引き挙げるのでリバースアクションである．

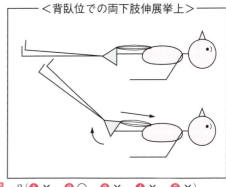
＜背臥位での両下肢伸展挙上＞

6. 答…2（❶× ❷○ ❸× ❹× ❺×）
   解説…1. 求心性収縮＝立位から椅子へゆっくり座るとき（股関節屈曲へのモーメント）に起こる腸腰筋の筋収縮
   2. 遠心性収縮＝立位から椅子へゆっくり座るとき（股関節屈曲へのモーメント）に起こる大殿筋の筋収縮
   3. 等尺性収縮＝なし
   4. 相動性収縮＝なし
   5. 静止性収縮＝なし

## 10 筋収縮 その2

**演習問題 本文39ページ**

1. 答…3（❶× ❷× ❸○ ❹× ❺×）
   解説…1. 運動単位＝求心性線維は含まれない（運動単位＝神経細胞と遠心性線維と支配筋）．
   2. 1つの筋＝複数の運動単位で構成されている．
   3. 支配神経比＝小さいほど微細な運動が可能である（巧緻性が高い）．
   4. 随意運動＝小さな運動単位が先に活動を始める．
   5. 伸張反射＝弱い刺激で活動を開始するのは遅筋である．

2. 答…4（❶○ ❷○ ❸○ ❹× ❺○）
   解説…1. 運動単位＝1個の運動ニューロンとそれに支配される筋線維群のこと
   2. 1つの筋肉＝多数の運動単位で構成される．
   3. 神経支配比＝1個の運動ニューロンが何本の筋線維を支配しているかということ
   4. 神経支配比＝上腕二頭筋より虫様筋の方が小さい．
   5. 最も強い筋収縮＝筋のすべての運動単位が同期して活動するときに起こる．

3. 答 …4（❶× ❷× ❸× ❹○ ❺×）
解説 …1. 運動単位＝運動ニューロン（脊髄前角細胞＝遠心性神経線維）＝支配筋線維
2. 活動電位の発射頻度＝5〜50回/秒で筋の強縮を起こし，筋によって30〜500回/秒以上である．
3. 精密な働きをする筋＝神経支配比は小さい．
4. 同じ運動単位の筋線維＝同一の筋線維タイプ
5. 筋が徐々に収縮＝小さな運動単位が先に活動を開始する．

## 12 運動の中枢神経機構

演習問題　本文47ページ
1. 答 …2（❶○ ❷× ❸○ ❹○ ❺○）
解説 …1. 筋紡錘＝筋の長さを検知する．
2. 痙縮＝伸張反射は亢進する．
3. 伸張反射＝単シナプス反射である．
4. Ia群神経線維＝筋紡錘からの求心性神経で，脊髄でα運動神経に結合する．
5. 錘外線維の伸張＝錘内線維の活動を増す（錘内線維と錘外線維は並列に走行しており，錘外線維が伸張すると錘内線維も伸張するため錘内線維の感度が上昇する）．

2. 答 …1, 3（❶○ ❷× ❸○ ❹× ❺×）
解説 …1. Ia＝筋紡錘の感覚神経線維
2. Ib＝ゴルジ腱器官の感覚神経線維
3. Ⅱ＝筋紡錘の感覚神経線維
4. α＝錘外筋の運動神経線維
5. γ＝錘内筋の運動神経線維

3. 答 …2（❶× ❷○ ❸× ❹× ❺×）
解説 …1. 伸張反射＝腱反射（侵害受容反射ではない）
　　侵害受容反射＝屈曲反射（逃避反射）
2. 伸張反射＝単シナプス反射
3. （伸張反射の）求心性線維＝Ia群線維
4. （伸張反射の）遠心性線維＝α運動線維
5. 筋紡錘内の錘内線維を支配する神経＝γ運動線維

〈単シナプス反射〉〈伸張反射の反射弓〉

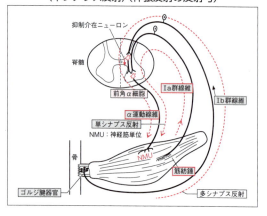

4. 答 …1（❶○ ❷× ❸× ❹× ❺×）
解説 …1. 筋紡錘＝腱反射（腱をたたいて骨格筋を急速に伸ばすと起こる筋単収縮）に関与する．
2. Pacini（パチニ）小体＝あらゆる圧変化と振動を感知する．
3. Ruffini（ルフィニ）終末＝（体毛の生えていない皮膚や皮下組織のみに存在する）圧や物体が皮膚と擦れるのを感知する．
4. 自由神経終末＝皮膚の（痛覚・触覚・温度などの）侵害受容器である．
5. Meissner（マイスナー）小体（別名：マイスネル小体）＝皮膚上に満遍なく分布し真皮乳頭の表皮直下に多く，触覚圧覚を感知する．

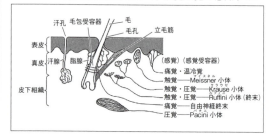

5. 答 …1, 3（❶○ ❷× ❸○ ❹× ❺×）
解説 …1. Ia神経線維＝神経終末は錘内筋の核袋線維
2. Ib神経線維＝ゴルジ腱器官からの求心性神経線維
3. Ⅱ神経線維＝神経終末は錘内筋の核鎖線維
4. Ⅲ神経線維＝皮膚の温痛覚の求心性神経線維
5. Ⅳ神経線維＝内臓痛の求心性神経線維

〈末梢神経線維の分類〉

| 分類 | 種類 | 直径（$\mu$m） | 機能 |
|---|---|---|---|
| Aα | 有髄 | 15 (13-22) | 遠心性（骨格筋） |
| Aβ | 有髄 | 8 (8-13) | 求心性（触圧覚） |
| Aγ | 有髄 | 8 (4-8) | 遠心性（錘内筋） |
| Aδ | 有髄 | 3 (1-4) | 求心性（部位が比較的明瞭な温痛覚） |
| B | 有髄 | 3 (1-3) | 交感神経節前線維 |
| C | 無髄 | 0.5 | 交感神経節後線維　求心性（温痛覚，内臓痛） |

〈末梢神経線維の求心性神経の分類〉

| 分類 | 種類 | 直径（$\mu$m） | 機能 |
|---|---|---|---|
| Ia | 有髄 | 15 (15-20) | 筋紡錘の環らせん終末 |
| Ib | 有髄 | 15 (15-20) | ゴルジ器官 |
| Ⅱ | 有髄 | 9 (6-12) | 筋紡錘の散形終末　皮膚触圧覚 |
| Ⅲ | 有髄 | 3 (1-6) | （部位が比較的明瞭な）皮膚の温痛覚 |
| Ⅳ | 無髄 | 0.5 (<1) | 内臓痛 |

6. 答…5（❶○ ❷○ ❸○ ❹○ ❺×）
解説…1. γ運動ニューロン＝筋紡錘の感受性を調節
2. γ運動ニューロン＝核袋線維と核鎖線維を支配
3. γ運動ニューロン＝前根の約30％を占める．
4. γ運動ニューロン＝α運動ニューロンよりも細い．
5. γ運動ニューロン＝α運動ニューロンからの直接的な支配はない．

## 13 運動とエネルギー代謝

**演習問題　本文50ページ**

1. 答…1（❶× ❷○ ❸○ ❹○ ❺○）
解説…1. 20分以上の有酸素運動＝糖質を使った解糖系よりも脂質を使ったTCA回路が利用されるようになる．
2. 筋収縮エネルギー＝ATPが利用される．
3. 無酸素性閾値＝心肺負荷試験で算出する．
4. 最大酸素摂取量＝運動持久力を反映する，最大酸素摂取量が大きいと運動持久力が高い．
5. グリコーゲンの解糖＝代謝産物として乳酸を生じる．

〈運動時のエネルギー供給源〉

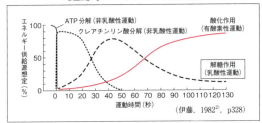

(伊藤，1982²⁾, p328)

2. 答…5（❶○ ❷○ ❸○ ❹○ ❺×）
解説…1. 呼吸商〈RQ〉＝摂取する栄養素によって異なる．
（糖質のRQ＝1.0，蛋白質のRQ＝0.8，脂質のRQ＝0.71）
（呼吸商〈RQ〉＝単位時間当たりの二酸化炭素排出量÷単位時間当たりの酸素消費量）
2. 特異動的作用〈SDA〉＝食物摂取後の体温上昇である．
3. 基礎代謝量〈BM〉＝同性，同年齢ならば体表面積に比例する．
4. エネルギー代謝率〈RMR〉＝基礎代謝量を基準とした運動強度である．
5. 代謝当量〈MET〉＝安静座位時の代謝量を基準とした運動強度である．

3. 答…1（❶○ ❷× ❸× ❹× ❺×）
解説…1. エネルギー代謝率〈RMR〉＝基礎代謝量を基準とした運動強度である．
2. 基礎代謝量〈BM〉＝同性で同年齢ならば体表面積に比例する．
3. 呼吸商〈RQ〉＝摂取する栄養素によって異なる（糖質のRQ＝1.0，蛋白質のRQ＝0.8，脂質のRQ＝0.71）．
4. 代謝当量〈MET〉＝安静座位時の代謝量を基準とした運動強度である．
5. 特異動的作用〈SDA〉＝食物摂取後の消費エネルギーの増加である．

## 14 運動と呼吸・循環

**演習問題　本文54ページ**

1. 答…1（❶○ ❷× ❸× ❹× ❺×）
解説…1. A＝心拍数＝適切（心拍数60位～160位まで上昇している）
2. A＝心拍数
平均血圧＝（最高血圧－最低血圧）÷3＋最低血圧＝基準値90未満
3. B＝1回心拍出量（mL）
4. B＝1回心拍出量（mL）
5. C＝心拍出量（L/min）

2. 答…4（❶○ ❷○ ❸○ ❹× ❺○）
解説…1. 拡張期血圧＝上昇
2. 心拍数＝増加
3. 冠血流量＝増加
4. 静脈還流＝増加
5. 下肢筋群＝血流増加

# 第2章　上肢の運動学

## 1 上肢の解剖学

**演習問題　本文64ページ**

1. 答…4（❶× ❷× ❸× ❹○ ❺×）
解説…1. 肘筋＝上腕骨外側上顆後面～肘頭（橈骨粗面には付着しない）
2. 上腕筋＝上腕骨前面～尺骨粗面（橈骨粗面には付着しない）
3. 腕橈骨筋＝上腕骨外側縁～橈骨茎状突起（橈骨粗面には付着しない）
4. 上腕二頭筋＝（長頭）肩甲骨関節上結節～橈骨粗面，（短頭）烏口突起～橈骨粗面
5. 橈側手根屈筋＝上腕骨内側上顆～第2・3中手骨底の掌側面（橈骨粗面には付着しない）

2. 答…1, 2（❶○ ❷○ ❸× ❹× ❺×）
解説…1. 肘筋＝橈骨神経支配
2. 回外筋＝橈骨神経支配
3. 背側骨間筋＝尺骨神経支配
4. 方形回内筋＝正中神経支配
5. 短母指外転筋＝正中神経支配

3. 答…1（❶○ ❷× ❸× ❹× ❺×）
解説…1. 腋窩神経＝後神経束から分岐する．
2. 筋皮神経＝外側神経束の外側から分岐する．
3. 尺骨神経＝内側神経束の内側から分岐する．

4. 正中神経＝外側神経束の内側と内側神経束の外側から分岐する．
5. 長胸神経＝C5～7の神経根から分岐する．

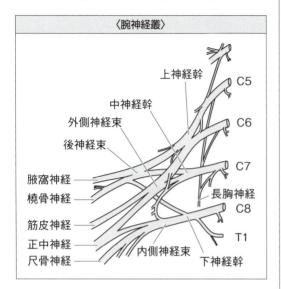

〈腕神経叢〉

4. 答…1（❶○ ❷× ❸× ❹× ❺×）
解説…1. 小円筋＝腋窩神経
2. 棘上筋＝肩甲上神経
   肩甲下神経＝肩甲下筋，大円筋
3. 三角筋＝腋窩神経
   肩甲上神経＝棘上筋，棘下筋
4. 大円筋＝肩甲下神経
5. 肩甲下筋＝肩甲下神経
   腋窩神経＝三角筋，小円筋

| 神経 | 支配筋 |
|---|---|
| 腋窩神経 | 三角筋，小円筋 |
| 肩甲上神経 | 棘上筋，棘下筋 |
| 肩甲下神経 | 肩甲下筋，大円筋 |

5. 答…5（❶× ❷× ❸× ❹× ❺○）
解説…1. 前鋸筋＝長胸神経
2. 僧帽筋＝副神経・頸神経
3. 鎖骨下筋＝鎖骨下筋神経
4. 小胸筋＝内側・外側胸筋神経
5. 肩甲挙筋＝肩甲背神経

6. 答…2, 4（❶× ❷○ ❸× ❹○ ❺×）
解説…1. 三角筋＝上腕骨三角筋粗面
2. 棘上筋＝大結節
3. 棘下筋＝大結節
4. 小円筋＝大結節
5. 肩甲下筋＝小結節

7. 答…3, 5（❶× ❷× ❸○ ❹× ❺○）
解説…1. 肘筋＝尺骨肘頭部
2. 上腕筋＝尺骨鈎状突起
3. 長母指屈筋＝橈骨全面，尺骨鈎状突起
4. 上腕三頭筋＝尺骨肘頭部
5. 長母指外転筋＝橈骨後面，尺骨後面

8. 答…3, 4（❶× ❷× ❸○ ❹○ ❺×）
解説…1. 僧帽筋＝副神経・頸神経
2. 小菱形筋＝肩甲背神経
3. 棘下筋＝肩甲上神経
4. 小円筋＝腋窩神経
5. 大円筋＝肩甲下神経

## 2 上肢帯の運動学

演習問題　本文70ページ

1. 答…2（❶× ❷○ ❸× ❹× ❺×）
解説…1. 広背筋＝肩甲骨の下制に作用する．
2. 前鋸筋＝肩甲骨の上方回旋・外転に作用する．
3. 菱形筋＝肩甲骨の内転・挙上・下方回旋に作用するが単独では上方回旋しない．
4. 肩甲下筋＝肩関節の内旋に作用する．
5. 肩甲挙筋＝肩甲骨の挙上・内転に作用するが単独では上方回旋しない．

2. 答…3（❶× ❷× ❸○ ❹× ❺×）
解説…1. 大胸筋＝肩関節を内転・屈曲・内旋する．
2. 広背筋＝肩関節を伸展・内転・内旋する．
3. 前鋸筋＝肩甲骨を前方へ引く（このときに肩甲骨を胸郭に押し付ける），肩甲骨を外転・上方回旋する．
4. 鎖骨下筋＝鎖骨外側を下制する．
5. 肩甲挙筋＝肩甲骨を挙上し，頸部を回旋する．

3. 答…2（❶× ❷○ ❸× ❹× ❺×）
解説…1. 前鋸筋＝肩甲骨の上方回旋
2. 小胸筋＝肩甲骨の下方回旋
3. 小円筋＝肩甲帯の動きには関与しない．
4. 棘下筋＝肩甲帯の動きには関与しない．
5. 鎖骨下筋＝肩甲骨の下制

4. 答…4（❶○ ❷○ ❸○ ❹× ❺○）
解説…大菱形筋は肩甲骨の内転・挙上・下方回旋に作用する．

5. 答…5（❶× ❷× ❸× ❹× ❺○）
解説…1. ①＝上腕二頭筋短頭
2. ②＝上腕三頭筋長頭
3. ③＝大円筋
4. ④＝肩甲下筋
5. ⑤＝小胸筋

## 3 肩関節の運動学

演習問題　本文76ページ

1. 答…4（❶× ❷× ❸× ❹○ ❺×）
解説…1. 40°＝肩関節外転60°の時の肩甲上腕関節外転角度である．
2. 60°＝肩関節外転90°の時の肩甲上腕関節外転角度である．
3. 80°＝肩関節外転120°の時の肩甲上腕関節外

転角度である．
4. 100°＝肩関節外転150°の2/3が肩甲上腕関節外転角度「150×2/3＝100°」である．
5. 120°＝肩関節外転180°の時の肩甲上腕関節外転角度である．

2. 答 …3（❶× ❷× ❸○ ❹× ❺×）
   解説 …1. 肩甲上腕関節の屈曲＝三角筋前部線維
   2. 肩甲上腕関節の伸展＝大円筋・広背筋・三角筋後部線維
   3. 肩甲上腕関節の内転＝広背筋
   4. 肩甲上腕関節の外転＝棘上筋・三角筋中部線維
   5. 肩甲上腕関節の内旋＝肩甲下筋・大円筋

〈肩甲上腕関節の運動と筋〉

| 運動方向 | 運動内容 | 筋名 |
|---|---|---|
| 屈曲 | 矢状面上で前方に挙上する | 三角筋（前部），大胸筋（鎖骨部），烏口腕筋，上腕二頭筋短頭 |
| 伸展 | 矢状面上で後方に挙上する | 三角筋（後部），広背筋，大円筋，上腕三頭筋長頭 |
| 外転 | 前額面上で側方に挙上する | 三角筋（中部），棘上筋，上腕二頭筋長頭 |
| 内転 | 外転した上肢を基本肢位に戻す．また，体幹に近づける | 大胸筋，広背筋，大円筋，肩甲下筋，烏口腕筋，上腕二頭筋短頭 |
| 外旋 | 上腕長軸の回りで上肢を外に回旋する | 棘下筋，小円筋，三角筋（後部） |
| 内旋 | 上腕長軸の回りで上肢を内に回旋する | 肩甲下筋，大円筋，大胸筋，三角筋（前部），広背筋 |
| 水平屈曲または内転 | 肩90°外転位から前方へ運動する | 三角筋（前部），大胸筋，烏口腕筋，肩甲下筋 |
| 水平伸展または外転 | 肩90°外転位から後方へ運動する | 三角筋（中部，後部），棘下筋，小円筋，広背筋，大円筋 |

3. 答 …2（❶× ❷○ ❸× ❹× ❺×）
   解説 …1. 15°＝肩関節外転45°の時の肩甲骨上方回旋角度である．
   2. 30°＝肩関節外転90°の時の肩甲骨上方回旋角度である．
   3. 45°＝肩関節外転135°の時の肩甲骨上方回旋角度である．
   4. 60°＝肩関節外転180°の時の肩甲骨上方回旋角度である．
   5. 75°＝肩甲骨が75°になることはない．

4. 答 …4（❶× ❷× ❸× ❹○ ❺×）
   解説 …1. 広背筋＝肩甲骨の伸展・内転・内旋
   2. 大円筋＝肩甲骨の伸展・内転・内旋
   3. 棘下筋＝肩甲骨の外旋
   4. 烏口腕筋＝肩関節の水平屈曲
   5. 肩甲挙筋＝肩甲骨の挙上

5. 答 …2（❶× ❷○ ❸× ❹× ❺×）
   解説 …1. 肩関節の屈曲＝三角筋前部の作用
   2. 肩関節の伸展＝大円筋・広背筋・三角筋後部の作用
   3. 肩関節の外転＝三角筋中部・棘上筋の作用
   4. 肩関節の外旋＝棘下筋・小円筋の作用
   5. 肩関節の内旋＝肩甲下筋・大円筋の作用

6. 答 …4（❶× ❷× ❸× ❹○ ❺×）
   解説 …1. 肩甲下筋＝肩関節の屈曲・内旋筋
   2. 広背筋＝肩関節の伸展・内転・内旋筋
   3. 三角筋前部＝肩関節の屈曲・外転・内旋筋
   4. 小円筋＝肩関節の外旋筋
   5. 大胸筋＝肩関節の屈曲・内転・内旋筋

7. 答 …5（❶× ❷× ❸× ❹× ❺○）

※肩関節外転運動＝肩甲上腕関節の外転運動と肩甲骨の上方回旋運動の複合運動

   解説 …1. 棘上筋＝肩関節外転に関与する．
   2. 三角筋＝肩関節外転に関与する．
   3. 前鋸筋＝肩関節外転時の肩甲骨の上方回旋に関与する．
   4. 僧帽筋＝肩関節外転時の肩甲骨の上方回旋に関与する．
   5. 肩甲挙筋＝肩甲骨の挙上・下方回旋に関与する．

8. 答 …4（❶× ❷× ❸× ❹○ ❺×）
   解説 …1. 広背筋＝肩関節の内転，伸展，内旋に作用する．
   2. 棘上筋＝肩関節の外転に作用する．
   3. 大円筋＝肩関節の内転，伸展，内旋に作用する．
   4. 肩甲下筋＝肩関節の内旋，内転に作用する．
   5. 棘下筋＝肩関節の外旋に作用する．

9. 答 …4（❶× ❷× ❸× ❹○ ❺×）
   解説 …小円筋以外の筋はすべて内旋に作用する．

10. 答 …2（❶× ❷○ ❸× ❹× ❺×）
    解説 …1の付着は棘上筋．3の付着部は広背筋．4の付着部は大円筋．5の付着部は大胸筋

## 4 肘関節と前腕の運動学

演習問題 本文81ページ

1. 答 …2, 5（❶× ❷○ ❸× ❹× ❺○）
   解説 …1. 上腕筋＝肘関節の屈曲に作用する（前腕の内外には関与しない）．
   2. 腕橈骨筋＝肘関節の屈曲および「前腕の回内および回外」に作用する（中間位に戻す）．
   3. 上腕二頭筋＝肘関節の屈曲および「前腕の回

外」に作用する.
    4. 上腕三頭筋＝肘筋と協調して肘関節の伸展に作用する（前腕回内に関して，円回内筋，方形回内筋に協調して働く）.
    5. 橈側手根屈筋＝手関節の掌屈・橈屈および前腕の回内に作用する.
2. 答…3（❶× ❷× ❸○ ❹× ❺×）

※前腕回外に作用する筋＝回外筋，上腕二頭筋，腕橈骨筋，長母指外転筋

解説…1. 長掌筋＝手関節の掌屈
    2. 小指伸筋＝小指の伸展
    3. 上腕二頭筋＝前腕の回外
    4. 長母指屈筋＝母指の屈曲
    5. 橈側手根屈筋＝手関節の掌屈・橈屈および前腕の回内
3. 答…4（❶× ❷× ❸× ❹○ ❺×）
解説…1. 深指屈筋＝手関節の掌屈と手指のDIP関節の屈曲
    2. 示指伸筋＝示指のMP関節の伸展
    3. 尺側手根屈筋＝手関節の掌屈と尺屈
    4. 橈側手根屈筋＝前腕の回内に働く
    5. 長橈側手根伸筋＝手関節の背屈と橈屈
4. 答…2,4（❶× ❷○ ❸× ❹○ ❺×）
解説…1. 肘筋＝肘関節伸展
    2. 上腕筋＝肘関節屈曲
    3. 回外筋＝前腕回外
    4. 腕橈骨筋＝肘関節屈曲
    5. 上腕三頭筋＝肘関節伸展
5. 答…2,3（❶× ❷○ ❸○ ❹× ❺×）
解説…1. 烏口腕筋＝肩関節屈曲
    2. 腕橈骨筋＝肘関節屈曲
    3. 尺側手根屈筋＝肘関節屈曲
    4. 深指屈筋＝手関節掌屈，第2～5DIP屈曲
    5. 方形回内筋＝前腕回内

## 5 手関節の運動学

演習問題　本文86ページ

1. 答…4（❶○ ❷○ ❸○ ❹× ❺○）
解説…1. 深指屈筋腱＝手根管を通過する.
    2. 浅指屈筋腱＝手根管を通過する.
    3. 長母指屈筋腱＝手根管を通過する.
    4. 尺側手根屈筋腱＝手根管外（通過しない）
    5. 橈側手根屈筋腱＝手根管を通過する.
2. 答…5（❶× ❷× ❸× ❹× ❺○）
解説…1. ①＝橈側手根屈筋腱
    2. ②＝長母指屈筋腱
    3. ③＝長掌筋腱
    4. ④＝浅指屈筋腱
    5. ⑤＝尺側手根屈筋腱

〈手関節掌側で触知できる腱〉

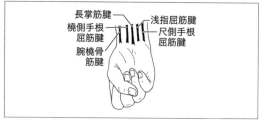

3. 答…3（❶○ ❷○ ❸○ ❹○ ❺○）
解説…手根管内を貫通する腱の周囲には腱の可動を円滑にするために滑液鞘がある．長掌筋腱は手根管を構成する屈筋支帯の直ぐ外側に位置する．
4. 答…3（❶× ❷× ❸○ ❹× ❺×）
解説…1. 橈側手根屈筋腱
    2. 長母指屈筋腱
    3. 正中神経
    4. 尺骨神経
    5. 有鈎骨

〈手根管部の断面〉

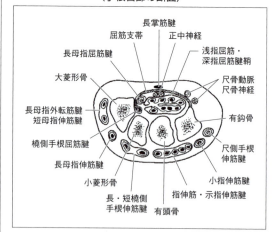

## 6 手の運動学　その2

演習問題　本文94ページ

1. 答…2（❶× ❷○ ❸× ❹× ❺×）
    2. 矢印の腱＝長母指伸筋腱

〈タバコ三角〉

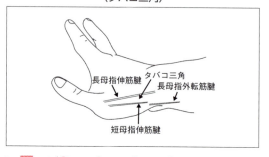

2. 答…5（❶× ❷× ❸× ❹× ❺○）
解説…1. 円回内筋＝起始：上腕骨内側上顆，尺骨鈎

状突起，停止：橈骨外側面
2. 尺側手根屈筋＝起始：上腕骨内側上顆，肘頭，尺骨後側面，停止：豆状骨，有鈎骨鈎，第5中手骨底
3. 浅指屈筋＝起始：上腕骨内側上顆，尺骨鈎状突起，橈骨前側面，停止：第2～5指中節骨底の掌側面
4. 長掌筋＝起始：上腕骨内側上顆，停止：屈筋支帯，手掌腱膜
5. 橈側手根屈筋＝起始：上腕骨内側上顆，停止：第2・3中手骨底の掌側面

3. 答…5（❶○ ❷○ ❸○ ❹○ ❺×）
解説…1. 母指MP関節の伸展＝短母指伸筋の作用
2. 小指MP関節の屈曲＝短小指屈筋の作用
3. 環指MP関節の外転＝背側骨間筋の作用
4. 小指MP関節の内転＝掌側骨間筋の作用
5. 中指MP関節の伸展＝指伸筋の作用
虫様筋＝MP関節を屈曲し，DIP関節・PIP関節を伸展する．

4. 答…5（❶× ❷× ❸× ❹× ❺○）
解説…横つまみは母指の屈曲に対して示指（第2指）が外転方向に動くことで成り立つ．

5. 答…5（❶○ ❷○ ❸○ ❹○ ❺×）
解説…1. 短母指外転筋＝母指CM関節の屈曲作用
2. 短母指屈筋＝母指CM関節の屈曲作用
3. 母指内転筋＝母指CM関節の屈曲作用
4. 母指対立筋＝母指CM関節の屈曲作用
5. 掌側骨間筋＝第2・4・5指を第3指側へ引き寄せる（内転する）

## 7 手の運動学 その2

**演習問題 本文97ページ**

1. 答…3（❶× ❷× ❸○ ❹× ❺×）
解説…3. MP関節屈曲-PIP関節伸展-DIP関節伸展＝手内在筋プラス肢位

2. 答…2（❶○ ❷× ❸○ ❹○ ❺○）
解説…1. 手関節軽度掌屈
2. 母指軽度掌側外転
3. 母指軽度屈曲
4. 示指軽度屈曲
5. 小指軽度屈曲

3. 答…2（❶× ❷○ ❸× ❹× ❺×）
解説…1. 猿手＝正中神経麻痺
2. 下垂手＝橈骨神経麻痺
3. 鷲手＝尺骨神経麻痺
4. 槌指＝DIP関節脱臼骨折
5. ボタン穴変形＝手指PIP伸筋腱損傷

4. 答…1, 2（❶× ❷× ❸○ ❹○ ❺○）
解説…1. 手関節＝軽度背屈位である．
2. 母指＝軽度掌側外転位である．
3. 母指と他の指との先端＝ほぼ等距離である．
4. 第2～5指＝軽度屈曲位をとる．
5. 第2～5指の長軸の延長線＝舟状骨に集まる．

# 第3章 下肢の運動学

## 1 下肢の解剖学

**演習問題 本文107ページ**

1. 答…5（❶× ❷× ❸× ❹× ❺○）
解説…1. 陰部神経＝仙骨神経叢
2. 下殿神経＝仙骨神経叢
3. 坐骨神経＝仙骨神経叢
4. 上殿神経＝仙骨神経叢
5. 大腿神経＝腰神経叢

2. 答…1（❶○ ❷× ❸× ❹× ❺×）
解説…1. 薄筋＝閉鎖神経
2. 縫工筋＝大腿神経
3. 半腱様筋＝脛骨神経
4. 半膜様筋＝脛骨神経
5. 大腿二頭筋長頭＝脛骨神経
大腿二頭筋短頭＝腓骨神経

3. 答…4, 5（❶× ❷× ❸× ❹○ ❺○）
解説…1. 恥骨筋＝起始：恥骨，停止：大腿骨後内側面
2. 縫工筋＝起始：上前腸骨棘，停止：脛骨粗面内側
3. 短内転筋＝起始：恥骨下枝，停止：大腿骨
4. 長内転筋＝起始：恥骨結節，停止：大腿骨粗線中央1/3
5. 大腿二頭筋＝起始：坐骨結節，停止：腓骨頭

4. 答…1（❶× ❷○ ❸○ ❹○ ❺○）
解説…1. スカルパ三角＝大腿神経が通る．
2. スカルパ三角＝大腿動脈が通る．
3. スカルパ三角の底面＝恥骨筋がある．
4. スカルパ三角の外側＝縫工筋で形成される．
5. スカルパ三角の内側＝長内転筋で形成される．

5. 答…3, 5（❶× ❷× ❸○ ❹× ❺○）
解説…1. 中殿筋＝上殿神経
2. 縫工筋＝大腿神経
3. 膝窩筋＝脛骨神経
4. 後脛骨筋＝脛骨神経
5. 短指屈筋＝内側足底神経

## 2 股関節の運動学

**演習問題 本文112ページ**

1. 答…1, 3（❶○ ❷× ❸○ ❹× ❺×）
解説…1. 腸腰筋＝腸骨筋も大腰筋も股関節を屈曲，外旋させる．
2. 小殿筋＝股関節の外転，内旋
3. 梨状筋＝股関節の外旋，外転，伸展
4. 大腿方形筋＝股関節の外旋，内転
5. 恥骨筋＝股関節の屈曲，内転，外旋

2. 答…3（❶× ❷× ❸× ❹× ❺×）
解説…1. 股関節＝球関節
2. 大腿骨頸部＝関節包内にある．

3. 寛骨臼＝前外側を向いている．
4. 寛骨臼＝腸骨・恥骨・坐骨の3骨で構成される．
5. 腸骨大腿靱帯＝関節包前面を補強している．

3. 答…3（❶× ❷× ❸○ ❹× ❺×）
解説…1. 股関節屈曲作用の筋＝腸腰筋（腸骨筋，大腰筋，小腰筋）および恥骨筋
2. 股関節伸展作用の筋＝大殿筋，ハムストリングス
3. 股関節内転作用の筋＝薄筋および恥骨筋，長・短・大内転筋
4. 股関節内旋作用の筋＝小殿筋
5. 股関節外旋作用の筋＝大殿筋，深層外旋6筋

※深層外旋6筋＝上双子筋，下双子筋，梨状筋，内閉鎖筋，外閉鎖筋，大腿方形筋

4. 答…3（❶× ❷× ❸○ ❹× ❺×）
解説…1. 外転＝中殿筋，大腿筋膜張筋
2. 外旋＝大殿筋，外旋六筋（内閉鎖筋，外閉鎖筋，大腿方形筋，梨状筋，上双子筋，下双子筋）
半腱様筋＝股関節伸展筋
3. 屈曲＝恥骨筋および腸腰筋（腸骨筋，大腰筋，小腰筋）
4. 内旋＝小殿筋
大殿筋＝股関節伸展，外旋
5. 内転＝薄筋，恥骨筋，長・短・大内転筋

5. 答…1，5（❶○ ❷× ❸× ❹× ❺○）
解説…1. 外旋＝大殿筋
2. 伸展＝大殿筋，ハムストリングスなど
腸腰筋＝股関節屈曲
3. 内転＝長内転筋，大内転筋，小内転筋，短内転筋，恥骨筋，薄筋
中殿筋＝股関節の外転
4. 屈曲＝腸腰筋，大腿四頭筋，縫工筋，大腿筋膜張筋
大腿二頭筋＝股関節の伸展
5. 屈曲＝腸腰筋，大腿四頭筋，縫工筋，大腿筋膜張筋

6. 答…2（❶× ❷○ ❸× ❹× ❺×）
解説…1. 腸脛靱帯＝股関節の伸展・内転時に緊張する．
2. 坐骨大腿靱帯＝股関節の伸展時に緊張する．
3. 大腿骨頭靱帯＝股関節の内転時に緊張する．
4. 恥骨大腿靱帯＝股関節の外転時に緊張する．
5. 腸骨大腿靱帯＝股関節の伸展・内転時に緊張する．

7. 答…4（❶× ❷× ❸× ❹○ ❺×）
解説…1. 股関節の関節窩＝骨頭の2/3が入る．
2. 股関節の臼蓋角＝成人の方が小児よりも小さい．
3. 股関節運動範囲＝外転の方が内転よりも大きい．

4. 大腿骨頭靱帯＝内転時に緊張する．
5. 恥骨筋の収縮＝外転・伸展を制限する．

# 3 膝関節の運動学

**演習問題 本文123ページ**

1. 答…3（❶× ❷× ❸○ ❹× ❺×）
解説…1. 内縁＝外縁より薄い（外縁の方が厚い）．
2. 外側半月板の外縁＝外側側副靱帯との結合はない（外側側副靱帯は大腿骨外側上顆から腓骨頭に付着しており外側半月版との結合はない）．
内側半月板の内縁＝内側側副靱帯に付着する．
3. 外側半月板の外縁＝血行により栄養されている．
4. 内側半月板の形状＝C字状，外側半月板の形状＝O字状
5. プロテオグリカン＝コラーゲン以外の骨基質を構成する有機成分，半月板よりも軟骨に多く含まれる．

2. 答…3（❶× ❷× ❸○ ❹× ❺×）
解説…1. 斜膝窩靱帯の緊張＝（鵞足と膝窩筋を結合するため）膝関節の伸展運動の制限に関与する．
2. 前十字靱帯の緊張＝膝関節の伸展運動の制限に関与する．
3. 大腿後面と下腿後面の接触＝膝関節の屈曲運動の制限に関与する．
4. 大腿骨の転がり運動の出現＝膝関節の屈曲初期に転がり運動が生じる．
5. 内側側副靱帯の緊張＝膝関節の伸展運動の制限に関与する．

3. 答…5（❶× ❷× ❸× ❹× ❺○）

※膝関節屈曲に作用する筋＝①ハムストリングス（半腱様筋，半膜様筋，大腿二頭筋），②薄筋，③腓腹筋

解説…1. 外閉鎖筋＝（股関節に関わる一関節）筋股関節の外旋に作用する筋
2. 大内転筋＝（股関節に関わる一関節）股関節の内転に作用する筋
3. 恥骨筋＝（股関節に関わる一関節）股関節の内転に作用する筋
4. 長内転筋＝（股関節に関わる一関節）股関節の内転に作用する筋
5. 薄筋＝（股関節と膝関節に関わる二関節）股関節の内転，膝関節の屈曲，下腿の内旋，に作用する筋

4. 答…4（❶× ❷× ❸× ❹○ ❺×）

※股関節伸展，内転，内旋および膝関節屈曲に作用する筋＝二関節筋

解説…1. 大腿筋膜張筋＝「股関節の屈曲・外転」に作用する．
2. 大腿二頭筋＝「股関節の伸展・外旋」および「膝関節の屈曲」に作用する．

3. 中間広筋＝「膝関節の伸展」に作用する．
   4. 半腱様筋＝「股関節の伸展・内転・内旋」および「膝関節の屈曲」に作用する．
   5. 縫工筋＝「股関節の屈曲・外転・外旋」に作用する．
5. 答…3（❶× ❷× ❸○ ❹× ❺×）
   解説…1. 膝蓋骨の関節面＝外側面に比べて内側面は狭い．
   2. 膝蓋骨の可動性＝膝関節屈曲位では可動性が低くなる（膝伸展位の方が膝蓋骨の可動性は高くなる）．
   3. 膝蓋骨＝膝関節伸筋の作用効率を高めている（膝蓋骨はてこの原理で支点になる）．
   4. 膝蓋骨＝膝関節の屈曲に伴い大腿四頭筋が緩むため下方に移動する（膝蓋骨は膝伸展時に上方に引かれる）．
   5. 膝蓋骨＝膝関節の伸展に伴い接触面は下方に移動する．
6. 答…5（❶× ❷× ❸× ❹× ❺○）
   解説…1. 側副靱帯＝屈曲時に弛緩する（伸展時に緊張する）．
   2. 関節包の後面＝前面に比べて伸縮性が低い（関節包の前面の伸縮性が高い）．
   3. 半月板＝半月板の周囲は関節包に繋がっていて膝の屈伸に応じて半月板も多少動く（内側半月板が大きく外側半月板は小さいので，内側半月板が6mm程度，外側半月板は12mm程度前後に移動する）．
   4. 大腿骨＝脛骨上の転がり運動は屈曲初期にみられるが，徐々に滑り運動が加わり屈曲最終段階では滑り運動だけになる．
   5. 大腿骨＝（大腿骨の関節面は外側顆の方が内側顆よりも低いため，その距離を補うため）脛骨上の転がり運動は外側顆部の方が内側顆部より大きくなる．
7. 答…5（❶× ❷× ❸× ❹× ❺○）
   ※正常な膝関節の屈曲＝大腿と下腿の後面の接触．ハムストリングスと下腿三頭筋が相互に圧迫し合う
   →軟部組織性の最終域感
   解説…5. 軟部組織性＝筋や脂肪組織が圧迫され運動が止まる．
8. 答…2（❶× ❷○ ❸× ❹× ❺×）
   解説…1. 膝関節半月板の外縁＝内縁より厚い．
   2. 外側半月板＝外側側副靱帯に付着しない．
      内側半月板＝内側側副靱帯に付着する．
   3. 膝関節半月板＝大腿骨と脛骨の適合性を高める．
   4. 内側半月板＝外側半月板より大きい．
   5. 膝関節半月板＝膝関節伸展時には前方に移動する．
9. 答…3（❶× ❷× ❸○ ❹× ❺×）
   解説…1. 外側側副靱帯＝緊張する．

   2. 内側側副靱帯＝緊張する．
   3. 前十字靱帯＝緊張する．
   4. 後十字靱帯＝弛緩する（一部の線維が緊張する）．
   5. 半月板＝前方移動する．

## 4 足関節と足部の運動学

**演習問題　本文137ページ**

1. 答…4,5（❶× ❷× ❸× ❹○ ❺○）
   解説…1. 足の長指屈筋＝第2～5趾の底屈，足関節の底屈・内がえし
   2. 後脛骨筋＝足関節の底屈・内がえし
   3. 膝窩筋＝膝関節の屈曲・内旋
   4. 足底筋＝膝関節屈曲と足関節底屈
   5. 腓腹筋＝膝関節屈曲と足関節底屈
2. 答…4（❶× ❷× ❸× ❹○ ❺×）
   解説…1. 後脛骨筋＝内果の後方を走行する．
   2. 短腓骨筋＝外果の後方を走行する．
   3. 長腓骨筋＝外果の後方を走行する．
   4. 第3腓骨筋＝外果の前方を走行する．
   5. 長母指屈筋＝内果の後方を走行する．
3. 答…1,4（❶○ ❷× ❸× ❹○ ❺×）
   解説…1. 踵骨＝外側縦アーチ
   2. 距骨＝内側縦アーチ
   3. 舟状骨＝内側縦アーチ
   4. 立方骨＝外側縦アーチ
   5. 中間楔状骨＝（足根骨レベルでの）横アーチ
4. 答…4（❶× ❷× ❸× ❹○ ❺×）
   解説…1. 外側縦アーチの要石（かなめいし）＝踵立方関節である．
   ※要石：アーチの頂上のこと
   2. 外側縦アーチ＝内側縦アーチよりも短い．
   3. 内側縦アーチ＝内がえしで高くなる．
   4. 内側縦アーチ＝中足指節関節の伸展時に高くなる．
   5. 中間楔状骨＝足根骨部の横アーチの高い位置にある．
5. 答…2（❶× ❷○ ❸× ❹× ❺×）
   解説…1. 虫様筋＝足部MP関節屈曲，PIP/DIP関節伸展に関与する（アーチには関与しない）．
   2. 後脛骨筋＝足部内返し（底屈回外内転）に関与し，足部縦アーチの保持に関与する＝正しい．
   3. 前脛腓靱帯＝足部内返し（底屈回外内転）で緊張し距腓関節の安定に関与する（アーチには関与しない）．
   4. 短母指伸筋＝母趾のMP・PIP関節の伸展に関与する（アーチには関与しない）．
   5. 浅横中足靱帯＝中足骨の遠位側を連結する（アーチには関与しない）．

〈足部のアーチに関与する骨・靱帯・筋〉

| アーチ | 構成している骨 | 支持する筋・靱帯 |
| --- | --- | --- |
| 内側縦アーチ | 踵骨，距骨，舟状骨<br>内側楔状骨，第1中足骨 | スプリング靱帯（底側踵舟靱帯），距踵靱帯，楔舟靱帯<br>前脛骨筋，後脛骨筋，長腓骨筋，長母指屈筋，<br>短母趾屈筋，長趾屈筋，母趾外転筋 |
| 外側縦アーチ | 踵骨，立方骨，第5中足骨 | 長足底靱帯，踵立方靱帯，足根中足靱帯，長腓骨筋，短腓骨筋，短趾屈筋，小趾外転筋，短小趾屈筋，小趾立方筋 |
| 中足部横アーチ | 内・中・外楔状骨，立方骨 | 楔間靱帯，楔立方靱帯，長腓骨筋 |
| | 第1〜第5中足骨骨頭 | 深横中足靱帯，母趾内転筋（横側頭） |

6. 答 …3, 4（❶× ❷× ❸○ ❹○ ❺×）
   解説…1. 第三腓骨筋＝外がえしに作用する．
   2. 長母指伸筋＝内がえしに作用する．
   3. 長腓骨筋＝横アーチの維持に作用する．
   4. 長指屈筋＝内側縦アーチの維持に作用する．
   5. 後脛骨筋＝内側縦アーチの維持に作用する．

〈足関節の運動に関与する筋〉

| | |
| --- | --- |
| 内がえし筋 | 前脛骨筋，後脛骨筋，長母趾伸筋，長母趾屈筋，長趾屈筋，短趾屈筋，虫様筋，足底骨間筋，下腿三頭筋 |
| 外がえし筋 | 長腓骨筋，短腓骨筋，第三腓骨筋，長趾伸筋 |
| 内側縦アーチの維持筋 | 後脛骨筋，前脛骨筋，長母趾屈筋，長趾屈筋，母趾外転筋 |
| 外側縦アーチの維持筋 | 長腓骨筋，短腓骨筋 |
| 横アーチの維持筋 | 長腓骨筋 |

7. 答 …1, 5（❶○ ❷× ❸× ❹× ❺○）
   解説…1. 前脛骨筋＝足関節を背屈・内反する．
   2. 長腓骨筋＝足関節を底屈・外反する．
   3. 後脛骨筋＝足関節を底屈・内反する．
   4. 長趾屈筋＝第2〜5趾（PIP関節）を屈曲する．
   5. 第三腓骨筋＝足関節を背屈・外反する．

8. 答 …3（❶× ❷× ❸○ ❹× ❺×）
   解説…1. 距腿関節の運動軸＝膝軸に対して外捻20〜30°
   2. 舟状骨＝内側縦アーチ（踵骨-距骨-舟状骨-内側楔状骨-第1中足骨）を構成
   3. 背屈運動＝果間距離は拡大
   4. Lisfranc関節＝外転・内転運動が生じる．
   5. Böhler角＝20〜30°

9. 答 …2（❶× ❷○ ❸× ❹× ❺×）
   解説…1. 外がえし＝長・短・第三腓骨筋が関与する．
   2. 後脛骨筋＝立位で横アーチの維持に働く．
   3. 距腿関節＝足関節底屈位で内外転が可能である．
   4. 内がえしの運動＝足関節の運動の中心点から矢状断に対して生じる．
   5. 踵腓靱帯＝距骨下関節における内がえしを制限する．

10. 答 …4（❶× ❷× ❸× ❹○ ❺×）
    解説…1. 中足間関節＝アーチに関与しない．
    2. 横足根関節＝アーチに関与しない．
    3. 足根中足関節＝動きはあまりない．
    4. 距骨下関節＝内がえし．
    5. 距腿関節＝底屈位で関節の遊びが大きくなる．

〈歩行時の重心・下肢関節の角度〉

| 歩行周期 | | 立脚期 | | | | 遊脚期 | | | |
|---|---|---|---|---|---|---|---|---|---|
| | | 0%(100%) | 10% | 20% | 30% | 40% | 50% | 60% | 70%〜 |
| | | 踵接地 | 足底接地 | 立脚中期 | 踵離地 | | | 爪先離地 | |
| 重心の上下移動<br>(振幅4.5cm) | | 最低 | | 最高 | | | | | |
| 重心の左右移動<br>(振幅3cm) | | 0° | | 限界 | | | | | |
| 骨盤の内外旋角度 | | 内旋4° | | | | | | | 外旋4° |
| 股関節の角度 | 屈伸 | 屈曲25° | | 屈曲20° | 0° | 伸展20° | | 伸展10° | |
| | 内外転 | 0° | | | 内転5° | | | | 外転5° |
| | 内外旋 | 外旋4° | 内旋4° | | | 内旋4° | | 外旋4° | |
| 膝関節の屈伸角度 | | 0° | | 屈曲15° | 0° | | | 屈曲40° | 屈曲65° |
| 足関節の底背屈角度 | | 背屈5° | 底屈15° | | 底屈3° | 底屈20° | | 底屈15° | 0° |

# 第4章　体幹の運動学

## 1　体幹の解剖学・運動学

演習問題　本文144ページ

1. 答 …4（❶× ❷× ❸× ❹○ ❺×）
   解説…1. 上位頸椎＝下位頸椎よりも回旋可動域は大きい（頸椎の回旋運動の大部分は環軸椎関節で行われる）．
   2. 腰椎＝屈曲，伸展，側屈は可能だが，回旋運動はほとんどできない（胸椎＝側屈，回旋が可能，腰椎よりも回旋可動域は大きい）．
   3. 胸鎖乳突筋＝（片側の収縮で）頭部を対側に回旋させる．
   4. 頭板状筋＝（片側の収縮で）頭部を同側に回旋させる．
   5. 中斜角筋＝（片側の収縮で）頭部を同側に側屈させる（回旋の作用はない）．

2. 答 …4（❶× ❷× ❸× ❹○ ❺×）
   解説…1. 黄色靱帯＝脊柱管の後面で椎弓間を結ぶ．
   2. 棘間靱帯＝上下に隣り合う棘突起間を結ぶ．
   3. 棘上靱帯＝棘突起先端上を縦走する．
   4. 後縦靱帯＝椎体後面（脊柱管の前壁）に沿って走行する．
   5. 前縦靱帯＝椎体前面を縦走する．

3. 答 …1, 3（❶○ ❷× ❸○ ❹× ❺×）
   解説…1. 硬膜＝くも膜より皮膚側（背側）
   2. 椎間板＝脊椎椎体間
   3. 黄色靱帯＝脳脊髄膜より皮膚側（背側）
   4. 前縦靱帯＝椎体前面
   5. 後縦靱帯＝椎体後面

4. 答 …1, 3（❶○ ❷× ❸○ ❹× ❺×）
   解説…1. 腹直筋＝脊柱の屈曲
   2. 上後鋸筋＝第2〜5肋骨の挙上
   3. 外腹斜筋＝脊柱の屈曲
   4. 腰方形筋＝骨盤の引き上げ
   5. 脊柱起立筋＝脊柱の伸展

5. 答 …3（❶○ ❷○ ❸× ❹○ ❺○）
   解説…1. 項靱帯＝脊柱の屈曲を制限する靱帯
   2. 後縦靱帯＝脊柱の屈曲を制限する靱帯
   3. 前縦靱帯＝脊柱の屈曲を制限しない靱帯
   4. 黄色靱帯＝脊柱の屈曲を制限する靱帯
   5. 棘間靱帯＝脊柱の屈曲を制限する靱帯

## 2　頸部の運動学

演習問題　本文149ページ

1. 答 …1, 5（❶○ ❷× ❸× ❹× ❺○）
   解説…1. 環椎＝椎体がない．
   2. 軸椎＝上関節面があり環椎の下関節窩と関節を形成する．
   3. 第4頸椎＝第3〜7頸椎の椎体上面には鈎状突起が突出している（鈎状椎体関節をルシュカ関節という）．
   4. 第5頸椎＝椎骨動脈は第1〜第6頸椎の横突孔を上行する．
   5. 第7頸椎＝棘突起先端は二分していない（第1〜6頸椎の棘突起先端が二分している）．

2. 答 …3（❶× ❷× ❸○ ❹× ❺×）
   解説…1. 頸長筋＝頸椎の屈曲，側屈
   2. 頭長筋＝頸椎の屈曲，側屈，回旋
   3. 頭板状筋＝頸椎の伸展，側屈
   4. 後斜角筋＝頸椎の側屈
   5. 前頭直筋＝頸椎の屈曲，側屈，回旋

## 3　胸部の運動学

演習問題　本文153ページ

1. 答 …1, 4（❶○ ❷× ❸× ❹○ ❺×）

|解説|…1. 横隔膜＝安静吸気，強制吸気ともに働く．
2. 腹直筋＝強制呼気時に働く．
3. 肋下筋＝強制呼気時に働く．
4. 外肋間筋＝安静吸気，強制吸気ともに働く．
5. 内腹斜筋＝強制呼気時に働く．

2. |答|…5(❶× ❷× ❸× ❹× ❺○)
|解説|…1. 腹横筋＝努力（強制）呼気に働く筋
2. 腹直筋＝努力（強制）呼気に働く筋
3. 外腹斜筋＝努力（強制）呼気に働く筋
4. 内腹斜筋＝努力（強制）呼気に働く筋
5. 胸鎖乳突筋＝努力（強制）吸気に働く筋

3. |答|…5(❶× ❷× ❸× ❹× ❺○)
|解説|…1. 胸鎖乳突筋＝努力（強制）吸気筋
2. 外肋間筋＝安静吸気筋
3. 大胸筋＝努力（強制）吸気筋
4. 横隔膜＝安静吸気筋
5. 腹斜筋＝努力（強制）呼気筋

〈呼吸に働く筋〉

| 安静吸気筋 | 横隔膜，外肋間筋 |
|---|---|
| 安静呼気筋 | なし |
| 強制吸気筋 | 斜角筋，胸鎖乳突筋，肋骨挙筋，大胸筋，小胸筋，脊柱起立筋など |
| 強制呼気筋 | 内肋間筋，内腹斜筋，外腹斜筋，腹直筋，腹横筋など |

4. |答|…1(❶○ ❷× ❸× ❹× ❺×)
|解説|…1. 広背筋＝起始：T7以下の棘突起・下位肋骨・腸骨稜，停止：上腕骨小結節稜
2. 僧帽筋＝起始：外後頭隆起・項靱帯・C7～T12棘突起，停止：鎖骨・肩峰・肩甲棘
3. 小円筋＝起始：肩甲骨外側縁上1/2，停止：上腕骨大結節
4. 大菱形筋＝起始：T2～5棘突起，停止：肩甲骨内側縁
5. 肩甲下筋＝起始：肩甲下窩，停止：上腕骨小結節

5. |答|…1(❶○ ❷× ❸× ❹× ❺×)
|解説|…1. 腹横筋＝努力（強制）呼気
2. 僧帽筋＝努力（強制）吸気
3. 大胸筋＝努力（強制）吸気
4. 小胸筋＝努力（強制）吸気
5. 胸鎖乳突筋＝努力（強制）吸気

6. |答|…4(❶× ❷× ❸× ❹○ ❺×)
|解説|…1. 横隔膜＝安静吸気
2. 大胸筋＝努力（強制）吸気
3. 後斜角筋＝努力（強制）吸気
4. 外肋間筋＝努力（強制）吸気
5. 胸鎖乳突筋＝努力（強制）吸気

7. |答|…4(❶× ❷× ❸× ❹○ ❺×)
|解説|…1. 腹直筋＝胸郭を下方へ引き下げる．
2. 大腰筋＝起始は第12胸椎・第1～4腰椎側面・椎間板・第1～5腰椎肋骨突起，停止は腸骨筋と合流して腸腰筋となり小転子，作用は股関節屈曲と脊柱前屈
3. 腰方形筋＝起始は腸骨稜・腸腰靱帯，停止は第12肋骨・L1～L4椎体肋骨突起，作用は腰椎屈曲，第12肋骨を下方へ引き下げる．
4. 内腹斜筋＝胸郭を外下方へ引き下げる．
5. 外腹斜筋＝胸郭を内下方へ引き下げる．

## 4 腰部・骨盤の運動学

演習問題　本文160ページ

1. |答|…4(❶× ❷× ❸× ❹○ ❺×)
|解説|…1. 外腹斜筋＝起始：第5～12肋骨，停止：腹直筋鞘と白線，腸骨稜
2. 肩甲挙筋＝起始：第1～4頸椎の横突起結節，停止：肩甲骨上角，内側縁
3. 前鋸筋＝起始：第1～9肋骨，停止：肩甲骨内側縁
4. 僧帽筋＝起始：外後頭隆起，項靱帯，第7頸椎・第1～12胸椎の棘突起，停止：鎖骨，肩峰，肩甲棘
5. 内腹斜筋＝起始：胸腰筋膜，腸骨稜，鼠径靱帯，停止：第10～12肋骨，腹直筋鞘と白線

2. |答|…2(❶× ❷○ ❸× ❹× ❺×)
|解説|…1. 外腹斜筋＝対側への体幹回旋
2. 最長筋＝体幹の伸展
3. 腹横筋＝腹腔内圧の上昇
4. 腹直筋＝体幹の屈曲
5. 腰方形筋＝体幹の側屈

3. |答|…3(❶○ ❷○ ❸× ❹○ ❺○)
|解説|…1. 最長筋＝体幹の伸展
2. 腹直筋＝体幹の屈曲
3. 腰方形筋＝骨盤の引き上げ
4. 外腹斜筋＝体幹の回旋
5. 内腹斜筋＝体幹の回旋

4. |答|…2, 4(❶× ❷○ ❸× ❹○ ❺×)
|解説|…1. 内腹斜筋＝片側の収縮時に頭頸部または体幹を同側へ回旋
2. 外腹斜筋＝片側の収縮時に頭頸部または体幹を反対側へ回旋
3. 板状筋群＝片側の収縮時に頭頸部または体幹を同側へ屈曲
4. 胸鎖乳突筋＝片側の収縮時に頭頸部または体幹を反対側へ回旋
5. 後頭下筋群＝片側の収縮時に頭頸部または体幹を同側へ屈曲

# 第5章　頭部・顔面の運動学

## 4 眼球運動

演習問題　本文169ページ

1. |答|…2, 5(❶× ❷○ ❸× ❹× ❺○)

解説 … 1. 烏口腕筋＝筋滑車はない．
2. 顎二腹筋＝筋滑車がみられる．
3. 示指伸筋＝筋滑車はない．
4. 小胸筋＝筋滑車はない．
5. 上斜筋＝筋滑車がみられる．

2. 答 …3,4（❶× ❷× ❸○ ❹○ ❺×）
解説 … 1. 下斜筋＝動眼神経
2. 下直筋＝動眼神経
3. 上眼瞼挙筋＝動眼神経
4. 上斜筋＝滑車神経
5. 内側直筋＝動眼神経

〈外眼筋の神経支配と運動方向〉

|  | 神経支配 | 運動方向 |
| --- | --- | --- |
| 上直筋 | 動眼神経 | 眼球を上方かつやや内側方向へ |
| 下直筋 | 動眼神経 | 眼球を下方かつやや内側方向へ |
| 内側直筋 | 動眼神経 | 眼球を内側方向へ |
| 外側直筋 | 外転神経 | 眼球を外側方向へ |
| 上斜筋 | 滑車神経 | 眼球を外下方向へ回転 |
| 下斜筋 | 動眼神経 | 眼球を外上方向へ回転 |

3. 答 …1（❶× ❷○ ❸○ ❹○ ❺○）
解説 … 1. 上斜筋＝滑車神経支配
2. 下斜筋＝動眼神経支配
3. 上直筋＝動眼神経支配
4. 下直筋＝動眼神経支配
5. 上眼瞼挙筋＝動眼神経支配

4. 答 …1,2（❶○ ❷○ ❸× ❹× ❺×）
解説 … 1. 咬筋＝咀嚼筋
2. 側頭筋＝咀嚼筋
3. 口輪筋＝表情筋（口の周囲を前方に尖らせる）
4. 小頬骨筋＝表情筋（上唇を後上方へ引き上げる）
5. オトガイ筋＝表情筋（下唇を突き出す）

5. 答 …4（❶× ❷× ❸× ❹○ ❺×）
解説 … 1. 顎関節＝関節円板がある．
2. 側頭筋＝下顎骨を後方に引く．
3. 下顎骨＝凸の関節面を形成する．
4. 開口＝下顎骨は前進する．
5. 咬筋＝第3のてことして作用する．

# 第6章 姿勢

## 1 姿勢と重心との関係

**演習問題　本文175ページ**

1. 答 …5（❶× ❷× ❸× ❹× ❺○）
解説 … 1. 正常立位姿勢の腰仙角＝約30°である．
2. 胸椎と仙椎＝後弯（頸椎と腰椎＝前弯）
3. 矢状面上における重心＝仙骨の前方に位置する．
4. 矢状面における身体の重心線＝足部外果約2cm前方を通る．
5. 両上前腸骨棘と恥骨結合を含む面＝前額面とほぼ一致する．

2. 答 …5（❶× ❷× ❸× ❹× ❺○）
解説 … 1. 第2仙椎の前方（2.5cm）
2. 閉眼するとき＝やや前方に移動する．
3. 小児＝相対的に成人より高い．
4. 重心線＝膝関節中心の前方（膝蓋骨後面）
5. 重心動揺面積＝老年期には加齢に伴い増大する＝正しい．

3. 答 …4（❶× ❷× ❸× ❹○ ❺×）
解説 … 1. 重心動揺＝閉眼にて増加
2. 重心動揺＝年齢によって変化（幼児期は動揺大，青年期安定，老年期再び動揺大）
3. 立位持＝股関節のY靱帯（腸骨大腿靱帯）が緊張
4. 安静立位時＝ヒラメ筋の持続的筋収縮が出現
5. 立位時の重心の位置＝第2仙椎の前方
男性＝床から56％，女性＝床から55％

4. 答 …2,4（❶× ❷○ ❸× ❹○ ❺×）
解説 … 1. 耳垂
2. 肩関節の前方（肩峰）
3. 大転子
4. 膝蓋骨の後方（膝関節中心より前方）
5. 外果の（約2cm）前方

## 2 立位姿勢と姿勢保持

**演習問題　本文179ページ**

1. 答 …4（❶× ❷× ❸× ❹○ ❺×）
解説 … 1. 安定した立位姿勢＝支持基底面が広い．
2. 安定した立位姿勢＝重心の位置が低い．
3. 安定した立位姿勢＝床と足底の接触面の摩擦抵抗が大きい．
4. 安定した立位姿勢＝上半身と下半身の重心線が一致している．
5. 安定した立位姿勢＝重心線の位置が支持基底面の中心に近い．

2. 答 …1,2（❶○ ❷○ ❸× ❹× ❺×）
解説 … 1. 視覚の遮断＝不安定姿勢
2. 高い重心位置＝不安定姿勢
3. 狭い支持基底＝不安定姿勢
4. 接触面との小さな摩擦＝不安定姿勢
5. 支持基底外側への重心線の投射＝不安定姿勢

# 第7章 歩行と走行

## 1 歩行周期

**演習問題　本文185ページ**

1. 答 …3（❶× ❷× ❸○ ❹× ❺×）
3. 0.6m/秒＝次の計算式参照

〈計算式〉
- 歩行率80歩/分を秒に変換する→80歩÷60秒＝(4/3)歩/秒
- 1歩の歩幅→45cm＝0.45m
- 0.45m×(4/3)＝0.6m/秒

2. 答…1, 5（❶○ ❷× ❸× ❹× ❺○）
解説…1. 重心点の高さ＝立脚中期に最大
　　　2. 歩行速度＝重複歩時間に反比例
　　　3. 両脚支持期＝1歩行周期に2回
　　　4. 歩行率＝男性が女性よりも低い．
　　　5. エネルギー効率＝快適歩行速度で最もよい．

3. 答…4（❶○ ❷○ ❸○ ❹× ❺○）
解説…1. 歩行率＝歩調
　　　2. 歩行率＝1分間の歩数で表示
　　　3. 歩行速度＝歩幅×歩行率で計算
　　　4. 歩行率＝男性より女性で高い（女性は歩幅が狭いため歩数を多くする）．
　　　5. 壮年以降＝加齢に従い歩行率は低下（高齢者は歩数が減少する）

## ② 運動学的歩行分析

**演習問題　本文189ページ**

1. 答…1（❶○ ❷× ❸× ❹× ❺×）
解説…1. 足関節＝1歩行周期に背屈と底屈とが2回生じる．
　　　2. 股関節＝1歩行周期に伸展と屈曲とが1回生じる．
　　　3. 膝関節＝1歩行周期に伸展と屈曲とが2回生じる．
　　　4. 一側下肢の立脚相と遊脚相の割合＝6（立脚相）：4（遊脚相）
　　　5. 高齢者＝歩行比は減少する（高齢者は歩幅が減少し歩行率が増加するため）．
　　　　歩幅＝一歩踏み出した足のつま先からつま先の長さ（高齢者は減少する）
　　　　歩行率＝歩数を時間（分または秒）で割ったもの（単位時間当たりの歩数）（高齢者は増加する）
　　　　歩行比＝「歩幅÷歩行率」のこと

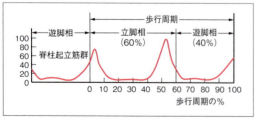

2. 答…3（❶× ❷× ❸○ ❹× ❺×）
解説…1. 肩関節＝対側の踵接地時に最大屈曲位となる．
　　　2. 膝関節＝踵接地直後にやや屈曲する．
　　　3. 骨盤＝水平面において回旋運動をする．
　　　4. 骨盤＝前額面において5°程度傾斜する．
　　　5. 骨盤＝立脚側へ側方移動する．

3. 答…採点除外（厚生労働省：選択肢において正解を得ることが困難なため）
解説…1. ×：踵接地＝足関節ほぼ中間位
　　　2. ×：足底接地＝足関節やや底屈位
　　　3. ×：立脚中期＝足関節ほぼ中間位
　　　4. ×：爪先離地直前＝足関節は最も底屈位
　　　　　　爪先離地直後＝足関節は最も背屈位なので，爪先離地だけでは底屈位とも背屈位とも言えない．
　　　5. ×：遊脚中期＝足関節やや中間位

4. 答…3（❶× ❷○ ❸○ ❹× ❺×）
解説…1. 骨盤傾斜＝歩行時の骨盤の傾斜は重心の上下移動幅の振幅の減少に関与
　　　2. 二重膝作用＝1歩行周期中の膝の「伸展-屈曲-伸展-屈曲」運動のことで，重心の上下移動幅の振幅の減少に関与
　　　3. 膝関節の回旋＝大腿骨と脛骨との間の相対的回旋は約9°であるが，重心の移動には非関与
　　　4. 骨盤の回旋運動＝歩行時の骨盤の回旋は重心の上下移動幅の振幅の減少に関与
　　　5. 骨盤の側方移動＝歩行時の骨盤の側方移動は重心の上下移動幅の振幅の減少に関与

5. 答…5（❶× ❷× ❸× ❹× ❺○）
解説…1. 歩行速度が増加＝重心軌道の高低差は大きい（速度増加により歩幅が大きくなって両足支持期の重心が低くなるため）
　　　2. 1歩行周期＝重心軌道は2峰性を示す．
　　　3. 重心の移動速度＝立脚中期で最も遅い．
　　　4. 重心が最も高い＝立脚中期
　　　5. 重心が最も低い＝踵接地期直後

## ③ 運動力学的歩行分析

**演習問題　本文193ページ**

1. 答…4（❶○ ❷○ ❸○ ❹× ❺○）
解説…1. 歩幅＝三次元歩行分析装置で評価可能である．
　　　2. 歩行率＝三次元歩行分析装置で評価可能である．
　　　3. 重心の変化＝三次元歩行分析装置で評価可能である．
　　　4. 足底圧分布＝床反力計が必要である（三次元歩行分析装置では評価困難である）．
　　　　床反力計＝床上での歩行における上下（鉛直）方向（体重等によって足底に加わる力），前後方向（制動力と駆動力），左右方向に加わる力（内向きの力と外向きの力）を計測する．
　　　5. 関節角度変化＝三次元歩行分析装置で評価可能である．

〈三次元歩行分析装置〉
〈構成ユニット〉
① コンピュータ，② モニタ，③ プリンター，④ カメラ（2〜8台），⑤ カメラドライバ，⑥ アイソレーショントランス，⑦ 反射マーカ，⑧ 校正器
〈原理〉
複数のカメラから捉えた反射マーカの二次元座標を三角測量の原理を使って三次元的に合成し，得られたマーカの三次元座標値から，①重心の位置，②体節の動き，③歩行速度，④歩幅，⑤歩行率，⑥体幹の上下動，⑦関節角度の変化などを解析する．

2. 答 …2（❶× ❷○ ❸× ❹× ❺×）
解説…1. 筋トルク＝筋トルク測定装置
2. 足圧中心＝床反力計
3. 関節座標＝多関節型（三次元）座標測定装置
4. 関節角速度＝角速度検出装置
5. 関節モーメント＝関節モーメント計測装置

3. 答 …4（❶○ ❷○ ❸○ ❹× ❺○）
解説…1. 垂直分力＝2峰性の波形
2. 垂直分力の最大値＝体重を超える
3. 左右分力＝立脚中期には内向き
4. 前後分力＝足底接地時には後ろ向き
5. 前後分力＝爪先離地時には前向き

## 4 歩行時の筋活動

演習問題 本文196ページ
1. 答 …1, 2（❶○ ❷○ ❸× ❹× ❺×）
解説…1. 踵接地から足底接地までの前脛骨筋＝遠心性収縮
2. 足底接地から立脚中期までの下腿三頭筋＝遠心性収縮
3. 立脚中期から踵離地までの大殿筋＝求心性収縮
4. 加速期から遊脚中期までの内側広筋＝等尺性収縮
5. 遊脚中期から減速期までの腸腰筋＝求心性収縮

2. 答 …5（❶× ❷× ❸× ❹× ❺○）
解説…1. 下腿三頭筋は立脚期後半に筋活動（＋）
2. 大腿四頭筋は荷重反応期に筋活動（＋）
3. ハムストリングスは遊脚後期から立脚前期にかけて筋活動（＋）
4. 中殿筋は立脚前半に筋活動（＋）
5. 脊柱起立筋は全歩行周期で筋活動（＋），特に荷重反応期および立脚相と遊脚相の移行期に骨盤固定の目的で活動増加

3. 答 …4（❶× ❷× ❸× ❹○ ❺×）
解説…Aの地点は立脚期から遊脚期への移行期を指している．この時期に足関節が底屈位から急激に背屈位へ転換するので収縮力が増加するのは，4.の前脛骨筋である．
1. 大殿筋＝遊脚後期から足底接地にかけて収縮力が増加する．
2. 中殿筋＝遊脚後期から足底接地にかけて収縮力が増加する．
3. 大腿二頭筋＝遊脚後期から踵接地にかけて収縮力が増加する．
4. 前脛骨筋＝遊脚初期から収縮力が増加する．
5. 腓腹筋＝踵接地から立脚後期にかけて収縮力が増加する．

4. 答 …3, 4（❶× ❷○ ❸○ ❹○ ❺×）
解説…1. 立脚初期の中殿筋はわずかな遠心性収縮か等尺性収縮を示す．
2. 踵接地期の前脛骨筋は等尺性収縮を示す．
3. 踵離地期の下腿三頭筋は足部の蹴り出しのため求心性収縮を示す．
4. つま先離地期の腸腰筋は股関節屈曲による下肢の振り出しのため求心性収縮を示す．
5. 踵接地期直前のハムストリングスは股関節屈曲の減速のため遠心性収縮を示す．

## 5 小児および高齢者の歩行

演習問題 本文200ページ
1. 答 …4（❶× ❷× ❸× ❹○ ❺×）

重複歩距離＝踵接地から次に同側の踵が設置するまでの距離＝5cm×8マス＝40cm

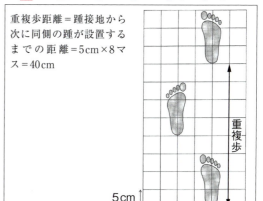

2. 答 …1（❶○ ❷× ❸× ❹× ❺×）
解説…1. 歩隔＝高齢者が大きい（ワイドベースにして安定性を増加させる）
2. 歩幅＝高齢者は小さい（小股で歩く）
3. 骨盤回旋＝高齢者は小さい（小股で歩くため骨盤回旋も小さい）
4. 遊脚相/立脚相比＝高齢者は小さい（立脚相時間が長い）
5. 頭部の上下動の振幅＝高齢者は小さい（下肢を持ち上げず擦って歩くため頭部の上下振幅が少ない）

3. 答 …4（❶× ❷× ❸× ❹○ ❺×）
解説…1. 小児歩行の独歩開始時＝足底全面接地
2. 歩幅に対する歩隔の比率＝発達とともに減少
3. 両脚支持期＝発達とともに減少

4. ケイデンス＝発達とともに減少
   ※ケイデンス（歩行率）＝1分間の歩数
5. 上肢肢位＝発達とともに下垂位（ハイガード→ミドルガード→ローガード）

| （上肢） | ハイガード | ミドルガード | ローガード |
|---|---|---|---|
| （下肢） | 外転位 | 足底全面接地 | 広い歩幅 |

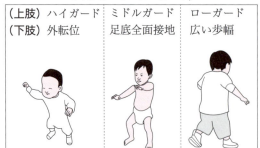

4. 答…1（❶○ ❷× ❸× ❹× ❺×）
   解説…1. 高齢者歩行＝若年者と同じ速度で歩く場合は歩調が多い．
   2. 高齢者歩行＝若年者に比べて遊脚相/立脚相比が低下する．
   3. 高齢者歩行＝若年者に比べて骨盤の水平回旋は小さい．
   4. 高齢者歩行＝若年者に比べて頭部の上下動の振幅は小さい．
   5. 高齢者歩行＝若年者に比べて床反力垂直成分の変化は小さい．
5. 答…1（❶× ❷○ ❸○ ❹○ ❺○）
   解説…1. 小児歩行において前額面と比べて矢状面は不安定である．
   2. 小児歩行において歩行開始時は上肢挙上位をとる．歩行が安定するにしたがって上肢は徐所に下がってくるが肩は外転位，肘は屈曲位をとりやすく，腕の振りも少ない．
   3. 足底は全面接地．
   4. 遊脚期は股外転位．
   5. ワイドベースで安定性を保とうとする（歩隔は大）．

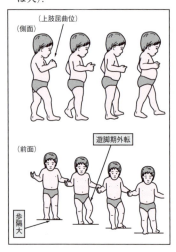

## 6 異常歩行

演習問題　本文205ページ

1. 答…2（❶× ❷○ ❸× ❹× ❺×）
   解説…1. 鶏歩＝前脛骨筋の筋力低下（下垂足歩行）
   2. 踵足歩行＝深部感覚障害，前脛骨筋麻痺
   3. 動揺性歩行＝進行性筋ジストロフィー，多発筋炎など
   4. 小刻み歩行＝Parkinson病（錐体外路障害），運動失調＝失調性歩行，酩酊歩行
   5. Trendelenburg歩行＝中殿筋の筋力低下（筋ジストロフィー）

〈異常歩行〉

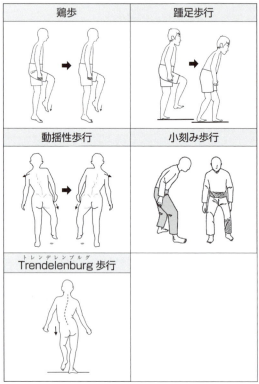

2. 答…4（❶○ ❷○ ❸○ ❹× ❺○）
   解説…4. 総腓骨神経麻痺では足関節の背屈筋群の麻痺のため下垂足となり，その代償運動として麻痺側の下肢をより多めに屈曲するので鶏歩となる．代償しなければ引きずり歩行となる．ちなみに分回し歩行は脳卒中片麻痺に比較的多く観察される．
3. 答…3（❶× ❷× ❸○ ❹× ❺×）
   解説…1. 2. 足関節底屈筋の麻痺となり踵足変形を呈する．歩容としては障害側の下肢が立脚終期に底屈ができないために機能的に下肢が短縮した状態となり，足趾をクリアするために対側遊脚下肢の股関節および膝関節が過度に屈曲する．

3. 前脛骨筋の麻痺は下垂足になるため，その代償で麻痺側の下肢をより多めに屈曲するので鶏歩となる．
4. 大腿二頭筋の麻痺では股関節の伸展力の低下を招くので，荷重反応期に骨盤の沈下に伴う腰折れを呈する．
5. 大腿四頭筋の麻痺では荷重反応期での膝折れを防ぐために体幹を前傾させるが，この継続は膝の後部関節包を過度に伸張し，結果として膝の過伸展である反張膝を呈するようになる．

## 7 走 行

**演習問題　本文207ページ**

1. **答**…3（❶× ❷× ❸○ ❹× ❺×）
**解説**…1. 歩幅＝速歩により増大する（歩行速度と歩幅の関係は正の相関がある）．
2. 重心の上下動＝速歩により増大する（速度増加により歩幅が大きくなるため両脚支持期の重心が低くなる）．
3. 立脚相の時間＝速歩により減少する．
4. 股関節の屈曲角度＝速歩により増大する（それにより歩幅が大きくなる）．
5. 体幹の水平面内回旋運動＝速歩により増大する（速度増加により歩幅が大きくなるため骨盤の回旋が大きくなる）．

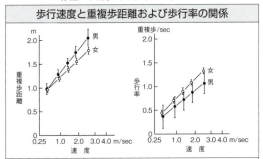

歩行速度の上昇→重複歩距離が大きくなる→歩幅が増加する．
②歩行率（単位時間当たりの歩数）が上がる．

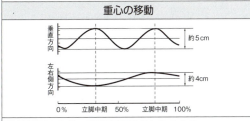

歩行速度の上昇→重複歩距離が大きくなる．
→歩幅が大きくなる．
→重心の上下動が大きくなる．

### 歩行と走行の股関節屈曲角度の違い

〈歩行〉

〈走行〉

歩行速度の上昇→股関節屈曲角度は増大する．

2. **答**…2, 3（❶× ❷○ ❸○ ❹× ❺×）
**解説**…1. 歩隔の拡大＝歩行速度低下
2. 歩行率の増加＝歩行速度上昇
3. 重複歩距離の増加＝歩行速度上昇
4. 両脚支持期の延長＝歩行速度低下
5. 重心の左右移動の増加＝歩行速度低下

## 第8章　運動学習

### 1 学習と記憶

**演習問題　本文213ページ**

1. **答**…5（❶× ❷× ❸× ❹× ❺○）
**解説**…1. 長期記憶＝長期的に保持する記憶のことで，海馬によって短期記憶は長期記憶に変換され大脳皮質に保存される．
視床＝感覚（上行伝導路）の中継核である．
2. 手続き記憶＝自転車の乗り方や箸の使い方など身体が覚えている記憶のことで，粗大な動きは大脳基底核（線条体），巧緻的な動きの調整は小脳が担っている．
扁桃体＝情動反応の処理と記憶に関与している．
3. プライミング＝先行する刺激の処理が後の刺激の処理を促進または抑制する記憶のことで，海馬傍回と新皮質が担っている．
小脳＝運動学習に関与する．
4. エピソード記憶＝陳述記憶の1つで個人が経験した出来事に関する記憶のことで，海馬と新皮質が担っている．
松果体＝ホルモン（ノルアドレナリン，ヒスタミン，メラトニン）を分泌する．
5. ワーキングメモリー＝電話対応をしながらメモをとるなど情報を一時的に保持するのと同時に処理する能力のことで，前頭葉（前頭連合野・前葉前夜）が担っている．

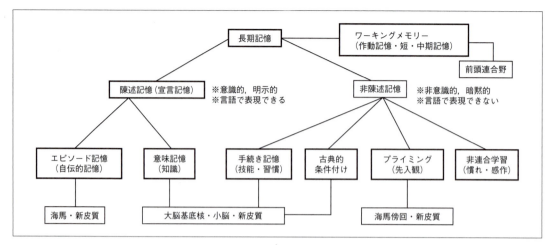

2. 答…4（❶× ❷× ❸× ❹○ ❺×）

解説…1. 即時記憶＝短時間（数秒〜1分程度）保持される記憶
2. 意味記憶＝物事の意味を表す一般的な知識や情報の記憶
3. 近時記憶＝ある程度の期間（数分〜数か月程度）保持される記憶
4. 手続き記憶＝身体が覚えている記憶（意識することなく再生される）
5. エピソード記憶＝個人の経験や出来事の思い出に関連する記憶

| | | | |
|---|---|---|---|
| 短期記憶 | 感覚記憶 | | 人間の外部からの刺激について意味を理解せずにそのまま1秒程度の記憶<br>（例）車の窓から見る外の風景，など |
| | 即時記憶 | | 数10秒間の記憶で「感覚記憶」よりは記憶時間が長いが，放っておくと数10秒後には忘れる記憶<br>（例）電話をかけるためだけに覚えた電話番号，など |
| | 作業記憶<br>ワーキングメモリー | | 短い時間に心の中で情報を保持し同時に処理する能力<br>（例）買い物中の物の値段と支払う金額の計算，など |
| 近時記憶 | | | 近時記憶は即時記憶より保持時間の長い記憶（数分〜数日） |
| 長期記憶 | 宣言記憶（陳述記憶） | エピソード記憶 | 自伝的出来事や社会的出来事の記憶<br>（例）運動会のリレーで1位になった，など |
| | | 意味記憶 | 言葉の意味などの社会的に共有する知識の記憶<br>（例）日本の首都は東京，日本で最も高い山は富士山，など |
| | 手続き記憶 | | 身体で覚えた記憶，言葉で言わなくても勝手に体が動く<br>（例）自転車の乗り方，箸の持ち方，など |

3. 答…3（❶× ❷× ❸○ ❹× ❺×）
解説…1. プライミング＝学習熟練しない．
2. プライミング＝健忘症候群でも障害されない．
3. プライミング＝潜在記憶の1つ
4. プライミング＝長期記憶に分類される．
5. プライミング＝無意識に思い出す記憶の1つ

〈プライミング〉

- 先行する事柄が後続する事柄に影響を与えること
- 潜在的（無意識的）な処理によって行われる．
- 知覚レベル（知覚的プライミング効果）や意味レベル（意味的プライミング効果）で起こる．
- 例）①連想ゲームをする前にあらかじめ果物の話をする．
  ②赤という言葉を出す．
  ③「りんご」や「いちご」が連想されやすくなる．

4. 答…3（❶× ❷× ❸○ ❹× ❺×）
解説…1. 陳述記憶＝言葉で表現できる記憶
2. 感覚記憶＝瞬間的に視覚や聴覚を刺激する記憶
3. 手続き記憶＝反復訓練によって身体で覚える記憶
4. エピソード記憶＝個人の体験や出来事の記憶
5. ワーキングメモリー＝作動記憶，過去の記憶を検索・干渉しながら課題を処理する記憶

## 2 運動技能と学習曲線

**演習問題 本文217ページ**

1. 答…5（❶× ❷× ❸× ❹× ❺○）
解説…1. フィギュアスケートの得点＝KR（結果の知識）
2. 投球のストライク判定＝KR（結果の知識）
3. 50m平泳ぎのタイム＝KR（結果の知識）
4. サッカーのゴール数＝KR（結果の知識）
5. 宙返りの空中姿勢＝KP（パフォーマンスの知識）

〈結果の知識（KR）とパフォーマンスの知識（KP）〉

| | |
|---|---|
| 運動技能 | 「知覚」を手がかりとして運動を目的に合うようコントロールする「学習」された能力のこと．「知覚-運動協応」ともいう． |
| 運動学習 | 「運動技能」が向上する過程では「状況判断」「予測」「意思決定」「記憶」などの「心理的プロセス」が重要で「大脳皮質」を中心とする中枢神経系の働きが必要である． |
| 結果の知識（KR：knowledge of results） | KR（結果の知識）は運動後の結果だけを対象者に知らせるもの（情報のフィードバック）． |
| パフォーマンス | 学習心理学において習得した能力に対して実際に行われた「行動」のこと．「運動パフォーマンス」とはスポーツにおける成績であり，実行された運動の「途中経過」や「最終結果」を意味する．「上手」「下手」で判断される「運動パフォーマンス」（例：野球の「打力」「守備力」「走塁力」「投球力」など）の向上は「反復練習」の結果である． |
| パフォーマンスの正確性 | フィードバックの情報が関係している．特に量的KRのフィードバックは質的KRのフィードバックよりも早い段階で改善がみられ，より優れたパフォーマンスを示す（量的KRが優れたパフォーマンスを生じさせる）． |
| パフォーマンスの知識（KP：knowledge of performance） | 運動に関するコツや「こうした方がうまくできる」といったアドバイスなどのこと．新しい技能の学習では，より具体的な改善点を示した方がパフォーマンスの向上が速い．量的なKRが役に立ち，さらに精巧なフィードバック（KP：パフォーマンスの知識）がパフォーマンスの向上に大きく貢献している． |

2. 答…2（❶× ❷○ ❸× ❹× ❺×）
解説…1. フリースロー時の肘の伸ばし具合を指導する＝運動前に指導する．
2. 投げた球がストライクかどうかを教える＝運動終了後に指導する結果の知識〈KR〉である．
3. ボーリングのスコアの付け方を教える＝運動前に指導する．
4. バレーボールのルールを教える＝運動前に指導する．

5. 平泳ぎの手の使い方を教える＝運動前に指導する.

3. 答…4（❶× ❷× ❸× ❹○ ❺×）
解説…1. 高度のパフォーマンス＝中等度の動機づけで得られる.
  課題内容が複雑＝動機づけは低いほうがパフォーマンスが向上する.
2. 中等度覚醒＝パフォーマンスを向上させる（逆U字曲線：ヤーキーズ・ドットソンの法則）.
3. 学習曲線＝（正の加速度曲線，負の加速度曲線，S字型曲線など）パフォーマンスの向上は学習内容や難易度により曲線的に起こる.
4. 2種類の運動課題間の類似性＝転移の影響は大きくなる.
5. パフォーマンスの向上がみられなくなる＝高原現象（プラトー）（学習の過程で進歩が一時的に停滞すること）

4. 答…3（❶× ❷× ❸○ ❹× ❺×）
解説…1. 平均フィードバック＝何回かの試行をよく観察して一貫してよく見られる誤差情報を与えるフィードバックのこと
2. 帯域幅フィードバック＝誤差が一定の幅を外れた場合に与えるフィードバックのこと
3. 同時フィードバック＝運動課題を実行している最中に与えるフィードバックのこと
4. 漸減的フィードバック＝学習の進行に伴い頻度を減らして与えるフィードバックのこと
5. 要約フィードバック＝何回分かをまとめて一度に与えるフィードバックのこと

〈フィードバック〉

| | |
|---|---|
| 要約フィードバック | ・数回に1回というように何回分かのフィードバックをまとめて一度に与える方法 |
| 平均フィードバック | ・要約フィードバックの一種<br>・すべての運動に対して毎回一つ一つフィードバックを与えるのではなく何回かの運動について大まかな全体的傾向を知らせる方法<br>・何回かの運動をよく観察して一貫してよく見られる誤差情報を与える. |
| 帯域幅フィードバック | ・目標からの誤差がある一定以上大きくなったときにだけフィードバックを与える方法<br>・誤差が許容範囲を超えたときだけフィードバックが与えられる.<br>・フィードバックが与えられないときは結果が良好であるということになる. |
| 同時フィードバック | ・付加的フィードバックの一種<br>・運動の遂行中に並行して生起する感覚情報をフィードバックする方法<br>・同時フィードバックを与えられている時はパフォーマンスを改善する働きが強いが，同時的フィードバックが取り去られたらその効果はほとんどなくなる. |
| 漸減的フィードバック | ・初期には高い相対的頻度でフィードバックを与える.<br>・学習の進行とともに頻度を次第に減らしていく方法<br>・練習とともに誤差検出能力が向上していくので漸減的フィードバックは有効である. |

5. 答…4（❶× ❷× ❸× ❹○ ❺×）
解説…1. 難しい課題＝1試行ごとに結果の知識（KR）を提示すると学習効率は上昇する.
2. 運動の誤差修正を行えるようになった場合＝結果の知識（KR）の提示継続は必要ない.
3. 成人＝結果の知識（KR）の提示は学習パフォーマンスを向上させる.
4. 誤りの大きさ＝提示すると有効である＝正しい.
5. 動機付け＝効果あり

6. 答…2（❶× ❷○ ❸× ❹× ❺×）
解説…1. 歩行＝パターン動作の連続なので部分に分けにくい.
2. 食事動作＝最適（道具を用いなければならず動作が複雑なので部分法での学習に適している）
3. 階段の降段＝部分に分けての学習では支持足にかかる負担が大きくなり疲労しやすい.
4. リーチ動作＝部分動作に分けにくい.
5. 立ち上がり動作＝部分動作に分けにくい.

〈運動学習〉

| | |
|---|---|
| 全体法 | ①課題の「最初〜最後」までを通して行ない反復する.<br>②練習した各部分・部分を結合する操作の必要性がなく能率的<br>〈全体法が適している動作とは〉<br>・運動技能が比較的単純で容易な場合<br>・短距離走のように全体技能を部分技能に分けるのが難しい場合 |
| 部分法 | ①課題内容を「部分・部分」に分けて順次実施する.<br>②練習を実施しやすい部分に分けることができる.<br>〈部分法が適している動作とは〉<br>・運動技能が複雑で難しい場合<br>・部分と全体との関連性が低い場合<br>・特に大切な部分を取り出し練習しようとする場合 |

理学療法士・作業療法士
PT・OT基礎から学ぶ運動学ノート
第3版・解答集　　　　　　　　ISBN978-4-263-26676-2

| 2002年 7 月20日 | 第1版第 1 刷発行 |
| 2016年 1 月10日 | 第1版第15刷発行 |
| 2016年12月20日 | 第2版第 1 刷発行 |
| 2023年 1 月10日 | 第2版第 7 刷発行 |
| 2023年12月10日 | 第3版第 1 刷発行 |
| 2025年 1 月10日 | 第3版第 2 刷発行 |

著　者　中　島　雅　美
　　　　中　島　晃　徳

発行者　白　石　泰　夫

発行所　医歯薬出版株式会社
〒113-8612　東京都文京区本駒込1-7-10
TEL. (03) 5395-7628（編集）・7616（販売）
FAX. (03) 5395-7609（編集）・8563（販売）
https://www.ishiyaku.co.jp/
郵便振替番号 00190-5-13816

乱丁，落丁の際はお取り替えいたします．　　　　印刷・真興社／製本・皆川製本所
© Ishiyaku Publishers, Inc., 2002, 2023. Printed in Japan

本書の複製権・翻訳権・翻案権・上映権・譲渡権・貸与権・公衆送信権（送信可能化権を含む）・口述権は，医歯薬出版（株）が保有します．
本書を無断で複製する行為（コピー，スキャン，デジタルデータ化など）は，「私的使用のための複製」などの著作権法上の限られた例外を除き禁じられています．また私的使用に該当する場合であっても，請負業者等の第三者に依頼し上記の行為を行うことは違法となります．

JCOPY ＜出版者著作権管理機構　委託出版物＞
本書をコピーやスキャン等により複製される場合は，そのつど事前に出版者著作権管理機構（電話03-5244-5088, FAX 03-5244-5089, e-mail：info@jcopy.or.jp）の許諾を得てください．

# PT OT
理学療法士　作業療法士

## 基礎から学ぶ
# 運動学ノート 第3版

中島 雅美　中島 晃徳　著

医歯薬出版株式会社

This book is originally published in Japanese
under the title of :

PT・OT Kɪsᴏ-ᴋᴀʀᴀ-Mᴀɴᴀʙᴜ
Uɴᴅᴏɢᴀᴋᴜ Nᴏᴛᴏ
(Exercises of Basic Kinesiology for PT・OT)

Editor :

Nᴀᴋᴀsʜɪᴍᴀ, Masami
  PTOT Gakushu Kyouiku Kenkyujo
Nᴀᴋᴀsʜɪᴍᴀ, Akinori
  Kokushijuku Rehabili Academy

© 2002  1st ed.
© 2023  3rd ed.

ISHIYAKU PUBLISHERS, INC.
  7-10, Honkomagome 1 chome, Bunkyo-ku,
  Tokyo 113-8612, Japan

# 第3版　まえがき

　この「運動学ノート」は，既刊の『PT・OT基礎から学ぶ』シリーズの「解剖学ノート」「生理学ノート」の姉妹編として2002年7月に第1版を発刊いたしました．そしてこの3冊のノートシリーズは，養成校に入学してきた新1年生たちに「PT・OT学生のための基礎医学ノート」として常に手元に置いて愛読されています．

　「運動学ノート」は2016年12月に第2版を発刊し，7年が経過しました．この間にPT・OTの国家試験出題基準が改訂され，国家試験に出題される問題も少しずつ変化しています．それはリハビリテーション医療福祉の対象が昭和世代の「労働災害」や「交通災害」などから，平成令和世代の「老人医療・高齢障害」や「内部障害」などへと変化してきているからです．

　この「ノートシリーズ」のコンセプトは初版でも述べたように，国家試験に対処できるレベルの知識の整理に役立つことです．今回第3版を発刊するにあたり，これまでの国家試験問題を再分析し，各章の内容を見直して，各章に配置している「演習問題」を最新の国家試験問題に入れ替えました．また新たに「高齢者の姿勢や歩行障害」の項目も増やしました．学生諸氏が自分自身の身体で運動を「イメージ」できるようにするため，できる限り簡単な「イラスト」をたくさん用いて「言葉＝イメージ」に結び付くようにしました．頭の中に記憶として残るのは「文字」ではなく「イメージ」だからです．その意味から，この第3版は「令和6年版の国家試験出題基準」に変更後のこれからに必ず役立つ「運動学ノート」になると思います．

　直近10年間の国家試験問題を時系列に分析してみると「運動学」のみならず，すべての領域において確実に難易度は上がってきています．これは国家試験受験直前の数か月で対応できるものではありません．入学してきた1年次から真剣に授業に臨み，授業後には自宅で復習を繰り返し，特に基礎医学（解剖学，生理学，運動学）では「イラスト」を何度も何度も繰り返し描く，これらのことを在学中にしっかり行うことで学習内容が身についていきます．その"繰り返し学習"を実践するためにもこの「運動学ノート」を副教材として用いていただきたいと思います．

　今回の「運動学ノート」では新しく中島晃徳先生に加わっていただきました．中島晃徳先生は大学および大学院卒業後に今後のリハビリテーション医療・福祉の教育に携わる目的で「理学療法士免許」ならびに「言語聴覚士免許」の取得をされました．そして現在は，「一般社団法人日本医療教育協会（国試塾リハビリアカデミー）」において「理学療法士」および「言語聴覚士」の浪人生たちの国家試験受験指導をさ

れています．浪人生たちを指導する中で，彼らに何が不足しているのか，どのように指導すれば彼らは学習できるのかを追及され，新しい学習方法の指導を行っています．今回，中島晃徳先生のご意見を伺いながら，改訂することができました．全国の「理学療法士」「作業療法士」を目指す学生さんには日々の学習や国家試験対策のために，この「運動学ノート」を擦り切れるくらいまで使っていただき，今後のリハビリテーション医療福祉業界の担い手として育っていただきたいと心から願っております．

　最後に，第3版改訂にあたり編集・校正に快くご協力いただいた医歯薬出版株式会社編集部の皆様に深く感謝申し上げます．

2023年11月

中　島　雅　美
中　島　晃　徳

# 第1版 まえがき

　『PT・OT基礎から学ぶノート』シリーズも，"解剖学ノート""生理学ノート"に次いで，ついに"運動学ノート"を出版することになりました．このノートシリーズは，理学療法士・作業療法士，またその他のパラメディカルスタッフを目指す学生諸氏のための自主学習ノートとして作成したものです．

　"解剖学"も"生理学"も「医学の基礎の土台となる学問」といわれており，医学の道を目指すあらゆる分野の学生諸氏にとっては必ず修得しなければならない学問です．"解剖学"は「基礎医学の王」であり，人体という生物を細胞の分野まで分解してその人体組織の構造を専門的に学ぶ学問です．また"生理学"は「基礎医学の女王」ともいわれ，解剖学により分解された人体組織がどのように働いて人間が生きているのかを専門的に学ぶ学問です．

　では"運動学"はというと「医学と物理学の架け橋」といわれている学問で，医学の中の独立した学問体系ではなく，人間の運動をみる一つの立場としての応用の学問といえるものです．人間の運動は，人間が地球上に存在するかぎり常に重力という力学的現象の影響を受けています．ですから単に解剖学的要素や生理学的要素だけで人間の運動を分析することは困難です．人間は人間として特徴的な運動をしている動物であり，その人間は人間としての運動に障害をきたすと，一人で自立した生活が困難になってしまいます．そういう意味において医学の分野で"運動学"は，やはり「基礎医学分野の学問」としてとらえられているのです．ですから「基礎医学」を学ぶ学生の中でも，特に運動障害を対象とする医療従事者の医師や理学療法士や作業療法士をめざす学生には"運動学"は特に必須の学問になるのです．先ほども述べたように"運動学"は「基礎医学」ではありますが，"物理学"の応用の上に成り立っている「基礎医学」です．ですから"運動学"を学ぼうとしている学生が"運動学"を最も難解な「基礎医学」と思っている理由の一つには，この"物理学"に原因があるのだと思います．かく言う私も実は学生時代に"運動学"を苦手としていた一人ですので学生の気持ちがたいへんよくわかります．

　特に近年では社会的要請に応えて，理学療法士・作業療法士の養成校は年々増加傾向にありますが，そこで学んでいる学生が養成校を受験する際の入学試験で"物理学"を受験せずに入学したり，また高等学校のカリキュラムで"物理学"を選択していなかったりという現状が，"運動学＝苦手"意識に拍車をかけているようなのです．でも先ほど述べたように"運動学"は，理学療法士・作業療法士にとっては

必ず制覇しなければならない大変重要な「基礎医学」ですから，苦手意識を克服し，積極的に得意科目にしていかなければなりません．

そこで今回，この"運動学ノート"の内容を以下のことに重点をおいて編集を行いました．物理学（特に力学）の基礎知識に関する章を第1章に設けて運動学を学ぶうえで必要な"物理学"を理解できるようにする．できるだけ多くの絵や図などを用いてイメージ化を図る．付録として筋の作用と神経支配の表を作成する．重要点は自分で書き込めるように空欄を設ける．各章毎の演習問題に実際に出題された過去の国家試験問題を使用する．基礎問題や演習問題の解答・解説をできるだけ詳しく図説化して理解しやすいようにする，等々です．また，特に人間の特徴としてあげられる"歩行運動"に関する章で，臨床運動学的内容としての"異常歩行"を取り上げました．これに関しては基礎医学の範囲を逸脱していますので，1年生のレベルでは非常に難易度が高いと思われます．しかし，国家試験を見据えた運動学としては知っておくべき内容だと思いますので，高学年や臨床実習，国家試験対策の時期に学習していただければ幸です．

"解剖学ノート""生理学ノート"と同様にこの"運動学ノート"も，学校での講義の予習や復習に，定期試験前の知識の整理に，そして国家試験前の準備対策としての学習に活用していただければと願っています．そうして「私の得意科目は運動学です」と言える理学療法士・作業療法士になっていただきたいと願っております．

また，本書を作成するにあたり，国内外の著名な解剖学書や運動学書，また基礎物理学書を参考にいたしました．それらの書名を巻末に引用文献，参考文献として掲げさせていただきました．学生諸氏には是非これらの文献にも一度目を通していただくことをお勧めいたします．また，参考にさせていただいた本の著者の先生方にはこの書面を借りて心より御礼申し上げます．

最後に本書の出版にあたり並々ならぬご助力・ご協力をいただいた医歯薬出版株式会社編集担当者の方々に心より感謝申し上げます．

2002年 6月

中 島 雅 美
中 島 喜代彦

# CONTENTS

目次

　第3版まえがき ………… iii
　第1版まえがき ………… v
　本書の使い方 ………… xii

## 第1章 運動学総論

### 1 力学の基礎 ………… 2
1. 生体力学とは ………… 2
2. 力学の構成 ………… 2
3. 力学で使う単位 ………… 3

演習問題 ………… 4

### 2 身体（運動）の面と軸 ………… 5
1. 肢位（position） ………… 5
2. 運動の面と軸 ………… 5

### 3 加速度・ベクトル・モーメント ………… 6
1. 各種の物理量 ………… 6
2. 力とベクトル ………… 8
3. モーメント ………… 10

演習問題 ………… 11

### 4 運動の法則 ………… 12
1. 運動の3つの法則 ………… 12
2. 重力加速度と重量 ………… 13
3. 質量・重量・力の単位 ………… 13

### 5 仕事と力学的エネルギー ………… 14
1. 仕事（work） ………… 14
2. 力学的エネルギー ………… 15

演習問題 ………… 16

### 6 身体とてこ ………… 17
1. てこの種類 ………… 17
2. てこの釣り合い ………… 19
3. 関節角度と力の関係 ………… 20
4. 関節運動とてこの種類 ………… 21
5. てこの種類と力 ………… 21
6. 滑車と輪軸 ………… 23

演習問題 ………… 25

### 7 関節の構造と機能 ………… 27
1. 関節面の形状からみた分類 ………… 27

演習問題 ………… 28

### 8 骨格筋の構造と機能 ………… 30
1. 骨格筋の形状からみた分類 ………… 30
2. 筋収縮のメカニズム ………… 31

演習問題 ………… 31

### 9 筋収縮 その1 ………… 33
1. 関節運動時の役割からみた筋 ………… 33
2. 筋収縮の様態とその特徴 ………… 33
3. 筋収縮の様態と関節運動との関係 ………… 35
4. リバースアクション（筋の逆作用） ………… 35

演習問題 ………… 36

### 10 筋収縮 その2 ………… 37
1. 運動単位（motor unit：MU） ………… 37
2. 神経支配比 ………… 37
3. 筋張力 ………… 38
4. 筋肥大と筋萎縮 ………… 39

演習問題 ………… 39

### 11 関節の安定性と運動性 ………… 41
1. 関節の安定性（joint stability） ………… 41
2. 関節の運動性（joint mobility） ………… 43
3. 関節の安定性と運動性との関係 ………… 44

### 12 運動の中枢神経機構 ………… 45
1. 随意運動と反射運動 ………… 45
2. 反射運動 ………… 45
3. 伸張反射 ………… 46
4. 随意運動の中枢機構 ………… 46

演習問題 ………… 47

### 13 運動とエネルギー代謝 ………… 49
1. ATPの生成過程 ………… 49
2. 代謝当量（代謝率：metabolic equivalents, METs） ………… 50

演習問題 ………… 50

### 14 運動と呼吸・循環 ………… 52
1. 運動時の呼吸数と換気量 ………… 52
2. 酸素摂取量 ………… 52
3. 無酸素性作業閾値（anaerobic threshold：AT） ………… 53
4. 運動時の心拍出量 ………… 53
5. 運動時の血圧 ………… 54

演習問題 ………… 54

## 第2章 上肢の運動学

### 1 上肢の解剖学 ………… 56
1. 上肢の骨格（右上肢前面） ………… 56
2. 上肢骨のまとめ ………… 56
3. 上肢の骨（右上肢） ………… 57
4. 上肢の神経 ………… 59
5. 上肢の血管 ………… 60
6. 上肢の神経と筋・皮膚 ………… 61

演習問題 ………… 64

### 2 上肢帯の運動学 ………… 66
1. 胸鎖関節 ………… 66
2. 鎖骨の可動域 ………… 66
3. 肩鎖関節（右前面） ………… 67
4. 肩甲胸郭（仮性）関節 ………… 67
5. 上肢帯の運動と筋 ………… 68
6. 肩甲骨の運動分析 ………… 69

演習問題 ………… 70

### 3 肩関節の運動学 ………… 71
1. 肩関節とは ………… 71
2. 肩甲上腕関節（右前方より） ………… 71

3 肩関節の靱帯（右前面）…… 72
　　4 回旋筋腱板（rotator cuff）
　　　………………………………… 73
　　5 肩関節の運動と筋 ……… 74
　演習問題 ……………………… 76
4 肘関節と前腕の運動学 …… 78
　　1 肘関節の構造 …………… 78
　　2 肘関節の運動に関与する筋
　　　………………………………… 79
　　3 前腕の関節 ……………… 80
　　4 橈尺関節の靱帯と前腕骨間膜
　　　………………………………… 80
　　5 前腕の運動に関与する筋 81
　演習問題 ……………………… 81
5 手関節の運動学 ……………… 83
　　1 手関節の構成 …………… 83
　　2 手根管の内部構造 ……… 84
　　3 手関節の運動に関与する筋
　　　………………………………… 85
　演習問題 ……………………… 86
6 手の運動学　その1 ……… 87
　　1 手を構成する骨と関節 … 87
　　2 手指の運動と筋 ………… 89
　　3 手指の外来筋（または外在筋：
　　　筋の起始部が手関節より中枢
　　　側にある）………………… 90
　　4 手指の内在筋（または固有筋：
　　　筋の起始部が手関節より末梢
　　　側にある）………………… 91
　　5 指の屈曲機構 …………… 92
　　6 指の伸展機構 …………… 93
　演習問題 ……………………… 94
7 手の運動学　その2 ……… 95
　　1 手の肢位 ………………… 95
　　2 手の変形 ………………… 95
　演習問題 ……………………… 97

**第3章 下肢の運動学**

1 下肢の解剖学 ……………… 100
　　1 下肢の骨格（左下肢前面）100
　　2 下肢骨のまとめ ………… 100
　　3 下肢帯（または骨盤帯）の骨
　　　……………………………… 101
　　4 大腿骨 …………………… 102
　　5 下腿骨 …………………… 102
　　6 足部の骨 ………………… 103
　　7 下肢の神経と動脈 ……… 104
　　8 下肢の神経と筋（右大腿前面）
　　　……………………………… 104
　　9 下肢の皮膚感覚 ………… 106
　演習問題 ……………………… 107
2 股関節の運動学 …………… 108
　　1 股関節の構造（右股関節横断
　　　面前方から観察）……… 108
　　2 股関節の靱帯 ………… 108
　　3 股関節に働く筋 ……… 109
　　4 股関節の運動と筋 …… 111
　演習問題 ……………………… 112
3 膝関節の運動学 …………… 114
　　1 膝関節の構造 ………… 114
　　2 膝関節の半月板 ……… 116
　　3 膝関節の靱帯 ………… 117
　　4 膝関節に働く筋 ……… 119
　　5 膝関節の運動と筋 …… 120
　　6 膝関節の動きの特徴 … 120
　演習問題 ……………………… 123
4 足関節と足部の運動学 …… 125
　　1 足関節と足部の骨と関節125
　　2 主な関節の特徴 ……… 127
　　3 足関節および足部の靱帯128
　　4 足関節に働く筋 ……… 129
　　5 足関節の運動と筋 …… 131
　　6 足趾に働く筋 ………… 133
　　7 足趾の運動と筋 ……… 134
　　8 足のアーチの構造 …… 134
　　9 足のアーチの特徴 …… 135
　　10 足の変形 ……………… 136
　演習問題 ……………………… 137

**第4章 体幹の運動学**

1 体幹の解剖・運動学 …… 140
　　1 体幹を構成する骨格（前面）
　　　……………………………… 140
　　2 脊柱 …………………… 141
　　3 椎骨 …………………… 141
　　4 椎間円板 ……………… 142
　　5 ユニットの役割 ……… 142
　　6 椎間関節の関節面の方向 143
　　7 脊柱の可動性 ………… 143
　演習問題 ……………………… 144
2 頸部の運動学 …………… 145
　　1 頸椎の概要 …………… 145
　　2 頸椎の連結と運動 …… 146
　　3 頸部の筋 ……………… 148
　　4 頭・頸部の運動と筋 … 149
　演習問題 ……………………… 149
3 胸部の運動学 …………… 150
　　1 胸郭 …………………… 150
　　2 胸郭呼吸運動 ………… 150
　　3 呼吸に関与する筋 …… 151
　　4 胸部の動きに関与する筋 152
　　5 胸部の運動と筋 ……… 153
　演習問題 ……………………… 153
4 腰部・骨盤の運動学 …… 155
　　1 腰部・骨盤の連結 …… 155
　　2 仙腸関節 ……………… 156
　　3 矢状面からみた腰椎弯曲と
　　　骨盤傾斜との関係 …… 157
　　4 腰部の筋 ……………… 157

5 腰部の運動と筋 ………… 159
　演習問題 …………………… 160

## 第5章 頭部・顔面の運動学

**1 頭蓋骨と顎関節** …………… 162
　　1 頭蓋骨を構成する骨とその
　　　連結 ……………………… 162
　　2 顎関節 …………………… 163
**2 咀 嚼** ……………………… 164
　　1 咀嚼とは ………………… 164
　　2 顎関節の動き …………… 164
　　3 咀嚼筋と支配神経 ……… 165
**3 表 情** ……………………… 166
　　1 表情を作り出すしくみ … 166
　　2 機能別表情筋 …………… 166
　　3 表情筋の支配神経 ……… 167
**4 眼球運動** …………………… 168
　　1 外眼筋 …………………… 168
　　2 外眼筋の作用と支配神経 168
　演習問題 …………………… 169

## 第6章 姿 勢

**1 姿勢と重心との関係** ……… 172
　　1 構えと体位 ……………… 172
　　2 重心と重心線 …………… 172
　　3 人体の重心の測定法（直接法）
　　　　………………………… 173
　　4 自然立位時の重心の位置 173
　　5 重心線とアライメント … 174
　演習問題 …………………… 175
**2 立位姿勢と姿勢保持** ……… 176
　　1 立位姿勢の安定性 ……… 176
　　2 立位姿勢の安定のための
　　　影響因子 ………………… 177
　　3 立位保持に働く筋 ……… 177
　　4 快適な立位姿勢保持のための
　　　3要素 …………………… 178
　　5 立位姿勢の重心動揺 …… 178
　　6 姿勢の型 ………………… 178
　　7 姿勢制御 ………………… 179
　演習問題 …………………… 179

## 第7章 歩行と走行

**1 歩行周期** …………………… 182
　　1 歩行とは ………………… 182
　　2 歩行周期と関連用語 …… 182
　　3 歩行周期の区分 ………… 183
　　4 歩容要素の新しい定義 … 184
　演習問題 …………………… 185
**2 運動学的歩行分析** ………… 186
　　1 歩行時の重心移動 ……… 186
　　2 歩行時の体幹の回旋 …… 187
　　3 歩行時の下肢関節の角度変化
　　　　………………………… 188
　　4 歩行の決定因子 ………… 188
　　5 歩行時の上肢の運動 …… 188
　演習問題 …………………… 189
**3 運動力学的歩行分析** ……… 190
　　1 足力と床反力 …………… 190
　　2 床反力の3方向の分力 … 191
　　3 踵接地時の床反力によって
　　　生じるトルク …………… 192
　　4 荷重反応期と床反力 …… 193
　演習問題 …………………… 193
**4 歩行時の筋活動** …………… 195
　　1 歩行周期からみた筋活動 195
　　2 機能面からみた主な筋活動
　　　　………………………… 196
　演習問題 …………………… 196
**5 小児および高齢者の歩行** ‥ 198
　　1 小児の起立と歩行（発達段階
　　　からみた）………………… 198
　　2 小児の歩行の特徴 ……… 198
　　3 高齢者の歩行の特徴 …… 199
　演習問題 …………………… 200
**6 異常歩行** …………………… 201
　　1 異常歩行の観察 ………… 201
　　2 異常歩行とその原因 …… 202
　　3 異常歩行の例 …………… 203
　演習問題 …………………… 205
**7 走 行** ……………………… 206
　　1 走行と歩行の比較 ……… 206
　　2 走行の特徴 ……………… 207
　演習問題 …………………… 207

## 第8章 運動学習

**1 学習と記憶** ………………… 210
　　1 学習（learning）………… 210
　　2 記憶（memory）………… 211
　演習問題 …………………… 213
**2 運動技能と学習曲線** ……… 214
　　1 運動技能（motor skill）
　　　　………………………… 214
　　2 パフォーマンス（performance）
　　　と学習曲線（learning curve）
　　　　………………………… 215
　演習問題 …………………… 217
**付録** 筋の作用と神経支配 … 220
**文献** …………………………… 227
**索引** …………………………… 229

## 本書の使い方

　本書はPT・OTの運動学で必要な基礎事項が一冊にまとまるように構成されています．

　あらかじめ自分の力で考え，調べながら，記入することで，運動学の基礎事項を頭の中で整理できるようになっています．授業で習ったことを補足・確認しながら，一冊のオリジナルの運動学ノートを完成させてください．

1. ❶(　　　)　……空欄は運動学の基礎事項・重要語句です．図や表で確認しながら記入していきましょう．

2. 解答　……空欄の解答はページ下にあります．なるべく解答を見ないようにして，自分で調べて記入し，最後に確認するようにしましょう．

3. SIDE MEMO　……覚えておきたい補足事項を掲載してあります．空いている部分には自分で必要事項を記入し，補足していきましょう．

4. 演習問題　……国試の過去問題から頻出される問題を抜粋しました．確実な点数確保のために国試対策の最終チェックとして役立てましょう．
　　（50-AM51）は，第50回午前51問の意味です．
　　**解答は解答集に掲載．**

5. MEMO〜〜〜　……授業で習ったことを空欄に書き込んだり，自分だけのまとめをつくり，オリジナルノートを完成させましょう．

6. 解答集　……演習問題の解答と解説を別冊として綴じ込んであります．問題と照らし合わせて使いましょう．

# 第1章　運動学総論

1. 力学の基礎 …………………… 2
2. 身体（運動）の面と軸 ………… 5
3. 加速度・ベクトル・モーメント …………………… 6
4. 運動の法則 ………………… 12
5. 仕事と力学的エネルギー …… 14
6. 身体とてこ ………………… 17
7. 関節の構造と機能 ………… 27
8. 骨格筋の構造と機能 ……… 30
9. 筋収縮　その1 …………… 33
10. 筋収縮　その2 …………… 37
11. 関節の安定性と運動性 …… 41
12. 運動の中枢神経機構 ……… 45
13. 運動とエネルギー代謝 …… 49
14. 運動と呼吸・循環 ………… 52

# 1 力学の基礎

## SIDE MEMO

▶運動の分類方法
①関節の運動に基づく分類
②筋収縮様式に基づく分類
③生体力学に基づく分類
④運動発現の理由に基づく分類
⑤運動の目的に基づく分類

▶変位
物体が運動する際には物体の位置が変化する．この位置変化を変位という．

## 1 生体力学とは

生体力学(biomechanics)：力学的原理を❶(　　　　　)の❷(　　　　　)に応用する学問である．

## 2 力学の構成

| | 分類 | | 事項 |
|---|---|---|---|
| 力学 (mechanics) | ❶(　　　)学 (kinematics) | | ❺(　　　　)，速度，加速度 |
| | ❷(　　　)学 (kinetics) | ❸(　　　)力学 (statics) | 力の方向と大きさ<br>力の作用点<br>力の❻(　　　　)<br>力の釣り合い |
| | | ❹(　　　)力学 (dynamics) | ❶法則<br>等速運動<br>加速度運動<br>重力<br>摩擦，粘性<br>力学的エネルギー<br>❶量 |

(中村・他，2002[1])

---

**解答**　1 ❶ 身体運動　❷ 解析
　　　　2 ❶ 運動　❷ 運動力　❸ 静　❹ 動　❺ 変位　❻ モーメント

# 1. 力学の基礎

## SIDE MEMO

▶ CGS単位系とMKS単位系

・CGS単位系：長さにセンチメートル(cm：C)，質量にグラム(g：G)，時間に秒(second：S)の単位を採用し，他の単位をこれから誘導するように定めた単位系．
C：cm
G：g
S：秒(s)

・MKS単位系：長さにメートル(M)，質量にキログラム(Kg)，時間に秒(second：S)の単位を採用し，他の単位をこれから誘導するように定めた単位系．
M：m
K：kg
S：秒(s)

物理学で扱う単位にはさまざまなものがあるが，それらの単位を組合せる場合には同じ単位系の単位に換算してから組合せなければならず，系の違う単位同志を組合せてはいけない．
たとえば，10Nの力で物体を加えた力の方向に50cm移動させた場合の仕事量は，力×移動距離なので，10N×50<u>cm</u>=10N×0.5<u>m</u>=5N・m=5Jと表す．

## 3 力学で使う単位

| | MKS単位 | CGS単位 | MKSをCGSへ換算 |
|---|---|---|---|
| 長さ | ❶( ) | cm(センチメートル) | $1m=10^2cm$ |
| 質量 | ❷( ) | g(グラム) | $1kg=10^3g$ |
| 時間 | ❸( )(秒：セコンド：second) | | |
| 速度 | ❹( ) | cm/s(センチメートル毎秒) | $1m/s=10^2cm/s$ |
| | 速度とは，単位時間当たりの移動距離をいう． | | |
| 加速度 | ❺( )（メートル毎秒毎秒） | cm/s²(センチメートル毎秒毎秒) | $1m/s^2=10^2cm/s^2$ |
| | 加速度とは，単位時間当たりの速度の変化をいう． | | |
| 力 | ❻( ) | dyn(ダイン) | $1N=10^5dyn$ |

1N：質量1kgの物体に1m/s²の加速度を生じさせる力の大きさ．
（力の大きさは質量と加速度の積で求められることより，手のひらに載せた質量1kgの鉄球が地球の中心に向かって手のひらを押している力は1kg×9.8m/s²=9.8kg・m/s²=9.8Nとなる．この場合の加速度は重力加速度なので9.8m/s²である．）

1dyn：質量1gの物体に1cm/s²の加速度を生じさせる力の大きさ．
（手のひらに載せた1円玉(質量1g)は980dynの力で手のひらを地球の中心に向かって押していることになる．1g×980cm/s²=980dynで求められる．）

| 仕事(量)エネルギー熱量 | ❼( ) | dyn・cm(ダインセンチメートル)またはerg(エルグ) $1N・m=1J=10^7erg$ | |

仕事(W)：ある物体に力(F)を加え，加えた力の方向に物体がsだけ移動した場合，その力と移動した距離を掛け合わせた量のこと．W=F×sで表す．
（ある物体を10Nの力で2m移動させた場合，加えた力は10N×2m=20N・m(または20J)の仕事をしたことになる．）

| 仕事率(パワー) | ❽( ) | erg/sec(エルグ毎秒) | $1W=10^7erg/sec$ |

仕事率：単位時間当たりの仕事量．
（ある物体に10Nの力を加え20秒かけて2m移動させた場合の仕事率は1Wとなる．10N×2m/20sec=1Wで求められる．）

| モーメントまたはトルク | ❾( ) | dyn・cm(ダインセンチメートル) $1N・m=10^7dyn・cm$ | |

モーメントまたはトルク：加えた力によって生じる回転作用のこと．その値は加えた力Fと，回転軸から力の作用線に下ろした垂線の長さdとの積F×dで表す．

左回りのモーメント　右回りのモーメント

このてこにおいて，右回りのモーメントはw₂×b，左回りのモーメントはw₁×aで表す．
w₁×a=w₂×bとなったときに，このてこは釣り合う．

**解答** ③ ❶ m(メートル)　❷ kg(キログラム)　❸ sまたはsec　❹ m/s(メートル毎秒)　❺ m/s²　❻ N(ニュートン)　❼ N・m(ニュートンメートル)またはJ(joule：ジュール)　❽ w(ワット)　❾ N・m(ニュートンメートル)

## 演習問題

1. 力学について正しいのはどれか．2つ選べ．(47-AM69)
    1. 力は加速度に反比例する．
    2. 運動量は速度に比例する．
    3. トルクは力の2乗に比例する．
    4. 運動エネルギーは速度の2乗に比例する．
    5. 摩擦力は接触面に作用する力の水平分力に比例する．

2. 正しいのはどれか．2つ選べ．(43-PM37)
    1. 速度を時間で積分すると加速度になる．
    2. 運動量は単位質量当たりの速度である．
    3. 仕事は力と移動距離の積で表す．
    4. 力は質量と加速度の積で表す．
    5. 運動エネルギーは速度に比例する．

3. 運動の変数で正しいのはどれか．2つ選べ．(42-PM37)
    1. 速度を積分すると加速度になる．
    2. 仕事は力と移動距離の積で表す．
    3. ニュートンは仕事の単位である．
    4. ワットはモーメントの単位でる．
    5. パワーは単位時間あたりの仕事である．

4. 正しいのはどれか．(40-PM37)
    1. 運動量は質量と加速度の積である．
    2. 仕事は運動量と時間の積である．
    3. ニュートンは力の単位である．
    4. ワットは運動量の単位である．
    5. ジュールは仕事率の単位である．

5. 運動の変数で誤っているのはどれか．(36-PM37)
    1. 速度を時間で微分すると加速度になる．
    2. 仕事は力と移動距離の積で表す．
    3. ニュートンは仕事の単位である．
    4. パワーは単位時間当たりの仕事である．
    5. ワットは仕事率の単位である．

# 2 身体（運動）の面と軸

## SIDE MEMO

▶身体の基本面

①矢状面
　身体を左右に2分する垂直面．
　特に左右対称に分ける面を正中（矢状）面という．

②前額面
　身体を前後に2分する垂直面．
　前額面のことを冠状面あるいは前頭面ともいう．

③水平（横断）面
　身体を上下に2分する水平面．

## 1 肢位（position）

　肢位あるいは体位には，重力との位置関係でさまざまなものがある．具体的には臥位，座位，立位といった3つの基本型があり，他に基本型が変容したものがある．

- 臥位レベル：背臥位（＝仰臥位）・腹臥位（＝伏臥位）・側臥位・屈膝背臥位
- 座位レベル：長座位・椅子座位
- 膝立ち位レベル：四つ這い位・膝立ち位
- 立位レベル：基本的立位・解剖学的立位・片脚立位

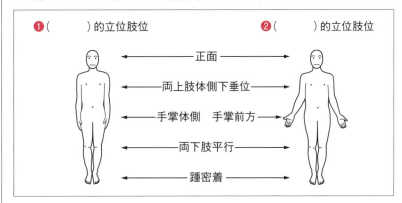

❶（　　）的立位肢位　　❷（　　）的立位肢位

## 2 運動の面と軸

1. 身体の基本面

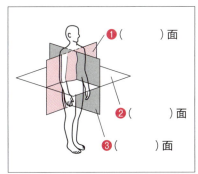

❶（　　）面
❷（　　）面
❸（　　）面

2. 運動軸

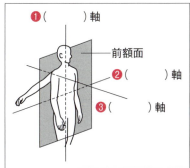

❶（　　）軸
❷（　　）軸
❸（　　）軸

---

**解答** 1 ❶ 基本　❷ 解剖学
2 1. ❶ 前額　❷ 水平　❸ 矢状
　 2. ❶ 垂直　❷ 前額水平　❸ 矢状水平

# 3 加速度・ベクトル・モーメント

## SIDE MEMO

▶ベクトル量
物理学で扱う種々の量のなかで大きさと方向をもつ量をベクトル量という．変位，速度，加速度，力，運動量，力積などがこれに当たる．

▶スカラー量
ベクトル量に対して方向をもたず，大きさだけで表される量をスカラー量という．長さ，温度，質量などがこれに当たる．

▶力の表示
ベクトルという有向線分で表される．大きさは線分の長さに比例する．方向は矢印の向き．
例：$\vec{OA}$, $\vec{V}$

▶加速度
加速度とは「速度を加える」と書くことより，一般的には単位時間当たりの速度の増加量を意味している．

## 1 各種の物理量

1. **変位**：物体が運動したときの位置の変化量のこと．
   これの類似用語に「移動距離」がある（「移動距離」とは単に移動した長さを表しているのに過ぎない）．
   「変位」は移動した長さに移動した❶（　　　　）が加味されている．
   たとえば，(1) 右方向に10m歩いてから，(2) 左方向に5m戻って，また(3) 右方向に7m歩いた場合，移動距離は❷（　　　　）mであるが，変位は❸（　　　　）mになる．その意味において，移動距離といった単に長さを表す物理量は❹（　　　　）量に属し，変位は❺（　　　　）量に属する．

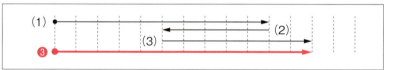

2. **速度**：単位時間当たりの変位の変化量のこと．
   その変位量を❶（　　　　）で割ることで求められる．
   速度は，速さと運動する方向を併せもつ❷（　　　　）量として扱う．速度10m/sとは，1秒間に10m先に変位できる速さを意味している．

3. **加速度**：単位時間当たりの速度の変化量のことで，❶（　　　　）を時間で割ることで求められる．

$$加速度 = \frac{(終わりの速度) - (初めの速度)}{要した時間}$$

加速度は速度と同様に❷（　　　　）量として扱う．
加速度は速度の変化量をそれに要した時間で割ることで表されるので，その単位はMKS単位の表記ではm/s/s＝m/s², CGS単位の表記ではcm/s/s＝cm/s²となる．

---

**解答**  1. ❶ 方向　❷ 22　❸ 右方向に12　❹ スカラー　❺ ベクトル
　　　　2. ❶ 時間　❷ ベクトル
　　　　3. ❶ 速度　❷ ベクトル

## 3. 加速度・ベクトル・モーメント

加速度$10\text{m/s}^2$とは，1秒間当たり速度が$10\text{m/s}$ずつ増加することを意味している．

下の図は停止した車が動き出し，停止するまでの移動時間とそのときの速度の変化を表す．

出発から10秒後に速度が$15\text{m/s}$になり，その後20秒間は$15\text{m/s}$の❸（　　　　　）で移動し，そして20秒かけて停止した．

区間Aの平均加速度は$(15\text{m/s}-0\text{m/s}) \div (10\text{s}-0\text{s}) = 1.5\text{m/s}^2$

区間Cの平均加速度は$(0\text{m/s}-15\text{m/s}) \div (50\text{s}-30\text{s}) = -0.75\text{m/s}^2$

これは1秒あたり速度が$0.75\text{m/s}$ずつ減っていることを意味している．

このようにマイナス表記の加速度を負の加速度といい，❹（　　　　　）を意味する．

地球上において，物を落とせばその物は地表に向かって（地球の中心に向かって）落下するが，それは重力の作用による．

この重力の作用により落下物に生じる加速度を❺（　　　　　）といい，その値は❻（　　　　　）$\text{m/s}^2$である．

4. 等速度運動：速度を❶（　　　　　）に保った状態での運動をいう（上図の区間B）．

5. 等加速度運動：一定の❶（　　　　　）（減速時も同様）での運動をいう（上図の区間Aまたは区間C）．

---

**解答** ① 3. ❸ 等速度　❹ 減速　❺ 重力加速度　❻ 9.8
4. ❶ 一定
5. ❶ 加速度

## SIDE MEMO

## 2 力とベクトル

1. ベクトル：ベクトルとは運搬者，運ぶ者の意である．大きさと❶（　　　　）の2つの変数をもったものである．ベクトルで表される量をベクトル量といい，これに属する物理量には❷（　　　　）をはじめ速度や加速度などがある．

2. ベクトルとしての力：ベクトルは下図のように矢印で表す．力の❶（　　　　）は矢印の長さ，力の❷（　　　　）は矢印の向きで表す．

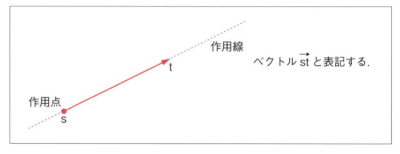

ベクトルの基本を理解するために，綱引きを例にあげる．

仮に同じ能力をもった6人を集め，3人ずつの2チームに分けて綱引きをした場合の勝負は引き分けとなるが，これについて人1人の力の大きさを1，力の方向については右方向を＋（よって左方向は－）として説明する．

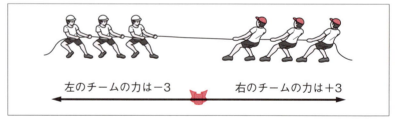

この綱引きでは，右のチームは右方向へ3の力の大きさを発揮しているので❸（　　　　），左のチームは左方向へ3の力の大きさを発揮しているので❹（　　　　）と表記でき，綱からみると両チームの力が同時に加わっているので，両チームの力を足さなければならない．これを式で表すと❸＋❹＝0となる．この足した結果が0となったことは，この勝負が引き分けであることを意味している．

---

**解答** ② 1. ❶ 方向　❷ 力
2. ❶ 大きさ　❷ 方向　❸ ＋3　❹ －3

## SIDE MEMO

このように力を扱う場合は力の大きさだけではなく，加わっている力の❷を加味することで，数式として取り扱うことができる．

参考までに上記の条件で，右チーム3人，左チーム2人で綱引きをしたとすれば，この綱引きの数式は❺(　　　)と表すことができ，これは❻(　　　)チームが1の力だけ勝っていることを意味し，すなわち右チームの勝ちを表している．

この綱引きの例からもわかるように，ベクトルを扱うには値の大きさだけではなく，方向も加味しなければならない．

### 3. 力の合成と分解

・力の合成：2つ以上の力の❶(　　　)を求めることをいい，総和したことにより求められた力を❷(　　　)という．力の矢印を作図して求める．

【2つの力が同一線上にあるときの合成】

※この場合，右向きを＋，左向きを－で表す．

| 2力が同じ向き | 2力が反対の向き |
|---|---|
| 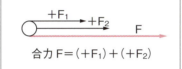 | 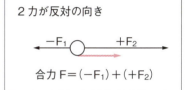 |
| 合力 $F=(+F_1)+(+F_2)$ | 合力 $F=(-F_1)+(+F_2)$ |

【2つの力が角度をなしているときの合成】

❸(　　　)の法則：平行四辺形の二辺であるベクトルF1とベクトルF2の合力ベクトルFは平行四辺形の対角線で示される．

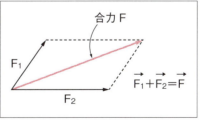

・力の分解：1つの力をそれと同じは働きをする2つ以上の力に分けること．
分解されて求められたそれぞれの力を❹(　　　)という．

---

**解答** ②2. ❺ $(+3)+(-2)=+1$　❻ 右

3. ❶ 総和　❷ 合力　❸ 平行四辺形　❹ 分力

## SIDE MEMO

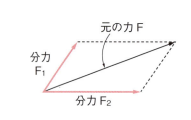

1つの力を2つの力に分解するには，分解したい2つの力の方向上に2辺が位置し，かつ分解しようとする元の力を対角線とする平行四辺形を描く．

### ③ モーメント

モーメント（moment）とは，物体を回転させる作用を表す物理量のこと．公園のシーソーを例に説明する．

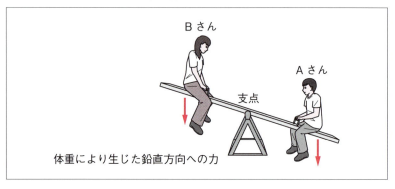

上図のシーソーが右に傾いている理由は，①「AさんがBさんより体重が重いからである」，②AさんとBさんの体重の値が同じであるならば，シーソーの支点（回転軸）から座っている所までの距離がAさん側のほうがBさんのそれより長い．

確かに，シーソー遊びで自分より体重の重い人を持ち上げるには，できるだけ回転軸から後方に座ればよい．このことから，シーソーを回転させる作用は体重により座面に生じた鉛直方向の力の❶（　　　）だけではなく，支点（回転軸）から座面までの❷（　　　）も重要な因子であることがわかる．

このように物体を回転させる作用（＝モーメント）を規定する因子は，加えた力の❶と，回転軸から力の❸（　　　）に下ろした垂線の❹（　　　）である．この2つの因子の積でモーメントの値は表される．すなわち，モーメント（M）＝力（N）×回転軸から力の作用線に下ろした垂線の長さ（m）となる．単位は❺（　　　）またはkgwm（キログラム重メーター）で表す．

---

**解答** ③ ❶ 大きさ　❷ 距離　❸ 作用線　❹ 長さ　❺ Nm（ニュートンメーター）

## SIDE MEMO

　荷物Aの自重により生じる鉛直方向への力を$W_A$とし，荷物Aから支点までの距離をaとする．同様に荷物Bの自重により生じる鉛直方向への力を$W_B$とし，荷重Bから支点までの距離をbとすると，右回りのモーメントは❻（　　　　　），左回りのモーメントは❼（　　　　　）となる．❻＝❼となれば，この装置はいずれにも回転せずに釣り合った状態を保つことになる．

　モーターやエンジンなどの回転軸が固定された装置においては，回転軸に生じたモーメントを❽（　　　　　）という．

**解答** ③ ❻ $W_A \times a$　❼ $W_B \times b$　❽ トルク（torque）

---

### 演習問題

1. 同一平面内に働く力ベクトル F1 と F2 が同じ平面上の点Oの回りに作るモーメントMを表す式はどれか．
   ただし，Oからベクトル F1 と F2 の作用線に下ろした垂線の長さをそれぞれa，bとする．
   （48-AM69）
   1. M = F1 + F2
   2. M = aF1 + bF2
   3. M =（aF1 + bF2）/2
   4. M =（F1 + F2）/（a + b）
   5. M =（F1 + F2）（a + b）

2. 誤っている組合せはどれか．（37-PM37）
   1. 力と移動距離の積 ――――――― 仕　事
   2. 時間あたりの仕事量 ――――――― エネルギー効率
   3. 物体の水平移動に伴う接触面 ―― 摩擦力からの抵抗
   4. 回転運動に伴う軸出力 ――――― トルク
   5. 力の大きさと向き ――――――― ベクトル

# 4 運動の法則

## SIDE MEMO

▶ **慣性**
物体がその運動の現状を保ち続けようとする性質．

▶ **運動量保存の法則**
2つの物体が互いに作用・反作用の力のみで他の外力の作用がなければ2つの運動量の総和は変化しない．

## 1 運動の3つの法則

1. 運動の第1法則：別名で❶(　　　　)の法則という．
   - 物体に外力が働かない場合や働いていてもその合力が0である場合，その物体はいつまでも❷(　　　　)し続ける．
   - 運動している物体はいつまでも❸(　　　　)続けようとする（この場合，等速直線運動）．

   【例】・停止していた乗り物が急発進したとき，中の乗客が後方に倒れそうになる．
   ・走行中に急ブレーキをかけても車はすぐに止まれない．

2. 運動の第2法則
   - 同じ質量の物体に違う大きさの力を加えた場合，小さな力ではその物体に生じる加速度は小さく，大きな力ではその物体に生じる加速度は大きい．すなわち，生じる加速度は加えた力の大きさに❶(　　　　)する．
   - 質量の違う物体に同じ大きさの力を加えた場合，質量の大きい物体に生じる加速度は小さく，質量の小さい物体には大きな加速度が生じる．すなわち，生じる加速度は質量に❷(　　　　)する．
   - 生じる加速度の方向は加えた力の方向と❸(　　　　)となる．
   
   以上より，
   
   $$力(F) = 質量(m) \times 加速度(a)$$
   
   が導かれ，この式を❹(　　　　)という．
   単位を入れた運動方程式は
   
   $$力 F(N) = 質量 m(kg) \times 加速度 a(m/s^2)$$
   
   となる．
   - 1N（ニュートン）とは，質量1kgの物体に❺(　　　　)の加速度を生じせしめる力の大きさをいう．

---

**解答** ① 1. ❶ 慣性（または惰性） ❷ 静止 ❸ 動き
2. ❶ 比例 ❷ 反比例 ❸ 同一 ❹ 運動方程式 ❺ $1m/s^2$

## SIDE MEMO

3. 運動の第3法則：別名で❶(　　　　　)の法則という．
・物体Aが物体Bに力を及ぼすとき，物体Bも物体Aに同一作用線上で同じ力の大きさで，かつ❷(　　　　　)方向に力を及ぼしている．

> 【例】床の上に起立している場合：立っている人の自重により生じた下向き力（＝作用：床を地球の中心に向かって押している力）と同じ大きさの力で床が人を上向きに押し返す力（＝反作用：床反力という）が釣り合っている．

### 2 重力加速度と重量

1. **重力加速度**：物体が地面に向かって落下しているときに物体に生じる加速度のこと．
   地球上での重力加速度の値は❶(　　　　　)である．生じる加速度は空気抵抗がないとすれば落下する物体の質量，種類，形に関係なく❷(　　　　　)である．

2. **重量**：❶(　　　　　)に重力加速度を掛け合わせた量．
   質量は地球上であろうが宇宙空間であろうが❷(　　　　　)であるが，重量は万有引力で生じる重力の影響で変わる．地球上で体重60kgの人が月面上では10kgになるが，これは万有引力が月では地球の1/6になるからである．

> 【例】質量2tの象を地球上で体重計に載せると，その象が体重計を下方に押す力は$2,000\,(kg) \times 9.8\,(m/s^2) = 19,600\,(N)$となるが，無重力の環境で同じことをすれば体重計を下方に押す力は$2,000\,(kg) \times 0\,(m/s^2) = 0\,(N)$となる．

### 3 質量・重量・力の単位

| | 単位 | 内容 |
|---|---|---|
| 重量 | ❶(　　　) | 標準重力加速度の下で1kgの質量に作用する重力の大きさで表される． |
| 力の重力単位 | ❶ | 質量1kgの分銅に作用する地球引力を1kgwの力としたもの． |
| 力の絶対単位 | ❷(　　　) | 質量1kgの物体に$1\,m/sec^2$の加速度を生じさせる力の大きさを1Nとする．（1kgw＝(9.8N)） |

---

**解答**　1 3. ❶ 作用・反作用　❷ 反対（または逆）
　　　　2 1. ❶ $9.8\,m/s^2$　❷ 同じ
　　　　　 2. ❶ 質量　❷ 不変
　　　　3 ❶ kgw（キログラム重）　❷ N（ニュートン）

## 5 仕事と力学的エネルギー

### 1 仕事(work)

1. 仕事W：仕事とは，ある物体に一定の力F(N)を加えた結果，加えた力の方向に物体がs(m)だけ変位したとき，加えた力の大きさと変位した距離の積によって定義される物理量をいう．
   力Fのした仕事Wは❶(　　　　　)で表す．

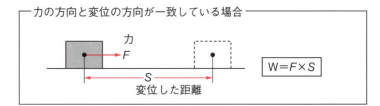

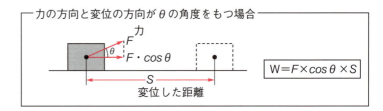

2. 仕事の単位

   1❶(　　　　　) = 1N×1m ……… 1Nの力が物体に働いて，その方向に物体が1m移動したときの仕事の単位

   1❷(　　　　　) = 1dyn×1cm ……… 1dynの力が物体に働いて，その方向に物体が1cm移動したときの仕事の単位

3. 仕事率：単位時間当たりの❶(　　　　　)のことで，❷(　　　　)ともいう．1秒間に1Jの仕事をするときの仕事率は❸(　　　　)である．仕事率とは仕事量を単位時間で除したものなので，仕事量である力(F)×変位した距離(s)をそれに要した時間(t)で除すと，力(F)とその方向に物体が変位したときの速度(v)との❹(　　)に等しくなるため，仕事率とは力(F)×速度(v)ともいえる．

---

**解答** 1 1. ❶ F×s
2. ❶ J(ジュール)　❷ erg(エルグ)
3. ❶ 仕事量　❷ パワー　❸ 1W(ワット)　❹ 積

## SIDE MEMO

▶エネルギー

物理学でいうエネルギーは，「仕事をする可能性」と定義される．
(例)
「太陽エネルギー」は地表を温め，雲をつくり植物を育てる仕事をしている．
(例)
Aの物体がBの物体に仕事をする．その仕事の結果，Aはエネルギーを失い，Bはエネルギーを得る．AからBに移動したエネルギーを仕事の量(J)で表す．

▶力学的エネルギー
① 「運動エネルギー」
運動している物体は静止している物体よりもエネルギーを多くもっている．これを「運動エネルギー」という．
② 「位置エネルギーの放出」
ジェットコースターはできるだけ高い所から滑り落ちた方がその後の勢いがよいが，これはできるだけ高い所に位置することで大きなエネルギー（これを位置エネルギーが大きいという）をもち，そのエネルギーをその後の運動のエネルギーに一気に転換させること（これを位置エネルギーの放出という）で勢いを作り出している．

---

$$\text{仕事率} = \frac{\text{仕事量}}{\text{時間}} = \frac{\text{力} \times \text{変位した距離}}{\text{時間}} = \text{力} \times \frac{\text{変位した距離}}{\text{時間}} = \text{力} \times \text{速度}$$

### 2 力学的エネルギー

力学的エネルギーは機械的エネルギーともいい，運動エネルギーと位置エネルギーの❶(　　　　　)をいう．エネルギーの単位は仕事と同じ❷(　　　　　)を使う．

1. **運動エネルギー**

運動している物体が他の物体に衝突し，その物体を動かしたり変形させたりすることより，運動している物体は運動していること自体でエネルギーをもっているといえる．そのエネルギーを運動エネルギーといい，以下の式で表す．

$$K = \frac{\text{❶(　　　　　)}}{2} \quad (m：物体の質量，v：運動時の速度)$$

2. **位置エネルギー**

高い所に位置する物体が重力によって落下すると，地面にめり込んだり，地面から跳ねたりすることより，高い所に位置する物体はそこに位置するということだけでエネルギーをもっているといえる．このエネルギーを❶(　　　　　)による位置エネルギーといい，以下の式で表す．

$$U = \text{❷(　　　　　)} \quad (m：物体の質量，g：重力加速度，h：高さ)$$

3. **力学的エネルギー保存の法則**

物体に保存力（重力や弾性力や静電気力）のみが働く場合，力学的エネルギーは❶(　　　　　)になる．

$$\text{力学的エネルギー}(E) = \text{運動エネルギー}(K) + \text{位置エネルギー}(U) = \text{一定}$$

遊園地のジェットコースターは位置エネルギーを運動エネルギーに転換して走らせている．

---

 解答　②❶ 和　❷ J(ジュール)
　　　　1. ❶ $mv^2$　2. ❶ 重力　❷ $mgh$　3. ❶ 一定

## 演習問題

1. 質量mの物体を傾斜角度θの斜面に沿って距離Lだけ引き上げ，高さHまで持ち上げた．このときの仕事量Wで正しいのはどれか．
   ただし，摩擦は無視できるものとし，重力加速度をgとする．(49-AM69)
   1. m・L
   2. m・g・H
   3. m・g・L
   4. m・g・sinθ・H
   5. m・g・cosθ・H・L・sinθ

2. 誤っているのはどれか．2つ選べ．(34-PM37)
   1. 力は質量と加速度との積で表される．
   2. 運動量は質量と速度との積で表される．
   3. 力学的エネルギーは位置エネルギーと運動エネルギーとの積で表される．
   4. 1秒間に1ジュールの仕事をするときの仕事率が1馬力である．
   5. 1kgの物体に1m/sec2の加速度を生じさせる力を1ニュートンと呼ぶ．

## MEMO

# 6 身体とてこ

## SIDE MEMO

▶剛体
力が働いても変形しない物体を剛体という．
一般に剛体に力が働くと剛体は回転運動をしながら移動する（並進運動）．

## 1 てこの種類

てこは支点，力点，荷重点（または作用点）の位置関係により，以下の3種類に分類される．てこの3つの点を身体運動に当てはめて，支点は可動する関節，力点は運動に作用する筋の骨付着部，荷重点は負荷の重心線と，てこの腕が交差する点と考えるとわかりやすい．

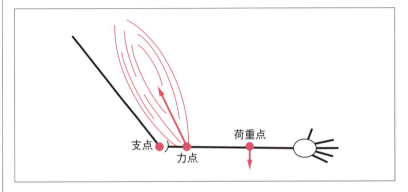

1. 第1のてこ：❶（　　　　　　）が力点と❷（　　　　　　）の間にある形のてこで，特徴は❸（　　　　　　）にある．道具の例としてハサミや釘抜きがある．

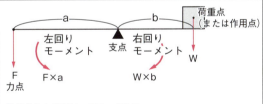

釣り合うためには，F×a＝W×b
∴ a＞bならば釣り合いの式からF＜Wとなり，小さな力で重い荷物を動かすことができる．
しかし，a＜bならばF＞Wとなり，軽い荷物を動かすにも大きな力が必要となる．

F：力点にかかる力　W：荷重点にかかる力
a：支点〜力点間距離　b：支点〜荷重点間距離

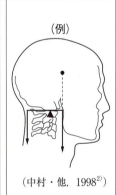

（中村・他，1998[2])）

---

解答　1 1. ❶ 支点　❷ 荷重点　❸ 安定性

## SIDE MEMO

2. 第2のてこ：❶(　　　　　)が❷(　　　　　　)と力点の間にある形のてこで，特徴は❸(　　　　　)にある．道具の例として栓抜きや穴あけパンチがある．

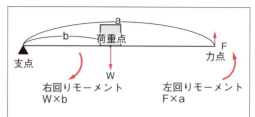

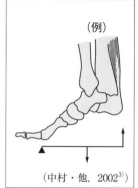
（例）

（中村・他，2002[3]）

釣り合うためにはF×a＝W×b
第2のてこの定義より必ずa＞bであるため，F＜Wとなる．力点にかかる力は荷重点にかかる力より小さな力で済む．身体運動に当てはめれば，負荷に対して相対的に弱い筋収縮力で対応することができる．

3. 第3のてこ：❶(　　　　　)が❷(　　　　　　)と荷重点の間にある形のてこで，特徴は❸(　　　　　)に有利性がある．道具の例としてピンセットやホッチキスがある．四肢の関節運動に多く認められるてこである．

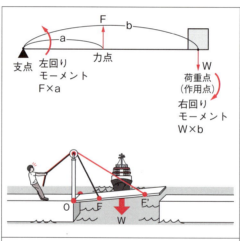

（例）

（中村・他，2002[4]）

釣り合うためにはF×a＝W×b
第3のてこの定義より必ずa＜bであるため，F＞Wとなる．負荷により生じる力より，より大きな筋収縮力を必要とするが，関節を素早く動かすには都合がよいということになる．

---

**解答**　1　2.　❶ 荷重点　❷ 支点　❸ 力の有利性
　　　　　　3.　❶ 力点　❷ 支点　❸ 関節運動の速さ

# 6. 身体とてこ

## 2 てこの釣り合い

- 第1のてこの場合
  平衡状態はOF×f ❶(  )OW×wとなる．
- 第2のてこの場合
  平衡状態はOF×f ❷(  )OW×wとなる．
  第2のてこの定義よりOF ❸(  )OWのなかで，平衡状態を保つにはf ❹(  )wとなる．
  以上より重い物体を ❺(  )い力で動かすことができる．

- 第3のてこの場合
  平衡状態はOF×f ❻(  )OW×wとなる．
  第3のてこの定義よりOF ❼(  )OWなので，平衡状態を保つにはf ❽(  )wとなる．
  以上より軽い物体でも ❾(  )力が必要となるが，支点での回転速度を ❿(  )めることができる．

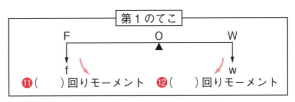

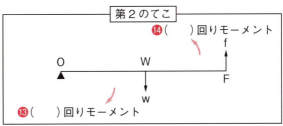

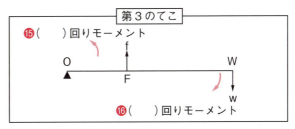

解答 ② ❶ = ❷ = ❸ > ❹ < ❺ 少な ❻ = ❼ < ❽ > ❾ 大きな ❿ 速 ⓫ 左 ⓬ 右 ⓭ 右 ⓮ 左 ⓯ 左 ⓰ 右

## SIDE MEMO

### ③ 関節角度と力の関係

　上腕二頭筋と肘関節に着目した場合を前提として考えると，関節角度が❶（　　　　）角のときは，上腕二頭筋の収縮によって肘屈曲のモーメントは十分に確保されているが，❷（　　　　）は引き離される．上腕二頭筋の収縮力の方向が付着する橈骨長軸に❸（　　　　）する場合，最も❹（　　　　）く肘関節を屈曲させることができる．

F　：筋が発生する収縮力（または張力）
Fm　：Fの分力で関節を動かす力（運動成分）
Fs　：Fの分力で関節の安定化に影響する力（安定成分）

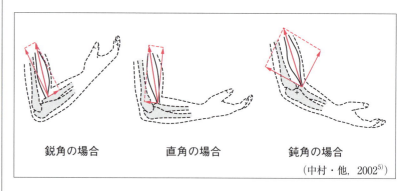

鋭角の場合　　　直角の場合　　　鈍角の場合

（中村・他，2002[5]）

・鋭角の場合：橈骨を上腕骨から引き離す分力が出現し，関節の安定性は❺（　　　　）する．
・直角の場合：鈍角の場合と比較して，関節の安定性は❺するが，肘屈曲力は❻（　　　　）する．
・鈍角の場合：鋭角や直角の場合と比較して，上腕骨に前腕骨を押しつける分力は❼（　　　　）くなり関節の安定性は❽（　　　　）が，肘屈曲力は❾（　　　　）する．

　以上のことより，同一の筋が同一の収縮力を発揮しても，関節の位置（角度）が違えば，その筋の収縮力によってもたらされる関節への影響は違ってくる．

---

**解答** ③ ❶ 鋭　❷ 関節面　❸ 直交　❹ 強　❺ 低下　❻ 増加　❼ 大き　❽ 増す　❾ 減少

## SIDE MEMO

### 4 関節運動とてこの種類

| 支点 | 運動方向 | 作用筋 | てこの種類 |
|---|---|---|---|
| 環椎後頭関節 | 後屈 | 板状筋群 | 第❶(　　　)のてこ |
| 肩 | 外転 | 三角筋 | 第❷(　　　)のてこ |
| 肘 | 伸展 | 上腕三頭筋 | 第❸(　　　)のてこ |
| 肘 | 屈曲 | 上腕二頭筋 | 第❹(　　　)のてこ |
| 肘 | 屈曲 | 腕橈骨筋 | 第❺(　　　)のてこ |
| 股 | 片脚立位保持 | 中殿筋 | 第❻(　　　)のてこ |
| 股 | 側臥位外転 | 中殿筋 | 第❼(　　　)のてこ |
| 膝 | 座位からの起立 | 大腿四頭筋 | 第❽(　　　)のてこ |
| 膝 | 腹臥位での膝屈曲 | ハムストリングス | 第❾(　　　)のてこ |
| 母趾球部の地点 | つま先立ち | 下腿三頭筋 | 第❿(　　　)のてこ |

### 5 てこの種類と力

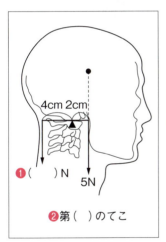
❶(　)N　❷第(　)のてこ

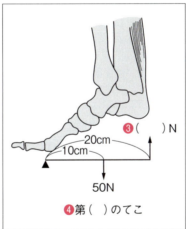
❸(　)N　❹第(　)のてこ

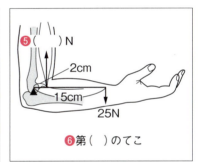
❺(　)N　❻第(　)のてこ

---

**解答**　4　❶1　❷3　❸1　❹3　❺2　❻1　❼3　❽3　❾3　❿2
　　　　5　❶2.5　❷1　❸25　❹2　❺187.5　❻3

## SIDE MEMO

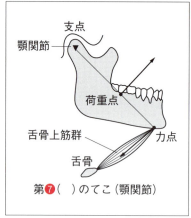

第❼( )のてこ(顎関節)

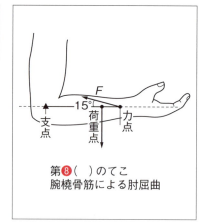

第❽( )のてこ
腕橈骨筋による肘屈曲

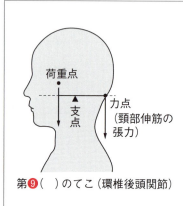

第❾( )のてこ(環椎後頭関節)

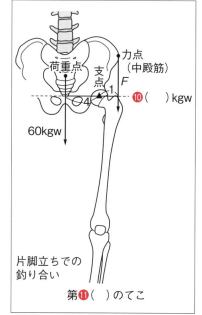

片脚立ちでの釣り合い
第⓫( )のてこ

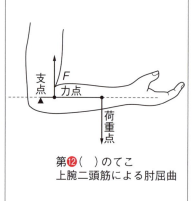

第⓬( )のてこ
上腕二頭筋による肘屈曲

第⓭( )のてこ(膝関節)

解答 ⑤ ❼2 ❽2 ❾1 ❿240 ⓫1 ⓬3 ⓭3

## 6 滑車と輪軸

小さな力で重い荷物を動かすため，てこの他に，滑車や輪軸などを利用する．

1. 滑車

　溝に綱をかけて，回転するしくみの車．

- ❶（　　　）滑車：中心軸を固定した滑車．力の方向を変換するだけの働きで，釣り合うには荷重による力と同一の力が必要である．

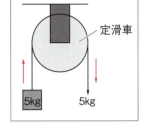

- ❷（　　　）滑車：中心軸が固定されない滑車．力の方向を変換し，かつ釣り合うために必要な力は荷重による力の半分で済む．

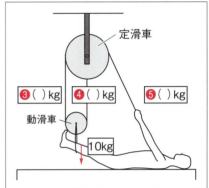

- 複合滑車：定滑車と動滑車を組合せたもの

2. 定滑車と動滑車

a.

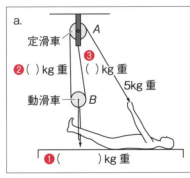

b.

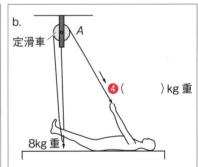

c.

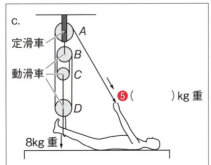

---

**解答** ⑥ 1. ❶ 定　❷ 動　❸ 5　❹ 5　❺ 5
　　　　2. ❶ 10　❷ 5　❸ 5　❹ 4　❺ 2

3. **輪軸**：直径が異なる2つの滑車の軸を固定して同時に回転するようにしたもの．中心軸の車軸とそれを中心にして回転する車輪で構成される．

体幹部において❶(　　　　)を車軸とすると❷(　　　　)を車輪にみなすことができる．❸(　　　　)筋群は❹(　　　　)に作用する筋群である．

脊柱を車軸，体幹を車輪と考えると，脊柱に付着する深部回旋筋群の❺(　　　　)筋，❻(　　　　)筋，❼(　　　　)筋は，❽(　　　　)に作用して体幹を回旋させる．

---

**解答** ⑥ 3. ❶ 脊柱　❷ 体幹　❸ 腹斜　❹ 車輪　❺ 多裂　❻ 回旋
❼ 半棘（❺～❼順不同）　❽ 脊柱

## 演習問題

1. 図のようにてこが釣り合っている場合，支点Cに作用する力の大きさはどれか．ただし，てこに重さはないものとする．(50-AM69)

    1. $W1 + W2$
    2. $d2 \times W2/d1$
    3. $d1 \times W1/d2$
    4. $d1 \times W1 + d2 \times W2$
    5. $d1 \times W2 + d2 \times W1$

    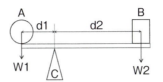

    W1：物体Aにかかる力（N）
    W2：物体Bにかかる力（N）
    d1：物体Aから支点Cまでの距離（m）
    d2：物体Bから支点Cまでの距離（m）

2. てこについて正しいのはどれか．(44-PM37)
    1. 第1のてこは荷重点が支点と力点との間にある．
    2. 第2のてこは第3のてこに比べ力学的に有利である．
    3. 第2のてこは人体にあるてこの大部分である．
    4. 第3のてこは支点が力点と荷重点との間にある．
    5. 第3のてこは運動の速さに対して不利である．

3. 前腕と手とを支える肘関節屈筋の力Fはどれか．ただし，cos30°＝0.87とする．(PT37-AM1)
    1. 約10kgw
    2. 約12kgw
    3. 約14kgw
    4. 約16kgw
    5. 約18kgw

    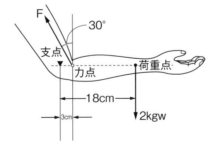

4. 体重60kgの人が図のように立位姿勢を保持したとき，体重計は24kgを示した．足圧中心は踵（B）から何cm前方にあるか．
   ただし，AB間は50cm，AC間は100cmとする．(PT34-AM33)
   1. 6cm
   2. 10cm
   3. 14cm
   4. 18cm
   5. 22cm

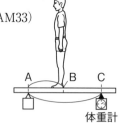

5. 図は肘90°屈曲位で手掌に4kgの重りを持ち，等尺性収縮で静止している状態を示す．前腕・手部の重量は1.5kg，肘関節軸から手部まで40cmで，重心の位置はその中央にあると仮定する．この位置から上方に持ち上げようとするときの肘関節軸のトルク（kg・m）はいくらか．ただし，肘関節軸での摩擦抵抗は無視する．(33-PM4)
   1. 1.1
   2. 1.3
   3. 1.6
   4. 1.9
   5. 2.2

6. 図の片脚支持における大腿骨骨頭にかかるおおよその力はどれか．
   ただし，体重は60kgとする．(32-PM7)
   1. 50kg
   2. 150kg
   3. 250kg
   4. 350kg
   5. 450kg

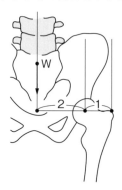

7. 生体運動とてこの種類との組合せで誤っているのはどれか．(30-PM37)
   1. 片足で立ったときに骨盤に対する中殿筋の作用 ──────── 第1のてこ
   2. 基本的立位姿勢から肘90°屈曲するときの上腕二頭筋の作用 ──────── 第2のてこ
   3. プッシュアップにおける肘伸展運動の上腕三頭筋の作用 ──────── 第1のてこ
   4. 基本的立位姿勢で上肢全体を前方挙上するときの三角筋の作用 ──────── 第3のてこ
   5. 椅子座位で膝を伸展するときの大腿四頭筋の作用 ──────── 第3のてこ

# 7 関節の構造と機能

## 1 関節面の形状からみた分類

| 軸 | 関節面の形状分類 | | 関節の例 |
|---|---|---|---|
| ❶( )軸性 | ❺( )関節 | | 肩甲上腕関節, 股関節(臼関節)<br>中手指節(手のMP)関節*1<br>腕橈関節<br>中足指節(足のMP)関節*2 |
| ❷( )軸性 | ❻( )関節 | | 中手指節(手のMP)関節*1<br>大腿脛骨関節, 手根間関節<br>距骨下関節, 環椎後頭関節*3 |
| | ❼( )関節 | | 橈骨手根関節, 環椎後頭関節*3<br>顎関節 |
| 2軸性 | ❽( )関節 | | 第1手根中手(CM)関節<br>胸鎖関節 |
| ❸( )軸性 | ❾( )関節<br>❿( )関節を含む | | 膝関節, 距腿関節<br>腕尺関節<br>手の指節間(PIP, DIP)関節<br>足の指節間(PIP, DIP)関節 |
| ❹( )軸性 | ⓫( )関節 | | 上橈尺関節<br>下橈尺関節 |
| | 半関節<br>平面関節 | | 肩鎖関節<br>手根間関節<br>仙腸関節(半関節), 椎間関節<br>足根間関節, 中足間関節 |

*1 中手指節関節:文献により,「球関節」「顆状関節」に分類されている.
*2 中足指節関節:基本的には「球関節」であるが,一部の文献に「顆状関節」という記載もある.
*3 環椎後頭関節:文献により「顆状関節」「楕円関節」に分類されている.

解答 1 ❶ 3 ❷ 2 ❸ 1 ❹ 1 ❺ 球 ❻ 顆状 ❼ 楕円 ❽ 鞍(あん) ❾ 蝶番
　　 ❿ らせん ⓫ 車軸

## 演習問題

1. 運動軸が2つの関節はどれか．(57-PM51)
    1. 環軸関節
    2. 距腿関節
    3. 肩鎖関節
    4. 橈骨手根関節
    5. 腕尺関節

2. 運動軸が2つの関節はどれか．(53-AM52)
    1. 手指PIP関節
    2. 橈骨手根関節
    3. 腕尺関節
    4. 上橈尺関節
    5. 肩甲上腕関節

3. 関節とその形状の組合せについて正しいのはどれか．(50-AM51)
    1. 肩関節――――――鞍関節
    2. 肘関節――――――球関節
    3. 上橈尺関節――――車軸関節
    4. 橈骨手根関節―――平面関節
    5. 母指CM関節―――蝶番関節

4. 関節の形状で正しいのはどれか．2つ選べ．(49-PM51)
    1. 肩甲上腕関節は楕円関節である．
    2. 腕尺関節はらせん関節である．
    3. 橈骨手根関節は顆状関節である．
    4. 手根間関節は鞍関節である．
    5. 母指の手根中手関節は球関節である．

5. 3軸性関節はどれか．2つ選べ．(47-AM5)
    1. 股関節
    2. 距腿関節
    3. 胸鎖関節
    4. 上橈尺関節
    5. 指節間関節

6. 車軸関節はどれか．2つ選べ．(46-AM51)
    1. 顎関節
    2. 正中環軸関節
    3. 近位橈尺関節
    4. 椎間関節
    5. 脛骨大腿関節

MEMO

# 8 骨格筋の構造と機能

## 1 骨格筋の形状からみた分類

| ( ① ) | 大部分の筋束が筋の長軸方向に走行している．平行筋ともいい，具体例として上腕筋や長掌筋などがある． |
| --- | --- |
| ( ② ) | 筋束が腱索の一側に位置し，かつ筋の長軸に斜めに走行している．具体的には半膜様筋や後脛骨筋などがある． |
| ( ③ ) | 筋束が腱索の両側に位置し，かつ筋の長軸に斜めに走行している．具体的には大腿直筋や長腓骨筋などがある． |
| ( ④ ) | 筋束が複数の腱索の両側に位置し，かつその腱索の長軸に互い違いに斜めに走行している．具体的には三角筋や肩甲下筋などがある． |
| ( ⑤ ) | 筋頭を複数もつ．具体的には上腕二頭筋や上腕三頭筋などがある． |
| ( ⑥ ) | 筋の起始部と停止部との間に1つの腱が介在している．具体的には顎二腹筋がある． |
| ( ⑦ ) | 筋の起始部と停止部との間に複数の腱が介在している．具体的には腹直筋がある． |
| ( ⑧ ) | 平たい形状を示す．具体的には僧帽筋や広背筋などがある． |
| ( ⑨ ) | 付着部の形状がノコギリ状を示す．具体的には前鋸筋や後鋸筋などがある． |

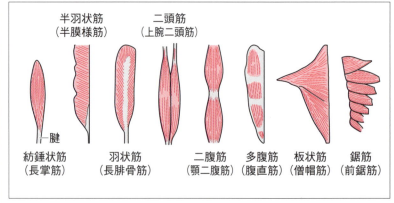

**解答** ① 紡錘状筋 ② 半羽状筋 ③ 羽状筋 ④ 多羽状筋 ⑤ 多頭筋 ⑥ 二腹筋 ⑦ 多腹筋 ⑧ 板状筋 ⑨ 鋸筋

## SIDE MEMO

▶ ミオシンフィラメント
（太いフィラメント）

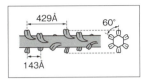

▶ アクチンフィラメント
（細いフィラメント）

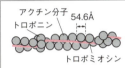

▶ 筋収縮のエネルギー源

$Ca^{2+}$濃度が増加するとミオシンとアクチンの間に形成されている連結橋の働きによって筋収縮の滑走が起こる．その際のエネルギー源はATPである．ATPは生体組織のエネルギー供給源として最も重要な物質である．

## 2 筋収縮のメカニズム

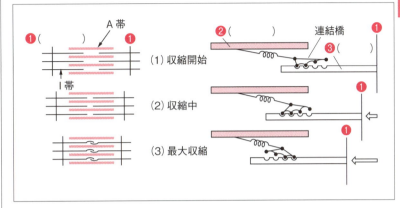

筋細胞とは❹(　　　　　)のことである．その筋線維は複数の❺(　　　　　)が束になって構成されている．

❺は❸から❸までを構成単位とする❻(　　　　　)が直列に連結したものである．

❻内には太さの異なる2種類のタンパク質でできたフィラメントが一部は重なりながらも並行に配列している．太いフィラメントを❶フィラメント，細いフィラメントを❷フィラメントという．

筋収縮の実態とは，この2つのフィラメントを連結する❼(　　　　　)の運動によって，❷フィラメントが❶フィラメントの間に滑り込み，❻が短くなることと考えられている．

| 解答 | 2 ❶ Z膜（帯）　❷ ミオシン　❸ アクチン　❹ 筋線維　❺ 筋原線維　❻ 筋節　❼ 連結橋または架橋 |

## 演習問題

1. 骨格筋の収縮について誤っているのはどれか．（57-AM61）
   1. 筋小胞体は$Ca^{2+}$を貯蔵している．
   2. 活動電位は筋収縮に先行して発生する．
   3. 神経筋接合部にはニコチン受容体が分布する．
   4. 支配神経に単一の刺激を加えると強縮が起こる．
   5. 単収縮が連続して起こると階段現象がみられる．

2. 骨格筋の筋収縮において筋小胞体から放出されたCa$^{2+}$が結合するのはどれか．(55-AM62)
    1. アクチン
    2. ミオシン
    3. トロポニン
    4. ミオグロビン
    5. トロポミオシン

3. 骨格筋の筋収縮で正しいのはどれか．(54-AM62)
    1. 筋小胞体にはNa$^+$を貯蔵している．
    2. 活動電位は筋収縮に遅れて発生する．
    3. Ca$^{2+}$が筋小胞体に取り込まれると筋収縮が起こる．
    4. ミオシン頭部の角度が戻るときにATPの加水分解が起こる．
    5. 神経筋接合部での興奮の伝達は神経と筋との間で双方向性である．

4. 骨格筋の構造で筋収縮時に長さが一定なのはどれか．2つ選べ．(53-PM61)
    1. A帯　　2. H帯
    3. I帯　　4. Z帯　　5. 筋節

5. 骨格筋の構造で正しいのはどれか．2つ選べ．(51-PM61)
    1. A帯を明帯という．
    2. A帯は筋収縮時に短縮する．
    3. I帯の中央部にZ帯がある．
    4. Z帯は筋収縮時に伸長する．
    5. Z帯とZ帯との間を筋節という．

6. 単一筋線維が発生する張力の大きい順に並んでいるのはどれか．(51-PM62)
    1. タイプⅡA ＞ タイプⅡB ＞ タイプⅠ
    2. タイプⅡB ＞ タイプⅡA ＞ タイプⅠ
    3. タイプⅠ　＞ タイプⅡA ＞ タイプⅡB
    4. タイプⅡA ＞ タイプⅠ　＞ タイプⅡB
    5. タイプⅡB ＞ タイプⅠ　＞ タイプⅡA

# 9. 筋収縮 その1

## 1 関節運動時の役割からみた筋

| | |
|---|---|
| 動筋 | 意図する方向に関節を動かす筋をいう．動筋には2種類あり，主役的な働きをする筋を❶(　　　　)といい，補助的な働きをする筋を❷(　　　　)という． |
| ❸(　　　) | 動筋とは反対方向に関節を動かす筋をいう． |
| ❹(　　　) | 運動時に関節を固定する働きをする筋をいう． |
| 共同筋 | 広義には1つの運動に参加するすべての筋をいう．共同筋には❺(　　　　)共同筋と❻(　　　　)共同筋がある．<br>❺共同筋とは，動筋による不必要な動きを抑制する筋のことをいい，具体的には左右の外腹斜筋が同時に働くことで腹筋運動の動筋になり，体幹の回旋を中和する．<br>❻共同筋とは，多関節筋が収縮するとき，中間に位置する関節の動きを止めるために等尺性収縮する筋のことをいい，具体的には手指を力強く握るためには手関節をやや背屈位に固定するが，この固定のために収縮する筋のことをいう． |

## 2 筋収縮の様態とその特徴

　動物は筋にさまざまな状態の収縮を生じさせることで，姿勢の保持や変換，あるいは上下肢の運動を行っている．

　そこで，Aさんが上腕二頭筋を収縮させて肘を屈曲しようとするときに，BさんがAさんの手首を掴んでその運動を邪魔しようとしている場面を通して，筋の収縮様態を理解しよう．

【場面1】AさんがBさんの加える抵抗に勝って，肘を屈曲させている．
　　　　この場面におけるAさんの上腕二頭筋は起始部と停止部が❶(　　　　)ながら(＝筋長が短縮しながら)張力を発揮している．この場合の上腕二頭筋の収縮様態を❷(　　　　)収縮という．

---

解答　1 ❶ 主動筋　❷ 補助動筋　❸ 拮抗筋　❹ 固定筋　❺ 支援　❻ 真正
　　　2 ❶ 近づき　❷ 求心性

## SIDE MEMO

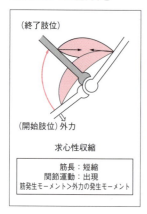

求心性収縮
筋長：短縮
関節運動：出現
筋発生モーメント＞外力の発生モーメント

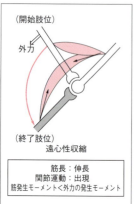

遠心性収縮
筋長：伸長
関節運動：出現
筋発生モーメント＜外力の発生モーメント

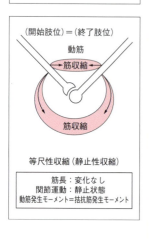

等尺性収縮（静止性収縮）
筋長：変化なし
関節運動：静止状態
動筋発生モーメント＝拮抗筋発生モーメント

【場面2】Aさんは必死で肘を屈曲させようとしながらもBさんが加える抵抗に負け，肘が伸展している．

この場面におけるAさんの上腕二頭筋は起始部と停止部が❸（　　　　）ながら（＝筋長が伸長しながら）張力を発揮している．この場合の上腕二頭筋の収縮様態を❹（　　　　）収縮という．

【場面3】Aさんによる肘屈曲モーメントとBさんによる肘伸展モーメントが釣り合って，肘が動かない状態になった．

この場面におけるAさんの上腕二頭筋は起始部と停止部との距離が変わらない（＝筋長が❺（　　　　））で張力を発揮している．この場合の上腕二頭筋の収縮様態を❻（　　　　）収縮または静止性収縮という．

このように筋の収縮様態には3通りあるが，【場面2】または【場面3】において，Bさんが急に力を抜いたらAさんの上腕二頭筋は❼（　　　　）収縮を示す．よって，筋収縮の基本はあくまでも「収まり縮む」と書くように❼収縮である．その意味において，遠心性収縮や等尺性収縮は筋の収縮力と拮抗する外力（たとえば，拮抗筋の収縮力や他者が加えた力など）との関係性によって生じるものといえる．

その他の収縮様態に❽（　　　　）収縮があるが，これは特殊な装置を使用して作り出された人工的な収縮様態で，関節運動速度が一定のときの筋収縮様態である．

最大筋出力の値は，最大遠心性収縮＞最大❾（　　　　）性収縮＞最大❿（　　　　）性収縮の順となる．

---

**解答** ❷ ❸ 遠ざかり ❹ 遠心性 ❺ 一定 ❻ 等尺性 ❼ 求心性 ❽ 等速性 ❾ 等尺 ❿ 求心

# SIDE MEMO

## ③ 筋収縮の様態と関節運動との関係

　肘関節120°屈曲位から肘完全伸展位の手前まで素早く肘を伸展させようとした場合を想定してみよう．

　まずは肘伸筋を瞬発的に❶（　　　　　）収縮させ肘関節の伸展を始動させる．その後の慣性による肘伸展運動に対してブレーキをかける目的で肘屈筋が❷（　　　　　）収縮する．次に運動を停止させたい位置（この場合，肘完全伸展位の手前）で，ブレーキ役の肘屈筋による屈曲モーメントと❸（　　　　　）値の伸展モーメントを生み出すために肘伸筋がふたたび❶収縮する．これらのモーメントが同値になった瞬間に関節運動は停止することになるが，この瞬間の肘屈筋ならびに肘伸筋は❹（　　　　　）収縮の様態を示す．

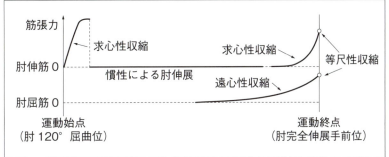

## ④ リバースアクション（筋の逆作用）

　通常，筋の作用をいう場合は，筋の❶（　　　　　）部側の骨（末梢側の骨）が❷（　　　　　）部側の骨（中枢側の骨）へと近づく運動をもって表すが，逆に筋の❷部側の骨が❶部側の骨へと近づく運動を❸（　　　　　）という．具体例としては，鉄棒での懸垂運動時の肘関節屈曲運動や立位からしゃがむときの膝関節や足関節の動きなどがある．

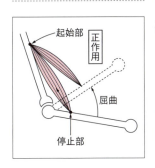

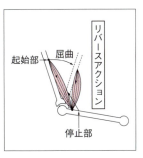

---

**解答**　③　❶ 求心性　❷ 遠心性　❸ 同じ　❹ 等尺性
　　　　　④　❶ 停止または付着　❷ 起始　❸ リバースアクション

## 演習問題

1. 遠心性収縮が生じるのはどれか．2つ選べ．(57-AM73)
   1. 頭上に手を挙げるときの三角筋前部線維
   2. 懸垂で体を下ろすときの上腕二頭筋
   3. 腕立て伏せで肘を伸ばすときの上腕三頭筋
   4. 椅子から立ち上がるときの大腿四頭筋
   5. しゃがみ込むときのヒラメ筋

2. 等張性運動について正しいのはどれか．(53-AM69)
   1. 角速度は一定である．
   2. 等尺性運動に比べ血圧が上昇しやすい．
   3. 等尺性運動に比べ収縮時の筋血流が増加しやすい．
   4. 等尺性運動に比べ心拍数が増加しやすい．
   5. 負荷に抗して姿勢を維持するときに起こる．

3. 正常歩行で求心性収縮を示すのはどれか．2つ選べ．(46-PM74)
   1. 立脚初期の中殿筋
   2. 踵接地期の前脛骨筋
   3. 踵離地期の下腿三頭筋
   4. つま先離地期の腸腰筋
   5. 踵接地期直前のハムストリングス

4. 腕相撲で勝勢にある人の主動筋の状態で適切なのはどれか．(43-PM39)
   1. 静止長で等尺性収縮
   2. 静止長で求心性収縮
   3. 短縮位で求心性収縮
   4. 短縮位で遠心性収縮
   5. 伸張位で等尺性収縮

5. 筋の反作用（リバースアクション）で誤っているのはどれか．(37-PM39)
   1. 上腕二頭筋による鉄棒の懸垂
   2. 腸腰筋による骨盤の前傾
   3. 中殿筋による遊脚側下肢の外転
   4. 大腿四頭筋による椅子からの立ち上がり
   5. 下腿三頭筋によるつま先立ち

6. 立位から椅子へゆっくり座るときに起こる大殿筋の筋収縮はどれか．(36-PM31)
   1. 求心性収縮
   2. 遠心性収縮
   3. 等尺性収縮
   4. 相動性収縮
   5. 静止性収縮

# 10 筋収縮 その2

## SIDE MEMO

▶ **相動性運動単位**
筋収縮が速く，関節運動を行う運動単位で，白筋に多く，筋線維のタイプはFOGやFGである．

▶ **緊張性運動単位**
弱く持続的な筋収縮を行う運動単位で姿勢保持や抗重力な働きをする．赤筋に多く，筋線維のタイプはSOである．

▶ **神経支配比**

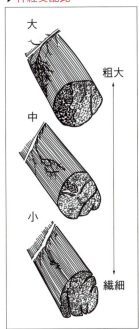

## 1 運動単位（motor unit：MU）

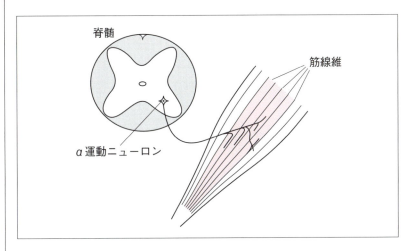

1個の運動ニューロンとそれに支配される筋線維群をひとまとめにして❶（　　　　　）という．

運動ニューロンの神経線維は筋内で枝分かれして1本1本の筋線維と❷（　　　　　）を形成する．

特殊な場合を除き，運動単位の興奮順序は発生させる筋張力の❸（　　　　　）に関係なく一定しており，まずは神経細胞体が小さく閾値の❹（　　　　　）運動単位が興奮し，次第に神経細胞体が大きく閾値の❺（　　　　　）運動単位が興奮してくる（Hennemanのサイズの原理）．

運動単位は連続収縮での❻（　　　　　）の程度と単収縮の❼（　　　　　）から，FF型（fast-twitch, fatigable），FR型（fast-twitch, fatigue-resistant），F型（fast-twitch, intermediate），S型（slow-twitch）に分類され，それぞれの筋線維群と機能的に分化している．

## 2 神経支配比

1本の運動神経とそれに支配される筋線維数との比を❶（　　　　　）という．舌や眼球の運動など緻密な運動に関与する筋の神経支配比は❷（　　　　　），体幹や大腿部などの力強い大まかな運動に関与する筋のそれは❸（　　　　　）．

---

**解答** **1** ❶ 運動単位　❷ 神経筋接合部　❸ 強弱　❹ 低い　❺ 高い　❻ 疲労　❼ 速度
**2** ❶ 神経支配比　❷ 小さく　❸ 大きい

## SIDE MEMO

▶筋張力
筋線維が縮もうとする力の作用を外部からの反作用として測った力を張力という．ゆえに筋収縮力＝筋張力といえる．

## 3 筋張力

　筋張力の程度は，(a)活動に参加する運動単位の❶(　　　　　)(これを空間的活動参加という)，(b)活動している運動単位の❷(　　　　　)(これを時間的活動参加という)，(c)それぞれの運動単位の興奮の❸(　　　　　)(または同期化)によって変化し，結果として収縮に参加している筋線維の❹(　　　　　)によって決定する．

　❺(　　　　　)とは，筋の生理的断面積の単位面積あたりの最大張力をいうが，人の場合性差はなく約$6±2\,kg/cm^2$である．

　筋を収縮させて得られた張力を❻(　　　　　)というが，この張力は結合組織や筋細胞膜などの膜構造の弾性により生じた張力〔❼(　　　　　)張力という〕と純粋に神経の命令による筋線維の収縮によって生じた張力〔❽(　　　　　)張力という〕とを合算したものである．

　筋の短縮速度は筋に加えられた負荷によって変化する．負荷がないときにその速度は❾(　　　　　)となり，負荷が大きくなれば短縮距離は短くなり速度も❿(　　　　　)なる．

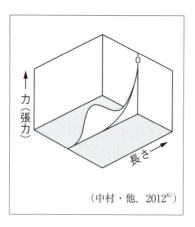
(中村・他，2012[6])

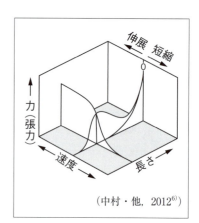
(中村・他，2012[6])

**解答** ③ ❶ 数　❷ 興奮頻度　❸ タイミング　❹ 数　❺ 絶対筋力　❻ 全張力　❼ 静止
❽ 活動　❾ 最大　❿ 遅く

## SIDE MEMO

### 4 筋肥大と筋萎縮

通常，筋に強い負荷がかかるような運動をし続けるとその筋は太くなるが，これを❶（　　　　　）という．この現象が生じる理由は筋原線維の数が増すことによる筋線維直径の❷（　　　　　），ATPやクレアチリン酸やグリコーゲンなどのエネルギー補給機構の増大が考えられる．

筋線維の数が増えることを❸（　　　　　）といい，筋肥大とともに筋が太くなる理由の1つである．❸は主に❹（　　　　　）期に起こり，生後は主に筋肥大によって筋は太くなっていく．筋力増強訓練による筋線維の肥大は❺（　　　　　）線維より❻（　　　　　）線維に著しく現れる．

筋線維の直径が細くなることを❼（　　　　　）という．1～2カ月間の筋の不使用で筋の太さは1/2ぐらいに細くなるとされる．抗重力筋では❽（　　　　　）線維より❾（　　　　　）線維のほうに明らかに萎縮が現れる．

**解答** ④ ❶ 筋肥大　❷ 増大　❸ 筋線維増殖　❹ 胎生　❺ 遅筋　❻ 速筋　❼ 筋萎縮　❽ 速筋　❾ 遅筋

### 演習問題

1. 運動単位について正しいのはどれか．(53-AM63)
    1. 運動単位には求心性線維が含まれる．
    2. 1つの筋は単一の運動単位で構成される．
    3. 支配神経比が小さいほど微細な運動ができる．
    4. 随意運動時には大きな運動単位ほど先に活動を始める．
    5. 伸張反射では弱い刺激で活動を開始するのは速筋である．

2. 運動単位について誤っているのはどれか．(52-AM62)
    1. 1個の運動ニューロンとそれに支配される筋線維群を運動単位という．
    2. 1つの筋肉は多数の運動単位で構成される．
    3. 1個の運動ニューロンが何本の筋線維を支配しているかを神経支配比という．
    4. 上腕二頭筋より虫様筋の方が神経支配比は大きい．
    5. 最も強い筋収縮は筋のすべての運動単位が同期して活動するときに起こる．

3. 運動単位について正しいのはどれか. (49-AM63)
   1. 運動単位には求心性線維が含まれる.
   2. 活動電位の発射頻度は200回/秒を超える.
   3. 精密な働きをする筋では神経支配比が大きい.
   4. 同じ運動単位の筋線維は同一の筋線維タイプからなる.
   5. 筋を徐々に収縮すると大きな運動単位が先に活動を始める.

MEMO

# 11 関節の安定性と運動性

## 1 関節の安定性 (joint stability)

　簡単に脱臼するような関節では，安定した姿勢の保持や意図したような関節運動を行うことは難しい．言い換えれば，安定した姿勢の保持や意図したような関節運動を行うためには関節の安定性が大変重要となる．

関節の安定性 ── 静的安定性 ── 関節の静止状態での安定性 …… 立位時の足関節など
　　　　　　└ 動的安定性 ── 関節の可動状態での安定性 …… 歩行中の股関節など

関節の安定性に関与する3つの因子

【因子1】関節面の形態
- 関節窩が❶（　　）いほど関節の安定性は増す．
- 関節面同士の適合性がよいほど関節の安定性は増す．
- 関節面同士の接触面積が❷（　　）いほど関節の安定性は増す．

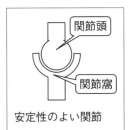

【因子2】関節包ならびに靱帯の厚みと緊張の程度
- 関節包は厚く，かつ緊張が❸（　　）いほど関節の安定性は増す．
- 靱帯は❹（　　）くて幅広く，かつ緊張が高いほど関節の安定性は増す．

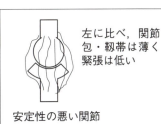

解答　1　❶ 深　❷ 広　❸ 高　❹ 厚

## SIDE MEMO

【因子3】筋の収縮力

・筋の収縮力（筋内の矢印で示す）は，関節の❺（　　　　）に関与する分力（安定成分：黒矢印←で示す）と関節の動きに関与する分力（運動成分：赤矢印←で示す）とに分けられる．

・筋の収縮力は関節をある方向に動かすだけでなく，同時に関節の安定性にも関与している．

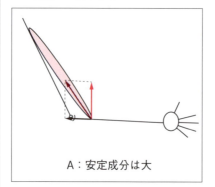
A：安定成分は大

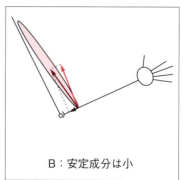
B：安定成分は小

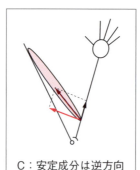
C：安定成分は逆方向

・図Aのように関節の安定性に関与する分力が，可動する関節側に向いている場合は，末梢側の骨が中枢側の骨に押しつけられるために関節の安定性は高まる．

・筋力を図Aと同一で図Bのように屈曲の程度を増すにつれて，関節の安定性に関与する分力が❻（　　　　）くなり，結果として筋による関節の安定化作用は低下する．

・図Cのように関節の安定性に関与する分力が，可動する関節側とは❼（　　　　）方向に向いてしまう場合は，末梢側の骨が中枢側の骨から引き離されるために関節の安定性は著しく低下する．

・これらの図の比較からいえることは，同一の筋が同じ強さの収縮力を発揮したとしても，関節の位置が変われば，関節の安定性に与える影響も変わってくるということがわかる．

【解答】 ❶ ❺ 安定性　❻ 小さ　❼ 反対または逆

## 2 関節の運動性 (joint mobility)

関節の運動性とは，関節がどの❶（　　　　　）にどの程度可動できるのかを指している．たとえば肩関節と股関節との比較では，可動方向については両者とも❷（　　）関節のためにあらゆる方向に動くのでその点では差はないが，可動範囲については肩関節のほうが股関節より明らかに❸（　　）い．よって肩関節のほうが股関節より運動性に優れていることになる．

この例からもわかるように運動性に優れた関節とは，あらゆる方向に可動し，かつその可動範囲が広い関節をいう．

関節の運動性に関与する3つの因子
【因子1】関節面の形態
・関節面が球面であるほどあらゆる方向に動く．
・関節窩が浅いほど可動範囲は❹（　　）い．
・関節面同士の接触面積が狭いほど関節の可動範囲は広い．

【因子2】関節包ならびに靱帯の形態と緊張
・関節包は薄く，その緊張が❺（　　）いほど関節の運動性は増す．
・靱帯は薄く，かつ幅が❻（　　）く，そしてその緊張が低いほど関節の運動性は増す．

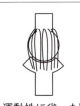

解答 ② ❶ 方向　❷ 球　❸ 広　❹ 広　❺ 低　❻ 狭

## SIDE MEMO

【因子3】筋

屈伸しかしない肘関節に比べ，あらゆる方向に可動する肩関節においてはさまざまな走行の筋が関与する．

### 3 関節の安定性と運動性との関係

1と2で示したように同じ組織の因子同士で比較した場合，関節の安定性と運動性とはほぼ❶（　　　　　　）の関係になると考えてよいが，はたして関節の安定性と運動性の関係はそんなに単純なものだろうか．

たとえば，柱にドアを連結する蝶番（ヒンジ）のネジが弛んだ状態を想像してみよう．→ ドアはスムーズに開閉できない．

関節も同様に関節面同士の適合性が悪かったり，生理的以上に関節が弛んだ状態（亜脱臼や脱臼状態）だったりしていればスムーズには動かない．

以上のことより，関節を意のままに固定したり，動かしたりするには，関節が脱臼しないような構造や仕組みになっている必要がある．

すなわち，

> 格言：「安定性あっての運動性」

である．

---

解答 3 ❶ 真逆

# 12 運動の中枢神経機構

## 1 随意運動と反射運動

運動は，意図的にコントロールできる運動をさす❶（　　　　　）運動（voluntary movement）と，意識的に制御できない運動をさす❷（　　　　　）運動（involuntary movement）とに分けられる．❶運動の中でも特に習慣や練習でパターン化した運動を❸（　　　　　）運動（automatic movement）という．不随意運動のなかである刺激によって引き起こされる運動を❹（　　　　　）運動（reflex movement）という．

## 2 反射運動

反射運動とは，❶（　　　　　）に対して生体がみせる合目的かつ不随意的応答で，比較的❷（　　　　　）の様式を示す．反射運動は❸（　　　　　）や❹（　　　　　）レベルの中枢で統合される．

反射運動の特徴は，
- 応答パターンは単純で❺（　　　　　）である．
- ❻（　　　　　）の介在によって応答パターンが多少変化することもある．
- 十分な刺激の強さであれば必ず❼（　　　　　）がある．

刺激に対する応答までの一連の経路を❽（　　　　　）または反射路という．

```
刺激 ──→ ○ ──求心路──→ ○ ──遠心路──→ ○ ──→ 応答
       受容器        反射中枢         効果器
```

効果器が❾（　　　　　）であれば何らかの動きが，それが❿（　　　　　）であれば唾液やホルモンの分泌といった応答が起こる．

反射は機能的に，⓫（　　　　　）反射，体性反射，内臓反射に分類される．

---

解答　1 ❶ 随意　❷ 不随意　❸ 自動　❹ 反射
2 ❶ 刺激　❷ 一定　❸ 脊髄　❹ 脳幹　❺ 定型的　❻ 意志　❼ 応答
❽ 反射弓　❾ 筋　❿ 腺　⓫ 姿勢

## SIDE MEMO

▶ **筋紡錘**
筋線維と平行に位置する紡錘形の長さ6～8mmの固有受容器で，筋長を検出する働きをする．

▶ **錘内筋線維**
筋紡錘内の筋線維を錘内筋線維といい，それに対し通常の筋線維を錘外筋線維という．

▶ **γ運動ニューロン**
筋紡錘の錘内筋線維を支配している運動ニューロン．

▶ **α-γ連関**
筋が短縮する求心性筋収縮に伴って筋紡錘が弛み，その結果筋長を検出する感度の低下を招くので，それを防ぐ目的で上位中枢からの運動指令はα運動ニューロンとγ運動ニューロンに同時に伝達される．

### 3 伸張反射

　この反射は反射弓に1カ所のシナプスがある❶（　　　　　）シナプス反射であり，反射の中で最も原始的なものとされている．この反射を反射弓に当てはめてみると，
　刺激：骨格筋を急激に伸張する機械的刺激
　受容器：引き伸ばされた骨格筋の中の❷（　　　　　）
　求心路：❸（　　　　　）線維
　中枢：❹（　　　　　）
　遠心路：❺（　　　　　）線維
　効果器：引き伸ばされた骨格筋
　応答：引き伸ばされた骨格筋の❻（　　　　　）
　この反射は引き伸ばされた筋が収縮して元の❼（　　　　　）に戻ろうとすることより，姿勢保持に役立っていることがわかる．

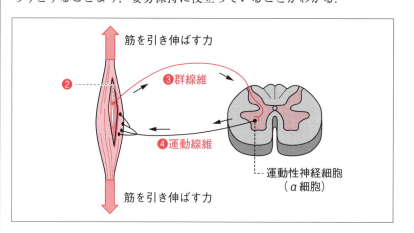

### 4 随意運動の中枢機構

　自発的行動の❶（　　　　　）には必ず欲求や意図があり，これが具体的な運動のプランやプログラムに連なる．欲求や意図は外的刺激あるいは空腹感や渇きといった❷（　　　　　）刺激によって生じる．刺激によって❸（　　　　　）賦活系の活動は高まり，それに伴い❹（　　　　　）レベルも高まる．刺激に関する情報は❺（　　　　　）にて知覚，認知され，行動様式が決定する．次に皮質連合野から3つの経路で情報が運動野へ伝達され，運動プランが決まる．そのプランは❻（　　　　　）や錐体外路を経由して脊髄の運動ニューロンや介在ニューロンに伝えられ運動プログラムが完成する．

---

**解答** ③ ❶単　❷筋紡錘　❸Ia　❹脊髄　❺Aα　❻収縮　❼長さ
④ ❶前　❷内的　❸網様体　❹覚醒　❺大脳皮質　❻錐体路

## 演習問題

1. 伸張反射について誤っているのはどれか．(56-PM63)
    1. 筋紡錘が筋の長さを検知する．
    2. 痙縮では伸張反射が低下する．
    3. 伸張反射は単シナプス反射である．
    4. Ia群神経線維は$\alpha$運動神経に結合する．
    5. 錘外線維が伸ばされると錘内線維は活動を増す．

2. 筋紡錘の感覚神経線維で正しいのはどれか．2つ選べ．(55-PM64)
    1. Ia
    2. Ib
    3. II
    4. $\alpha$
    5. $\gamma$

3. 伸張反射について正しいのはどれか．(53-AM62)
    1. 侵害受容反射である．
    2. 単シナプス反射である．
    3. 求心性線維はIb群線維である．
    4. 遠心性線維は$\gamma$運動線維である．
    5. 筋紡錘内の錘内線維を支配するのは$\alpha$運動線維である．

4. 腱をたたいて骨格筋を急速に伸ばすと起こる筋単収縮に関与するのはどれか．(52-AM63)
    1. 筋紡錘
    2. Pacini小体
    3. Ruffini終末
    4. 自由神経終末
    5. Meissner小体

5. 筋紡錘の求心性神経線維はどれか．2つ選べ．(49-PM56)
    1. Ia神経線維
    2. Ib神経線維
    3. II神経線維
    4. III神経線維
    5. IV神経線維

6. γ運動ニューロンについて誤っているのはどれか．(43-PM21)
   1. 筋紡錘の感受性を調節する．
   2. 核袋線維と核鎖線維を支配する．
   3. 前根の約30％を占める．
   4. α運動ニューロンよりも細い．
   5. α運動ニューロンから抑制性支配を受ける．

MEMO

# 13 運動とエネルギー代謝

## 1 ATPの生成過程

筋収縮の直接的エネルギー源は❶(　　　　　)(ATP)である．このATPが加水分解され❷(　　　　　)(ADP)になる過程で7.3kcal/molのエネルギーが生じる．

$$ATP + H_2O \rightarrow ADP + H_3PO_4 + エネルギー \quad (H_3PO_4：リン酸)$$

運動開始前の筋内に存在するATPは極少量なので，それによる筋運動は数秒で終了してしまい，筋運動を続けるには以下の3つのATP生成過程を利用する．

1. ATP-CP系エネルギー（無酸素性機構：非乳酸系エネルギー）

    筋内の❶(　　　　　)(CP)の分解によりATPが生成される．

    $$CP + ADP \rightarrow ATP + C \quad (C：クレアチン)$$

    この系は❷(　　　　　)系で，❸(　　　　　)を生成しない．
    この系のエネルギーの産生や放出は急激的で，激しい運動を行った場合の持続時間は約10秒ぐらいである．運動の❹(　　　　　)時期や瞬発的な動きに利用される．

2. 解糖系エネルギー（無酸素性機構：乳酸系エネルギー）

    血中のブドウ糖であるグルコースや筋・肝臓にある❶(　　　　　)が❷(　　　　　)になる過程（解糖過程）でATPが生成される．
    この系は❸(　　　　　)系で，❹(　　　　　)を生成する．
    この系のATP産生効率は，ATP-CP系ほどではない．比較的高いパワーを発揮でき，最大筋力での運動持続時間は30～40秒ぐらいである．

---

**解答** ① ❶ アデノシン三リン酸　❷ アデノシン二リン酸
1. ❶ クレアチンリン酸　❷ 無酸素　❸ 乳酸　❹ 開始
2. ❶ グリコーゲン　❷ ピルビン酸　❸ 無酸素　❹ 乳酸

## SIDE MEMO

### 3. 有酸素系エネルギー（有酸素性機構）

細胞内の❶（　　　　　）にある❷（　　　　　）回路（TCA回路）を通してATPが生成される．

この系のエネルギーの産生は比較的緩やかに起こるが，生産量は他に比較して多い．

$$C_6H_{12}O_6 + 6O_2 + 6H_2O \rightarrow 6CO_2 + 12H_2O + 36ATP \quad (C_6H_{12}O_6：ブドウ糖)$$

パワーは高くないが，持続時間は長い．

### 2 代謝当量（代謝率：metabolic equivalents, METs）

代謝当量の英訳はmetabolic equivalentsで，通常❶（　　　　　）と言うが，これは安静座位時のエネルギー代謝に対する❷（　　　　　）時のエネルギー代謝の割合をいう．

1METsとは❸（　　　　　）当たりで，かつ体重1kg当たりの酸素摂取量のことで，❹（　　　　　）mL/kg/分となる．

体重60kgの人の最大酸素摂取量2,100mL/分の運動時の代謝当量は❺（　　　　　）METsである．

通常歩行での代謝当量は❻（　　　　　）METsである．

---

**解答** ①3. ❶ ミトコンドリア　❷ クエン酸
② ❶ METs　❷ 運動　❸ 1分間　❹ 3.5　❺ 10　❻ 3〜4

---

## 演習問題

1. 身体活動のエネルギー代謝で誤っているのはどれか．（56-PM69）
    1. 20分以上の有酸素運動では脂質より糖質が利用される．
    2. 筋収縮エネルギーとしてATPが利用される．
    3. 無酸素性閾値は心肺負荷試験で算出できる．
    4. 最大酸素摂取量は運動持久力を反映する．
    5. グリコーゲンの解糖により乳酸を生じる．

2. 代謝で誤っているのはどれか．（54-AM69）
    1. 呼吸商〈RQ〉は摂取する栄養素によって異なる．
    2. 特異動的作用〈SDA〉とは食物摂取後の体温上昇である．
    3. 基礎代謝量〈BM〉は同性，同年齢ならば体表面積に比例する．
    4. エネルギー代謝率〈RMR〉は基礎代謝量を基準とした運動強度である．
    5. 代謝当量〈MET〉は安静臥位時の代謝量を基準とした運動強度である．

3. 代謝について正しいのはどれか．(52-PM69)
    1. エネルギー代謝率〈RMR〉は基礎代謝量を基準とした運動強度である．
    2. 基礎代謝量〈BM〉は同性で同年齢ならば体重に比例する．
    3. 呼吸商〈RQ〉は摂取する栄養素によらず一定である．
    4. 代謝当量〈MET〉は安静臥位時の代謝量を基準とした運動強度である．
    5. 特異動的作用〈SDA〉とは食物摂取後の消費エネルギーの減少である．

MEMO

## 14 運動と呼吸・循環

### 1 運動時の呼吸数と換気量

軽度の運動負荷では，呼吸数はあまり増加せず❶(　　　　)が増加する．

中程度の運動負荷では，呼吸数も1回換気量も❷(　　　　)する．

重度の運動負荷では，中程度の運動負荷で認められた1回換気量の増加を維持しつつ呼吸数が❷する．

トレーニング効果として，同一の運動負荷では1回換気量，呼吸数ともに❸(　　　　)する．

### 2 酸素摂取量

酸素摂取量とは，体内に取り込んだ単位時間あたりの❶(　　　　)（mL/分）のことで，通常❷(　　　　)で表す．

安静座位での❷は，成人で約❸(　　　　)mL/kg/分である．→1MET

運動負荷の強度を上げているにも関わらずそれ以上に$\dot{V}O_2$が増加しなくなった状態での値を❹(　　　　)（$\dot{V}O_2$max）といい，❺(　　　　)を表す指標である．

トレーニング効果として，肺活量，$\dot{V}O_2$maxとも❻(　　　　)する．

運動時の酸素摂取量 (L/分)

Ⅰ：筋肉運動開始により酸素摂取量は増加する．
Ⅱ：定常状態となる．
Ⅲ：運動終了後の回復にはある程度の時間が必要である．
　　3つのレベルは運動強度の相違を示す．

(Dupont et al, 1983[7], 一部改変)

**解答**　1 ❶ 1回換気量　❷ 増加　❸ 減少
　　　　2 ❶ 酸素量　❷ $\dot{V}O_2$　❸ 3.5　❹ 最大酸素摂取量　❺ 全身持久力　❻ 増加

## 3 無酸素性作業閾値（anaerobic threshold：AT）

これは最大酸素摂取量同様，❶(　　　　　)を表す指標である．

運動負荷の増加に伴い，有酸素系のATP産生に❷(　　　　　)系のATP産生が加わり始める点とされ，以下の2つの判定方式がある．

❸(　　　　　)作業閾値（VT）：換気量や$CO_2$排出量が急に増加する点→下図OBLA点

❹(　　　　　)作業閾値（LT）：血中の乳酸濃度が急に増加する点→下図OBLA点

ATは$\dot{V}O_2$maxの❺(　　　　　)％前後の運動強度であり，この値以下の運動負荷では運動を比較的長く続けることができる．

OBLA：onset of blood lactate accumulation：血中乳酸蓄積の始まり．
（McArdlle et al, 1991[8]，一部改変）

## 4 運動時の心拍出量

心拍出量（L/分）は心拍数（拍/分）と❶(　　　　　)（mL/回）の積で表され，運動負荷の増加に伴い安静時の約5倍まで増加する．

1回拍出量は，中程度の運動負荷までは安静時のそれの約❷(　　　　　)倍まで増加し，その後はほぼ一定となる．

重度の運動負荷では，心拍数は安静時のそれの❸約(　　　　　)倍まで増加する．

運動強度を高めてもそれ以上に心拍数が増加しなくなった時点での心拍数を最大心拍数（HRmax）といい，予測される最大心拍数は220−❹(　　　　　)（拍/分）で求める．

---

**解答** ③ ❶ 全身持久力　❷ 無酸素　❸ 換気性　❹ 乳酸性　❺ 60
④ ❶ 1回拍出量　❷ 1.5　❸ 3　❹ 年齢

## SIDE MEMO

トレーニング効果として，同一の運動負荷では心拍数は❺（　　　）する．
トレーニング効果として，安静時の心拍数は❺し，1回拍出量は❻（　　　）する．

### 5 運動時の血圧

運動時には収縮期血圧が拡張期血圧より❶（　　　）する．
等尺性運動が等張性運動より収縮期血圧の❶は著しい．
運動中の心筋の酸素消費量を表す指標にダブルプロダクト（二重積）があるが，これは収縮期血圧と❷（　　　）の積で表す．
トレーニング効果として，同一の運動負荷ではダブルプロダクトは❸（　　　）する．

**解答** ④ ❺ 減少　❻ 増加
⑤ ❶ 上昇　❷ 心拍数　❸ 減少

---

### 演習問題

1. 図は多段階的運動負荷時の心肺系の生理的変化を表す．正しいのはどれか．（43-PM35）
    1. A：心拍数
    2. A：平均血圧
    3. B：末梢血管抵抗
    4. B：拡張期血圧
    5. C（単位）：リットル

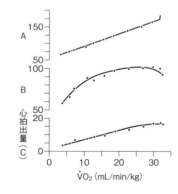

2. 自転車エルゴメータ運動負荷による反応で誤っているのはどれか．（38-PM35）
    1. 拡張期血圧の上昇
    2. 心拍数の増加
    3. 冠血流量の増加
    4. 静脈還流の減少
    5. 下肢筋群の血流増加

# 第2章 上肢の運動学

1. 上肢の解剖学 …………………… 56
2. 上肢帯の運動学 ………………… 66
3. 肩関節の運動学 ………………… 71
4. 肘関節と前腕の運動学 ……… 78
5. 手関節の運動学 ………………… 83
6. 手の運動学　その1 ………… 87
7. 手の運動学　その2 ………… 95

# 1 上肢の解剖学

**SIDE MEMO**

### 1 上肢の骨格（右上肢前面）

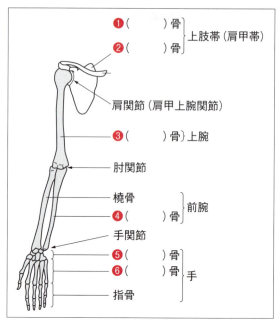

- ❶（　　　）骨　｝上肢帯（肩甲帯）
- ❷（　　　）骨
- 肩関節（肩甲上腕関節）
- ❸（　　　）骨　｝上腕
- 肘関節
- 橈骨　｝前腕
- ❹（　　　）骨
- 手関節
- ❺（　　　）骨　｝手
- ❻（　　　）骨
- 指骨

### 2 上肢骨のまとめ

上肢骨
- ❶（　　　）種, ❷（　　　）個
- 上肢帯
  - ・❸（　　　）性を主とした構造
  - ・❹（　　　）力に対する防御性が乏しい
  - 肩甲骨…1個：❺（　　　）な三角形の骨, 多くの筋が付着する
  - 鎖　骨…1個：❻（　　　）状弯曲, 内2/3前方凸, 外1/3後方凸, ❼（　　　）性骨化により生体内で最も早く骨化する
- 自由上肢骨
  - 上腕骨…1個：上肢❽（　　　）の骨, 上1/2は円柱状, 下1/2は❾（　　　）状
  - 橈　骨…1個：前腕❿（　　　）側の骨, 近位端が小さく遠位端が大きい
  - 尺　骨…1個：前腕⓫（　　　）側の骨, 橈骨より長い近位端が大きく, 遠位端が小さい
  - 手根骨…8個：2列に並び, ⓬（　　　）性関節で連結
  - 中手骨…5個：⓭（　　　）骨
  - 手指骨…14個：第Ⅱ〜Ⅳ指：基節骨, 中節骨, 末節骨が存在, 第Ⅰ指（母指）：⓮（　　　）骨がない

**解答**
1 ❶ 肩甲　❷ 鎖　❸ 上腕　❹ 尺　❺ 手根　❻ 中手
2 ❶ 8　❷ 32　❸ 可動　❹ 外　❺ 扁平　❻ S　❼ 膜　❽ 最大　❾ 三角柱　❿ 外　⓫ 内　⓬ 滑膜　⓭ 管状　⓮ 中節

## 3 上肢の骨（右上肢）

1. 肩甲骨

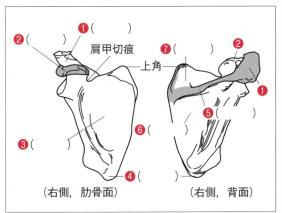

(右側, 肋骨面)　(右側, 背面)

2. 鎖骨（右）

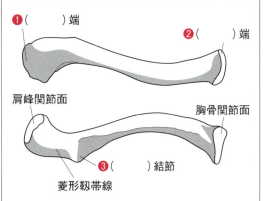

3. 上腕骨

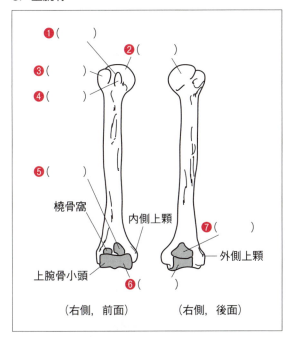

(右側, 前面)　(右側, 後面)

**解答** ③ 1. ❶ 肩峰　❷ 烏口突起　❸ 肩甲下窩　❹ 下角　❺ 肩甲棘　❻ 棘下窩　❼ 棘上窩
2. ❶ 肩峰　❷ 胸骨　❸ 円錐靱帯
3. ❶ 結節間溝　❷ 上腕骨頭　❸ 大結節　❹ 小結節　❺ 鉤突窩　❻ 上腕骨滑車　❼ 肘頭窩

## SIDE MEMO

### 4. 尺骨と橈骨

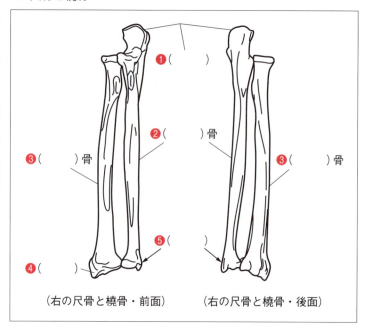

（右の尺骨と橈骨・前面）　（右の尺骨と橈骨・後面）

### 5. 手部の骨（右手背面）

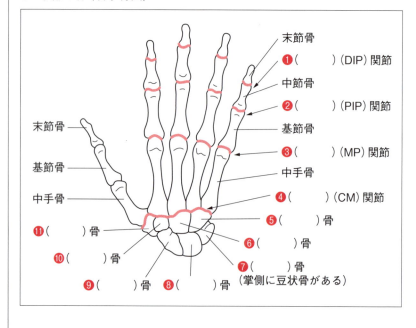

## SIDE MEMO

### 4 上肢の神経

上肢の末梢神経は腕神経叢（$C_5$~$T_1$）に由来する．

1. 腕神経叢

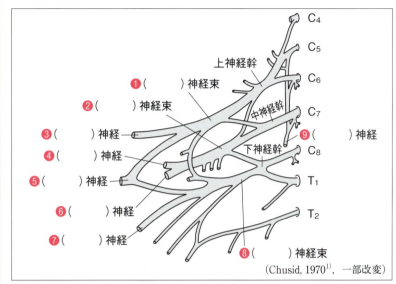

(Chusid, 1970[1]，一部改変)

2. 上肢の末梢神経
（右上肢内側面）

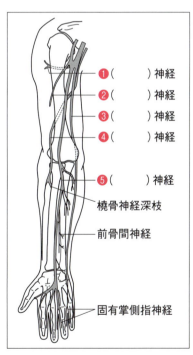

解答 ④ 1. ❶ 外側 ❷ 後 ❸ 筋皮 ❹ 腋窩 ❺ 正中 ❻ 橈骨 ❼ 尺骨 ❽ 内側 ❾ 長胸
2. ❶ 腋窩 ❷ 筋皮 ❸ 尺骨 ❹ 橈骨 ❺ 正中

# SIDE MEMO

## 5 上肢の血管

1. 上肢の動脈

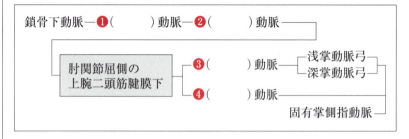

2. 上肢の動脈の走行図（右上肢前面）

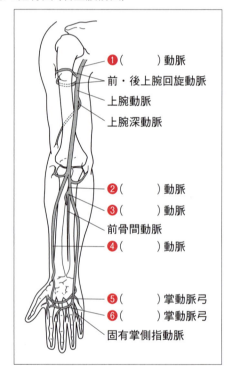

解答  5  1. ❶ 腋窩　❷ 上腕　❸ 橈骨　❹ 尺骨
　　　　 2. ❶ 腋窩　❷ 尺骨　❸ 総骨間　❹ 橈骨　❺ 深　❻ 浅

# 1. 上肢の解剖学

## SIDE MEMO

### 6 上肢の神経と筋・皮膚

#### 1. 腋窩・筋皮神経（右上肢前面）

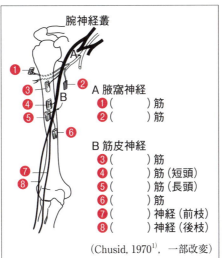

A 腋窩神経
- ① （　　　）筋
- ② （　　　）筋

B 筋皮神経
- ③ （　　　）筋
- ④ （　　　）筋（短頭）
- ⑤ （　　　）筋（長頭）
- ⑥ （　　　）筋
- ⑦ （　　　）神経（前枝）
- ⑧ （　　　）神経（後枝）

（Chusid, 1970[1]，一部改変）

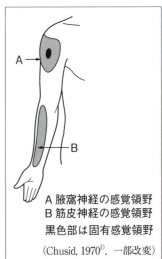

A 腋窩神経の感覚領野
B 筋皮神経の感覚領野
黒色部は固有感覚領野

（Chusid, 1970[1]，一部改変）

#### 2. 橈骨神経

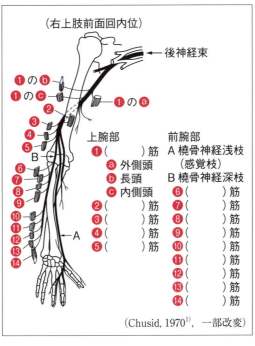

上腕部
- ① （　　　）筋
  - ⓐ 外側頭
  - ⓑ 長頭
  - ⓒ 内側頭
- ② （　　　）筋
- ③ （　　　）筋
- ④ （　　　）筋
- ⑤ （　　　）筋

前腕部
A 橈骨神経浅枝（感覚枝）
B 橈骨神経深枝
- ⑥ （　　　）筋
- ⑦ （　　　）筋
- ⑧ （　　　）筋
- ⑨ （　　　）筋
- ⑩ （　　　）筋
- ⑪ （　　　）筋
- ⑫ （　　　）筋
- ⑬ （　　　）筋
- ⑭ （　　　）筋

（Chusid, 1970[1]，一部改変）

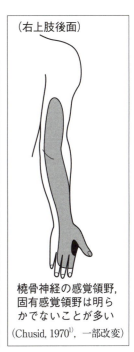

橈骨神経の感覚領野，固有感覚領野は明らかでないことが多い

（Chusid, 1970[1]，一部改変）

---

**解答** 6 1. ① 三角　② 小円　③ 烏口腕　④ 上腕二頭　⑤ 上腕二頭　⑥ 上腕　⑦ 外側前腕筋皮　⑧ 外側前腕筋皮

2. ① 上腕三頭　② 上腕　③ 腕橈骨　④ 長橈側手根伸　⑤ 肘　⑥ 短橈側手根伸　⑦ 指伸　⑧ 小指伸　⑨ 尺側手根伸　⑩ 回外　⑪ 長母指外転　⑫ 短母指伸　⑬ 長母指伸　⑭ 示指伸

## SIDE MEMO

### 3. 尺骨神経

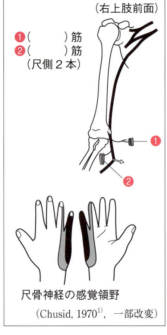

（右上肢前面）

1 (　　　) 筋
2 (　　　) 筋 (尺側2本)

尺骨神経の感覚領野

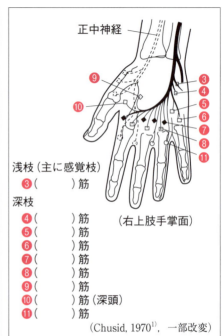

正中神経

浅枝（主に感覚枝）
3 (　　　) 筋

深枝
4 (　　　) 筋
5 (　　　) 筋
6 (　　　) 筋
7 (　　　) 筋
8 (　　　) 筋
9 (　　　) 筋
10 (　　　) 筋（深頭）
11 (　　　) 筋

（右上肢手掌面）

（Chusid, 1970[1]，一部改変）

### 4. 正中神経

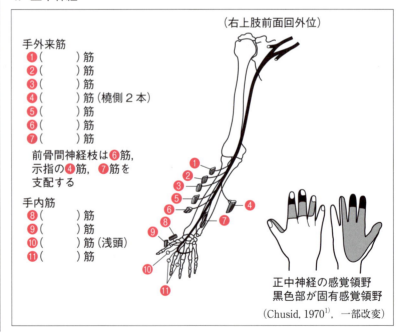

（右上肢前面回外位）

手外来筋
1 (　　　) 筋
2 (　　　) 筋
3 (　　　) 筋
4 (　　　) 筋（橈側2本）
5 (　　　) 筋
6 (　　　) 筋
7 (　　　) 筋

前骨間神経枝は6筋，示指の4筋，7筋を支配する

手内筋
8 (　　　) 筋
9 (　　　) 筋
10 (　　　) 筋（浅頭）
11 (　　　) 筋

正中神経の感覚領野
黒色部が固有感覚領野

（Chusid, 1970[1]，一部改変）

**解答** 6 3. ① 尺側手根屈 ② 深指屈 ③ 短掌 ④ 小指外転 ⑤ 小指対立 ⑥ 小指屈
⑦ 背側骨間 ⑧ 掌側骨間 ⑨ 母指内転 ⑩ 短母指屈 ⑪ 虫様
4. ① 円回内 ② 長掌 ③ 橈側手根屈 ④ 深指屈 ⑤ 浅指屈 ⑥ 長母指屈
⑦ 方形回内 ⑧ 短母指外転 ⑨ 母指対立 ⑩ 短母指屈 ⑪ 虫様

SIDE MEMO

5. 上肢の皮膚の感覚神経支配域（前面）

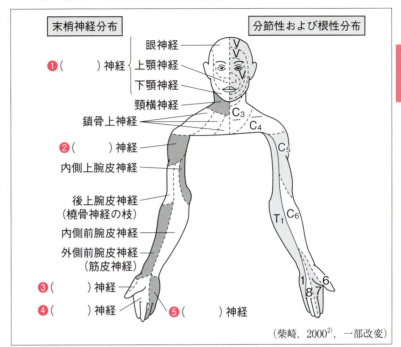

（柴崎，2000[2]），一部改変）

6. 上肢の皮膚の感覚神経支配域（後面）

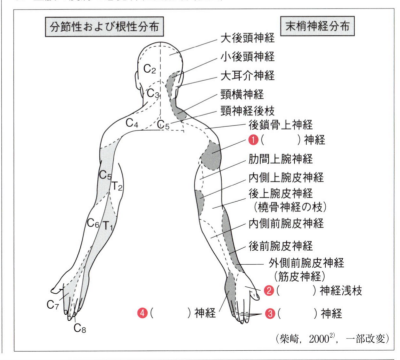

（柴崎，2000[2]），一部改変）

解答　5. ❶ 三叉　❷ 腋窩　❸ 橈骨　❹ 正中　❺ 尺骨
　　　6. ❶ 腋窩　❷ 橈骨　❸ 正中　❹ 尺骨

## 演習問題

1. 橈骨粗面に付着する筋はどれか．(56-AM52)
    1. 肘　筋
    2. 上腕筋
    3. 腕橈骨筋
    4. 上腕二頭筋
    5. 橈側手根屈筋

2. 橈骨神経が支配する筋はどれか．2つ選べ．(56-PM57)
    1. 肘　筋
    2. 回外筋
    3. 背側骨間筋
    4. 方形回内筋
    5. 短母指外転筋

3. 腕神経叢の後神経束から分岐する神経はどれか．(52-PM53)
    1. 腋窩神経
    2. 筋皮神経
    3. 尺骨神経
    4. 正中神経
    5. 長胸神経

4. 筋と支配神経の組合せで正しいのはどれか．(50-PM54)
    1. 小円筋　———　腋窩神経
    2. 棘上筋　———　肩甲下神経
    3. 三角筋　———　肩甲上神経
    4. 大円筋　———　肩甲上神経
    5. 肩甲下筋　———　腋窩神経

5. 筋と支配神経の組合せで正しいのはどれか．(48-AM53)
    1. 前鋸筋　———　胸背神経
    2. 僧帽筋　———　長胸神経
    3. 鎖骨下筋　———　腋窩神経
    4. 小胸筋　———　肩甲上神経
    5. 肩甲挙筋　———　肩甲背神経

6. 筋と上腕骨の付着部の組合せで正しいのはどれか．2つ選べ．(47-PM52)
    1. 三角筋 ──────── 大結節
    2. 棘上筋 ──────── 大結節
    3. 棘下筋 ──────── 小結節
    4. 小円筋 ──────── 大結節
    5. 肩甲下筋 ─────── 大結節

7. 尺骨と橈骨の両方に起始または停止するのはどれか．2つ選べ．(47-PM53)
    1. 肘　筋
    2. 上腕筋
    3. 長母指屈筋
    4. 上腕三頭筋
    5. 長母指外転筋

8. 筋と支配神経との組合せで正しいのはどれか．2つ選べ．(46-AM54)
    1. 僧帽筋 ──────── 長胸神経
    2. 小菱形筋 ─────── 肩甲下神経
    3. 棘下筋 ──────── 肩甲上神経
    4. 小円筋 ──────── 腋窩神経
    5. 大円筋 ──────── 肩甲背神経

# MEMO

## 2 上肢帯の運動学

### SIDE MEMO

▶上肢帯
別名を肩甲帯ともいい，具体的には鎖骨と肩甲骨の両骨をいう．体幹と上肢を結びつける役割をもち，鎖骨の内側端は胸骨と胸鎖関節を形成し，外側端は肩峰と肩鎖関節を形成する．肩甲骨は胸郭を構成する背面部の肋骨との間に肩甲胸郭(仮性)関節を形成する．

### 1 胸鎖関節

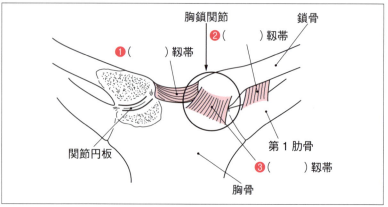

- 鎖骨の中枢端(=胸骨端)と胸骨柄の❹(　　　　　)との間に形成される関節である．
- 体幹と❺(　　　　　)を連結する唯一の関節である．
- 関節面の形態的分類では❻(　　　　　)に属するが，関節円板の介在による機能的には❼(　　　　　)に分けられる．

### 2 鎖骨の可動域

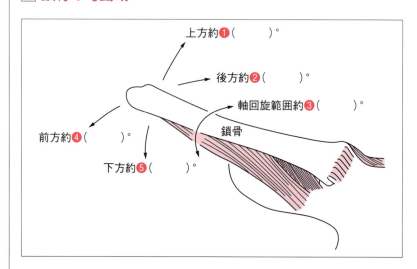

---

**解答** 1 ❶ 鎖骨間　❷ 肋鎖　❸ 前胸鎖　❹ 鎖骨切痕　❺ 上肢帯　❻ 鞍関節　❼ 球関節
2 ❶ 45　❷ 15〜30　❸ 40〜50　❹ 15〜30　❺ 10

## SIDE MEMO

▶肩甲骨の位置

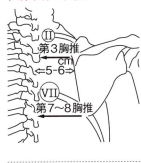

## ③ 肩鎖関節（右前面）

- ❶（　　　　　）と鎖骨を結ぶ❷（　　　　　）関節．
- 胸鎖関節における肩甲骨の回旋約❸（　　　　　）°に加え，肩鎖関節における肩甲骨の回旋約❹（　　　　　）°と合わせて肩甲骨は体幹に対して約❺（　　　　　）°の回旋が可能である．

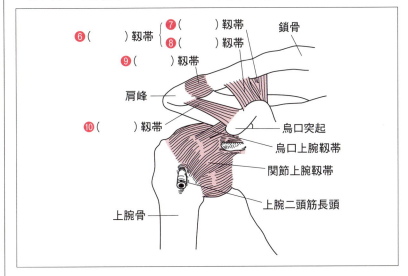

## ④ 肩甲胸郭（仮性）関節

▶肩甲胸郭（仮性）関節
肩甲骨と胸郭との間にできる機能的な関節を指す．この関節の関節名に仮性という言葉を加えたり，機能的な関節であると説明したりする理由は，この関節が滑膜性関節ではないからである．

1. 肩甲骨と鎖骨の位置（体幹水平横断上方から観察）

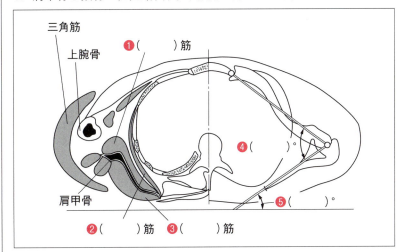

---

**解答** ③ ❶ 肩峰　❷ 平面（または半）　❸ 30　❹ 30　❺ 60　❻ 烏口鎖骨　❼ 円錐
❽ 菱形　❾ 肩鎖　❿ 烏口肩峰
④ 1. ❶ 肩甲下　❷ 前鋸　❸ 棘下　❹ 60　❺ 30

## SIDE MEMO

### 2. 肩甲骨の動き（後面）

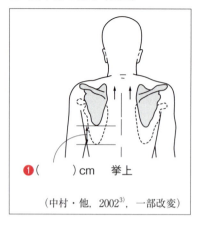

❶(　　)cm 挙上

（中村・他，2002³⁾，一部改変）

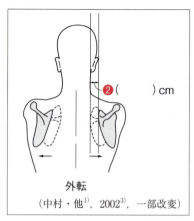

❷(　　)cm

外転

（中村・他¹⁾，2002³⁾，一部改変）

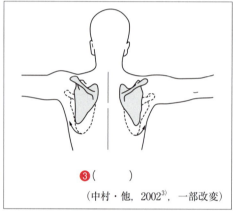

❸(　　)

（中村・他，2002³⁾，一部改変）

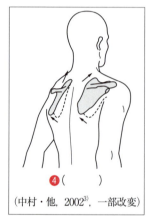

❹(　　)

（中村・他，2002³⁾，一部改変）

### 5 上肢帯の運動と筋

| 運動方向 | 運動内容 | 筋名 |
|---|---|---|
| ❶(　　) | 肩甲骨を挙げる | 僧帽筋上部線維，❷(　　)筋，菱形筋 |
| ❸(　　)<br>（引き下げ） | 肩甲骨を引き下げる | ❹(　　)筋，小胸筋，僧帽筋下部線維，大胸筋，広背筋 |
| 外転<br>（屈曲） | 肩甲骨を脊柱から❺(　　)方向に引き離す | ❻(　　)筋，小胸筋 |
| 内転<br>（伸展） | 肩甲骨を❼(　　)に近づける | 僧帽筋中部線維，❽(　　)筋，僧帽筋上・下部線維 |
| ❾(　　)方回旋 | 肩甲骨関節窩が上に向くように肩甲骨を回旋させる | 前鋸筋，僧帽筋上・下部線維 |
| ❿(　　)方回旋 | 肩甲骨関節窩が下に向くように肩甲骨を回旋させる | ⓫(　　)筋，菱形筋，肩甲挙筋 |

---

解答　4 2. ❶ 10～12　❷ 15　❸ 上方回旋　❹ 前傾（上方傾斜）
　　　5 ❶ 挙上　❷ 肩甲挙　❸ 下制　❹ 鎖骨下　❺ 外側　❻ 前鋸　❼ 脊柱　❽ 菱形
　　　　❾ 上　❿ 下　⓫ 小胸

# SIDE MEMO

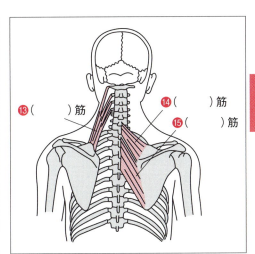

❿( ）筋

⓭( ）筋　⓮( ）筋
⓯( ）筋

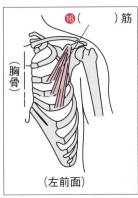

⓰( ）筋
（胸骨）
（左前面）

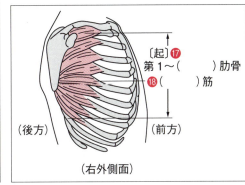

〔起〕⓱第1～( ）肋骨
⓲( ）筋
（後方）（前方）
（右外側面）

## 6 肩甲骨の運動分析

○：主に働く筋（動筋：prime mover）
△：補助的に働く筋（補助動筋：assistant mover）

| 筋＼運動 | 挙上 | 下制（引き下げ） | 外転（屈曲） | 内転（伸展） | 上方回旋 | 下方回旋 |
|---|---|---|---|---|---|---|
| 鎖骨下筋 |  | ○ |  |  |  |  |
| 小胸筋 |  | ○ | ○ |  |  | ○ |
| 前鋸筋 |  |  | ○ |  | ○ |  |
| 僧帽筋上部 | ○ |  |  | △ | ○ |  |
| 僧帽筋中部 |  |  |  | ○ |  |  |
| 僧帽筋下部 |  | ○ |  | △ | ○ |  |
| 肩甲挙筋 | ○ |  |  |  |  | △ |
| 菱形筋 | ○ |  |  | ○ |  | ○ |

解答　5　⓬ 僧帽　⓭ 肩甲挙　⓮ 小菱形　⓯ 大菱形　⓰ 小胸　⓱ 9　⓲ 前鋸

## 演習問題

1. 肩甲骨の上方回旋に作用する筋はどれか．(57-PM71)
    1. 広背筋
    2. 前鋸筋
    3. 菱形筋
    4. 肩甲下筋
    5. 肩甲挙筋

2. 肩甲骨を胸郭に押し付ける作用のある筋はどれか．(54-AM70)
    1. 大胸筋
    2. 広背筋
    3. 前鋸筋
    4. 鎖骨下筋
    5. 肩甲挙筋

3. 肩甲骨の下方回旋に作用する筋はどれか．(53-AM71)
    1. 前鋸筋
    2. 小胸筋
    3. 小円筋
    4. 棘下筋
    5. 鎖骨下筋

4. 肩甲骨の下制に働かないのはどれか．(48-PM74)
    1. 広背筋
    2. 小胸筋
    3. 鎖骨下筋
    4. 大菱形筋
    5. 僧帽筋下部線維

5. 筋の付着部で正しいのはどれか．(44-PM8)
    1. ①　2. ②
    3. ③　4. ④
    5. ⑤

    ①上腕二頭筋長頭　⑤小胸筋
    ②上腕二頭筋短頭　④棘下筋
    ③小円筋

# 3 肩関節の運動学

## SIDE MEMO

## 1 肩関節とは

　一側の肩関節を最大に外転させてみると，上腕骨の運動の他に上肢帯の運動，体幹の側屈などが確認できる．この例のように肩関節の大きな動きにはさまざまな関節が関与していることがわかる．

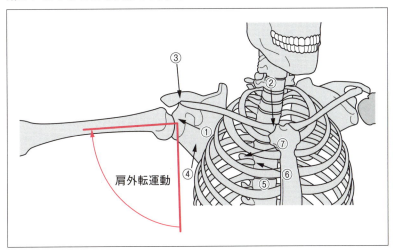

広義の肩関節
- ①肩甲上腕関節……この関節が主役で，狭義の肩関節
- ②胸鎖関節
- ③肩鎖関節
- ④肩甲胸郭（仮性）関節……この関節が準主役
- ⑤脊柱
- ⑥肋骨頭関節
- ⑦肋横突関節

## 2 肩甲上腕関節（右前方より）

- 通常この関節を肩関節という．
- 関節面からみた分類では❶（　　　　　）関節に属し，運動軸からみると❷（　　　　　）軸性関節である．
- 関節頭に該当するのは❸（　　　　　）で，関節窩に該当するのは❹（　　　　　）である．

---

解答　2 ❶ 球　❷ 3　❸ 上腕骨頭　❹ 肩甲骨関節窩

## SIDE MEMO

- 骨頭に対して関節窩が浅く，かつ狭いため，他の関節に比べ運動性の面では ❺(　　　　) ているが，安定性の面では ❻(　　　　) ている．
- 関節の安定性を高めるために ❼(　　　　) が肩甲骨関節窩の縁を取り囲み，機能的に関節窩を深くしている．
- 以上のように，関節面形態からみて，肩甲上腕関節は運動性においては最も優れた関節であるのと同時に，安定性においては最も劣った関節ともいえる．→❽(　　　　) しやすい．
- いとも簡単に脱臼しないためには，関節包・靱帯・筋にその役割が課せられる．特に複数の筋で構成される ❾(　　　　) の働きが重要となる．

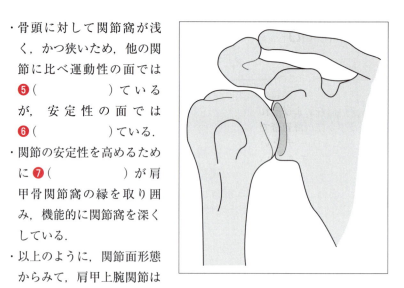

### ③ 肩関節の靱帯（右前面）

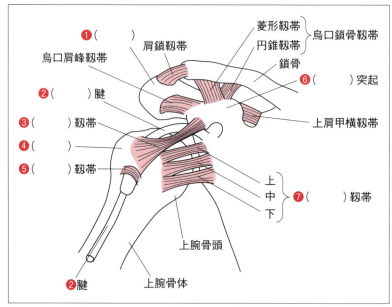

---

**解答** ② ❺ 優れ　❻ 劣っ　❼ 関節唇　❽ 脱臼　❾ 回旋筋腱板
③ ❶ 肩峰　❷ 上腕二頭筋長頭　❸ 烏口上腕　❹ 大結節　❺ 上腕横　❻ 烏口
❼ 関節上腕

## SIDE MEMO

▶ **烏口肩峰アーチ**
肩甲骨を外側面からみて，前方部の烏口突起と後方部の肩峰およびそれらを結ぶ烏口肩峰靱帯で形成されるアーチをいう．A-CアーチあるいはCアーチともいう．

▶ **インピンジメント**
インピンジメントとは衝突のことで，具体例としては肩関節を内旋位にして外転運動をした場合に90°以上の外転が困難となるが，これは上腕大結節部と烏口肩峰アーチとの衝突（インピンジメント）によるとされる．

▶ **回旋筋腱板**
肩甲上腕関節を補強する肩甲下筋，棘上筋，棘下筋，小円筋の4つの筋を指す．これらの筋の停止腱が板状となっていることに由来した命名．上腕骨頭を肩甲骨関節窩に引きつける作用が重要となる．

## 4 回旋筋腱板 (rotator cuff)

1. 回旋筋腱板の位置（左肩甲骨を外側から観察した図）

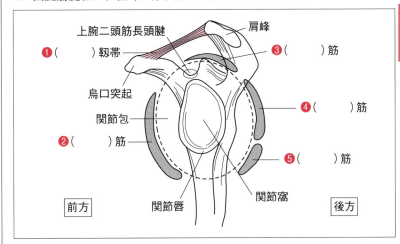

2. 回旋筋腱板の外観

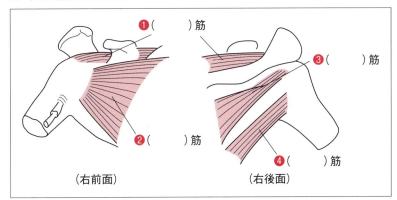

3. 回旋筋腱板の機能
   1. 棘上筋以外は肩甲上腕関節の❶（　　　）または外旋に作用する．
   2. 肩甲上腕関節は上腕骨頭に対して肩甲骨関節窩は❷（　　　）く，狭いため脱臼しやすい．その脱臼を防ぐため関節唇とともに回旋筋腱板は❸（　　　）性臼蓋として関節の安定性を補助する．
   3. 肩下垂位から90°外転位までの運動は，棘上筋が❹（　　　）を肩甲骨関節窩に引き付けている間に❺（　　　）が上腕骨を外側に引き上げることで生じる運動である．

---

**解答** 4 1. ❶ 烏口肩峰　❷ 肩甲下　❸ 棘上　❹ 棘下　❺ 小円
2. ❶ 棘上　❷ 肩甲下　❸ 棘下　❹ 小円
3. ❶ 内旋　❷ 浅　❸ 腱　❹ 上腕骨頭　❺ 三角筋

## SIDE MEMO

### 5 肩関節の運動と筋

| 運動方向 | 運動内容 | 筋名 |
|---|---|---|
| 屈曲 | 矢状面上で❶(　　)方に挙上する | ❷(　　)筋(前部), ❸(　　)筋(鎖骨部), ❹(　　)腕筋, ❺(　　)筋短頭 |
| 伸展 | 矢状面上で❻(　　)方に挙上する | ❷筋(後部), ❼(　　)筋, ❽(　　)筋, ❾(　　)筋長頭 |
| 外転 | 前額面上で❿(　　)方に挙上する | ❷筋(中部), ⓫(　　)筋, ❺筋長頭(肩外旋位の場合) |
| 内転 | 外転した上肢を基本肢位に戻す．また，⓬(　　)に近づける | ❸筋, ❼筋, ❽筋, ⓭(　　)筋, ❹筋, ❺筋短頭 |
| ⓮(　　) | 上腕長軸の回りで上腕を外に回旋する | ⓯(　　)筋, ⓰(　　)筋, ❷筋(後部) |
| ⓱(　　) | 上腕長軸の回りで上腕を内に回旋する | ⓭筋, ❽筋, ❸筋, ❷筋(前部), ❼筋 |
| 水平 ⓲(　　) | 肩90°外転位から前方へ運動する | ❷筋(前部), ❸筋, ❹筋, ⓭筋 |
| 水平 ⓳(　　) | 肩90°外転位から後方へ運動する | ❷筋(中部, 後部), ⓯筋, 小円筋, ❻筋, ❼筋 |

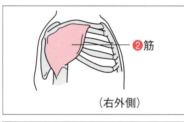
(右外側)

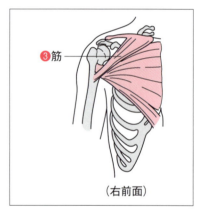
(右前面)

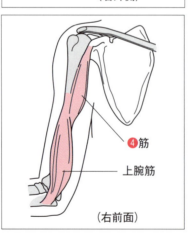
(右前面)

---

**解答** 5 ❶ 前　❷ 三角　❸ 大胸　❹ 烏口腕　❺ 上腕二頭　❻ 後　❼ 広背　❽ 大円　❾ 上腕三頭　❿ 側　⓫ 棘上　⓬ 体幹　⓭ 肩甲下　⓮ 外旋　⓯ 棘下　⓰ 小円　⓱ 内旋　⓲ 屈曲または内転　⓳ 伸展または外転

3. 肩関節の運動学　75

## SIDE MEMO

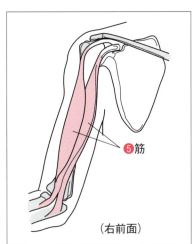

（右前面）❺筋

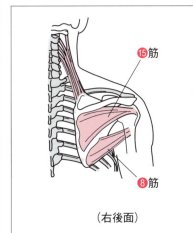

（右後面）⓯筋 ❽筋

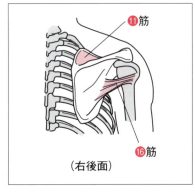

（右後面）⓫筋 ⓰筋

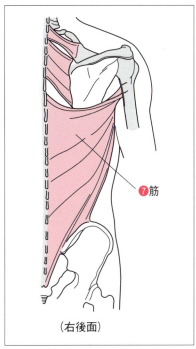

（右後面）❼筋

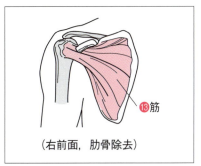

（右前面，肋骨除去）⓭筋

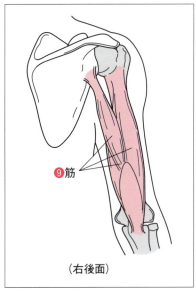

（右後面）❾筋

## 演習問題

1. 肩関節外転150°の時の肩甲上腕関節外転角度で正しいのはどれか．(56-PM70)
    1. 40°
    2. 60°
    3. 80°
    4. 100°
    5. 120°

2. 肩甲上腕関節の運動とそれに作用する筋の組合せで正しいのはどれか．(55-AM69)
    1. 屈　曲 ───── 棘下筋
    2. 伸　展 ───── 棘上筋
    3. 内　転 ───── 広背筋
    4. 外　転 ───── 上腕三頭筋
    5. 内　旋 ───── 烏口腕筋

3. 肩関節外転90°の時の肩甲骨上方回旋角度で正しいのはどれか．(54-PM71)
    1. 15°
    2. 30°
    3. 45°
    4. 60°
    5. 75°

4. 肩関節外転90度での水平屈曲に作用する筋はどれか．(53-PM71)
    1. 広背筋
    2. 大円筋
    3. 棘下筋
    4. 烏口腕筋
    5. 肩甲挙筋

5. 肩関節の運動とそれに作用する筋の組合せで正しいのはどれか．(52-PM70)
    1. 屈　曲 ───── 棘上筋
    2. 伸　展 ───── 大円筋
    3. 外　転 ───── 棘下筋
    4. 外　旋 ───── 肩甲下筋
    5. 内　旋 ───── 小円筋

6. 肩関節の外旋筋はどれか．(51-AM70)
    1. 肩甲下筋
    2. 広背筋
    3. 三角筋前部
    4. 小円筋
    5. 大胸筋

7. 肩関節外転方向で上肢を挙上するとき最も関与が少ない筋はどれか．(51-PM69)
    1. 棘上筋
    2. 三角筋
    3. 前鋸筋
    4. 僧帽筋
    5. 肩甲挙筋

8. 基本肢位からの肩関節の運動で正しいのはどれか．(50-AM70)
    1. 広背筋は屈曲に作用する．
    2. 棘上筋は内転に作用する．
    3. 大円筋は外旋に作用する．
    4. 肩甲下筋は内旋に作用する．
    5. 棘下筋は水平屈曲に作用する．

9. 肩甲上腕関節の外旋筋はどれか．(49-AM70)
    1. 大胸筋
    2. 肩甲下筋
    3. 大円筋
    4. 小円筋
    5. 広背筋

10. 肩甲下筋の付着部位で正しいのはどれか．(46-PM51)
    1. ①
    2. ②
    3. ③
    4. ④
    5. ⑤

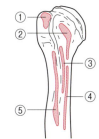

# 4 肘関節と前腕の運動学

## SIDE MEMO

▶ヒューター線と
　ヒューター三角

肘関節完全伸展位では，上腕骨内側上顆と肘頭および上腕骨外側上顆の3点が一直線となるが，この直線をヒューター線という．肘関節90°屈曲位では，前述の3点が三角形を呈するが，この三角形をヒューター三角という．脱臼や骨折の診断の補助に利用されている．

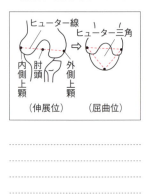

## 1 肘関節の構造

### 1. 前面（右回外位）

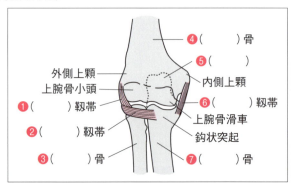

- 肘関節の関節包内には，上腕骨と橈骨で形成される❽（　　　　　）関節と，上腕骨と尺骨で形成される❾（　　　　　）関節，および橈骨と尺骨で形成される❿（　　　　　）関節があるが，肘関節の運動に関与している関節は❽関節と❾関節である．
- 腕橈関節は関節面の形態からみて⓫（　　　　　）関節に属するためあらゆる方向に動くことができるが，腕尺関節は関節面の形態からみて⓬（　　　　　）関節に属するため1軸性の運動しかできないことより，肘関節は腕尺関節主導の運動となり結果として⓭（　　　　　）運動しかできない．

### 2. 内側（右）・外側（右）

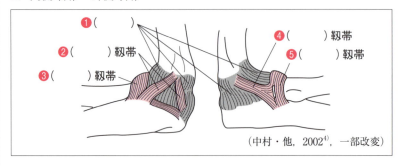

（中村・他，2002[4]，一部改変）

---

**解答** ① 1. ❶ 外側側副　❷ 橈骨輪状　❸ 橈　❹ 上腕　❺ 肘頭　❻ 内側側副　❼ 尺
　　　　❽ 腕橈　❾ 腕尺　❿ 上橈尺　⓫ 球　⓬ 蝶番またはらせん　⓭ 屈伸
　　　2. ❶ 関節包　❷ 内側側副　❸ 橈骨輪状　❹ 外側側副　❺ 橈骨輪状

## SIDE MEMO

▶らせん関節

蝶番関節が変形したもの.
・腕尺関節
・距腿関節

▶肘角

肘関節を伸展し，前腕を回外すると前腕は上腕に対して，やや橈側に偏位する．これを肘角といい，約170°の角度をなす．運搬角ともいう．

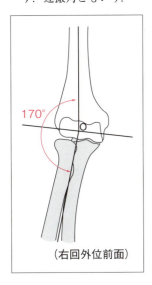

（右回外位前面）

3. 肘関節を構成する関節

腕尺関節：❶（　　　）関節
腕橈関節：❷（　　　）関節
上（近位）橈尺関節：❸（　　　）関節

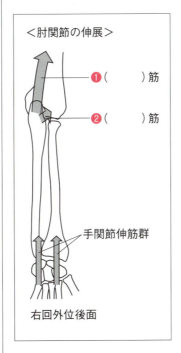

## 2 肘関節の運動に関与する筋

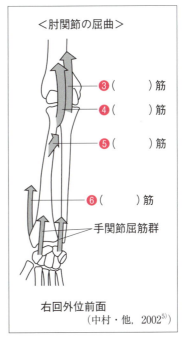

＜肘関節の伸展＞
❶（　　　）筋
❷（　　　）筋
手関節伸筋群
右回外位後面

＜肘関節の屈曲＞
❸（　　　）筋
❹（　　　）筋
❺（　　　）筋
❻（　　　）筋
手関節屈筋群
右回外位前面
（中村・他，2002[5]）

---

**解答** 1 3. ❶ らせん ❷ 球 ❸ 車軸
2 ❶ 上腕三頭 ❷ 肘 ❸ 上腕 ❹ 上腕二頭 ❺ 円回内 ❻ 腕橈骨

## 3 前腕の関節

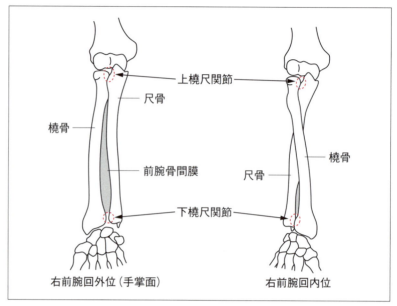

右前腕回外位(手掌面) / 右前腕回内位

- 前腕部には上橈尺関節と下橈尺関節がある．
- これらの関節は前腕の回内および回外運動に利用される．
- 上橈尺関節は関節面形態から❶（　　　　）に分類される．
- 前腕の回外位では橈骨と尺骨が並列に位置するが，その位置から尺骨の周りを橈骨が回る❷（　　）運動の結果，2本の骨は❸（　　）する．
- 肩関節の回旋が関与しないように上腕を体側に付けた肘関節90°屈曲位での前腕回旋可動域は❹（　　　　）°である．

## 4 橈尺関節の靱帯と前腕骨間膜

- 上橈尺関節の靱帯には橈骨頭を取り囲むように位置する❶（　　　　　）と回内・回外運動の制限因子にもなる❷（　　　　）とがある．
- 下橈尺関節の靱帯には❸（　　　　　）がある．
- 前腕には橈骨の骨幹部と尺骨の骨幹部を連結する膜状の結合組織があるが，それを❹（　　　　）という．
- 前腕骨間膜には，橈骨と尺骨の相対的位置の維持，前腕❺（　　）運動の制動，橈骨に対する長軸方向の力を尺骨へ伝達するといった役割がある．

---

**解答** ③ ❶ 車軸関節　❷ 回内　❸ 交差　❹ 180
④ ❶ 橈骨輪状靱帯　❷ 方形靱帯　❸ 三角靱帯　❹ 前腕骨間膜　❺ 回外

## SIDE MEMO

### 5 前腕の運動に関与する筋

- 前腕の回内に作用する主動作筋は❶(　　　　　)と方形回内筋で，補助筋として❷(　　　　　)や肘筋および手関節屈筋群がある．
- 前腕の回外に作用する主動作筋は❸(　　　　　)で，補助筋として❹(　　　　　)や腕橈骨筋および長母指外転筋がある．

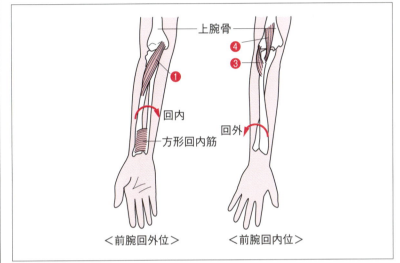

**解答** 5 ❶ 円回内筋　❷ 腕橈骨筋　❸ 回外筋　❹ 上腕二頭筋

---

### 演習問題

1. 前腕回内の作用をもつのはどれか．2つ選べ．(55-PM70)
    1. 上腕筋
    2. 腕橈骨筋
    3. 上腕二頭筋
    4. 上腕三頭筋
    5. 橈側手根屈筋

2. 前腕回外に作用する筋はどれか．(52-AM71)
    1. 長掌筋
    2. 小指伸筋
    3. 上腕二頭筋
    4. 長母指屈筋
    5. 橈側手根屈筋

3. 前腕の回内に働く筋はどれか．(50-AM71)
    1. 深指屈筋
    2. 示指伸筋
    3. 尺側手根屈筋
    4. 橈側手根屈筋
    5. 長橈側手根伸筋

4. 肘関節屈曲に作用するのはどれか．2つ選べ．(46-PM71)
    1. 肘　筋
    2. 上腕筋
    3. 回外筋
    4. 腕橈骨筋
    5. 上腕三頭筋

5. 肘関節屈曲に作用するのはどれか．2つ選べ．(42-PM42)
    1. 烏口腕筋
    2. 腕橈骨筋
    3. 尺側手根屈筋
    4. 深指屈筋
    5. 方形回内筋

## MEMO

# 5. 手関節の運動学

## SIDE MEMO

▶ 手関節の可動域

手関節の他動による可動域は、背屈70°、掌屈90°である.

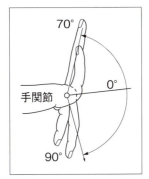

▶ 尺屈と橈屈

手関節の尺側は55°、橈側は25°屈曲である.

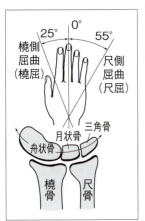

## 1 手関節の構成

1) 手関節 ─ 橈骨手根関節
   └ 手根間関節〔または❶(　　　　)〕
2) 橈骨手根関節
   ・橈骨と近位手根骨で構成
   ・関節面形態は❷(　　　　)関節
3) 手根間関節
   ・近位手根骨と遠位手根骨で構成
   ・母指側の関節面形態は❸(　　　　)関節
   ・小指側の関節面形態は❹(　　　　)関節
4) 尺骨と手根骨との間 → 関節円板が介在する.
5) 掌屈の自動運動による可動域は橈骨手根関節❺(　　　　)°
   ＋手根間関節35°＝85°
6) 背屈の自動運動による可動域は橈骨手根関節❻(　　　　)°
   ＋手根間関節50°＝85°
7) 橈屈可動域25°の50％は橈骨手根関節が担う.
8) 回内位よりも回外位のほうが橈屈の可動域は❼(　　　　)い.
9) 尺屈可動域❽(　　　　)°の60％は橈骨手根関節が担う.

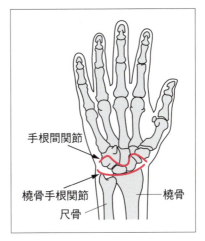

---

解答　1　❶ 手根中央関節　❷ 楕円　❸ 平面　❹ 顆状　❺ 50　❻ 35　❼ 広　❽ 55

## SIDE MEMO

### 2 手根管の内部構造

掌側の手根骨全体は縦方向に凹面を形成し，その凹面を覆うように❶(　　　　)が張ることで管状の空間ができるが，それを❷(　　　　)という．

(左手掌面を上にして手根部より観察した図)

1. 近位手根骨

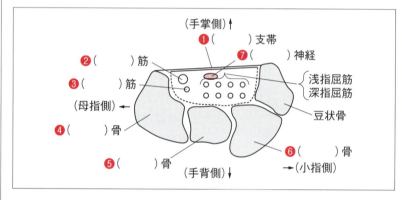

2. 遠位手根骨

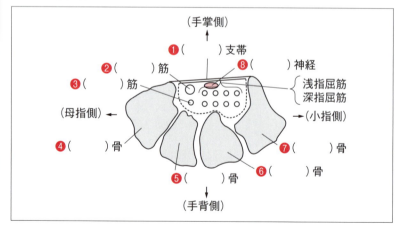

**解答** ② ❶ 屈筋支帯　❷ 手根管
1. ❶ 屈筋　❷ 長母指屈　❸ 橈側手根屈　❹ 舟状　❺ 月状　❻ 三角　❻ 正中
2. ❶ 屈筋　❷ 長母指屈　❸ 橈側手根屈　❹ 大菱形　❺ 小菱形　❻ 有頭
❼ 有鈎　❽ 正中

## SIDE MEMO

▶背屈・掌屈

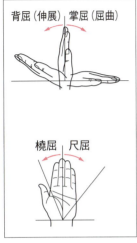

## 3 手関節の運動に関与する筋

1. 手関節の運動と筋

| 動き | 関節可動域 | 筋名 |
|---|---|---|
| 掌屈 | 90° | ❶(　　　)筋, 長掌筋, ❷(　　　)筋, 母指と指の屈筋群 |
| 背屈 | ❸(　　　)° | 長・短橈側手根伸筋, ❹(　　　)筋, 母指と指の伸筋群 |
| 尺屈 | ❺(　　　)° | ❻(　　　)筋, ❼(　　　)筋 |
| 橈屈 | 25° | ❽(　　　)筋, 長・短橈側手根伸筋, 長母指外転筋 |

2. 手関節の運動に働く筋
（右前腕回外位前面）

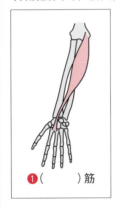
❶(　　　)筋

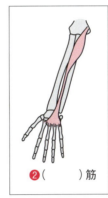
❷(　　　)筋

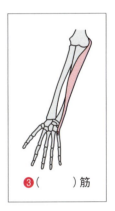
❸(　　　)筋

（右前腕回外位後面）

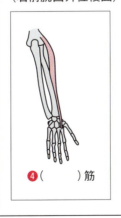
❹(　　　)筋

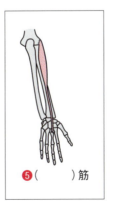
❺(　　　)筋

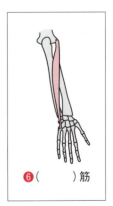
❻(　　　)筋

**解答** ③ 1. ❶ 橈側手根屈　❷ 尺側手根屈（❶・❷順不同）　❸ 70　❹ 尺側手根伸　❺ 55　❻ 尺側手根伸　❼ 橈側手根屈（❻・❼順不同）　❽ 橈側手根屈
2. ❶ 橈側手根屈　❷ 長掌　❸ 尺側手根屈　❹ 長橈側手根伸　❺ 短橈側手根伸　❻ 尺側手根伸

## 演習問題

1. 手根管を通過しないのはどれか．(55-AM54)
   1. 深指屈筋腱
   2. 浅指屈筋腱
   3. 長母指屈筋腱
   4. 尺側手根屈筋腱
   5. 橈側手根屈筋腱

2. 体表から触れることができる腱を図に示す．
   番号と名称の組合せで正しいのはどれか．(49-AM59)
   1. ① ——— 長母指屈筋腱
   2. ② ——— 腕橈骨筋腱
   3. ③ ——— 浅指屈筋腱
   4. ④ ——— 深指屈筋腱
   5. ⑤ ——— 尺側手根屈筋腱

3. 手根管を通らないのはどれか．(49-AM60)
   1. 滑液鞘
   2. 正中神経
   3. 長掌筋腱
   4. 長母指屈筋腱
   5. 示指の浅指屈筋腱

4. 手根管の模式図を示す．
   解剖で正しいのはどれか．(46-PM60)
   1. 尺骨神経
   2. 尺骨動脈
   3. 正中神経
   4. 長母指屈筋腱
   5. 有頭骨

   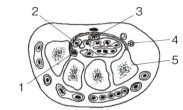

# 6 手の運動学　その1

## SIDE MEMO

### 1 手を構成する骨と関節

手の範囲は橈骨手根関節より末梢部で5本の指も含む．

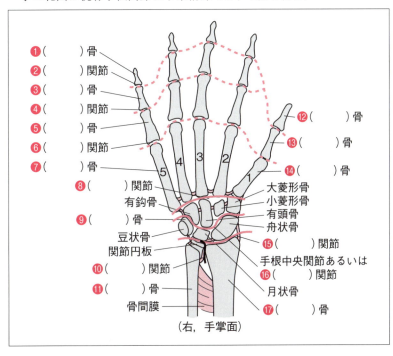

（右，手掌面）

1. 手の関節名

　　　　　　　①手根中手関節（CM関節）
　　　　　　　②中手指節関節（MP関節）
指節間関節 ┬ ③近位指節間関節（PIP関節）
　　　　　├ ④遠位指節間関節（DIP関節）
　　　　　└ ⑤母指には中節骨がないため，単に指節間関節（IP関節）という．

---

**解答** ① 末節　② 遠位指節間（DIP）　③ 中節　④ 近位指節間（PIP）　⑤ 基節
　　　⑥ 中手指節（MP）　⑦ 中手　⑧ 手根中手（CM）　⑨ 三角　⑩ 下橈尺　⑪ 尺
　　　⑫ 末節　⑬ 基節　⑭ 中手　⑮ 橈骨手根　⑯ 手根間　⑰ 橈

## SIDE MEMO

2. 手根中手関節（CM関節）

①可動する中手骨
- （母指）第1中手骨—大菱形骨と関節形成 → ❶（　　　　）関節の形態で2軸性の運動
- （環指）第4中手骨—有頭骨・有鈎骨と関節形成
- （小指）第5中手骨—有鈎骨と関節形成

②可動しない中手骨
- （示指）第2中手骨—大菱形骨・小菱形骨・有頭骨と関節形成
- （中指）第3中手骨—有頭骨と関節形成

環指および小指のCM関節が可動することで，母指との対立が容易となる．
→ 手の横アーチの増減に関与 → 右図のように物の把持に指が対応できる．

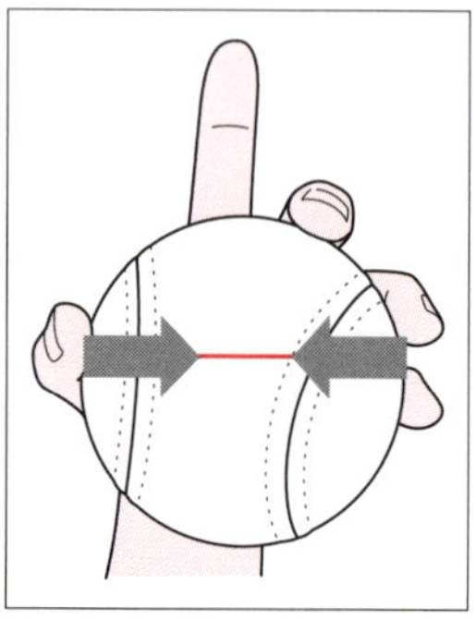

3. 中手指節関節（MP関節）
- 関節面形態は❶（　　　　）関節である． 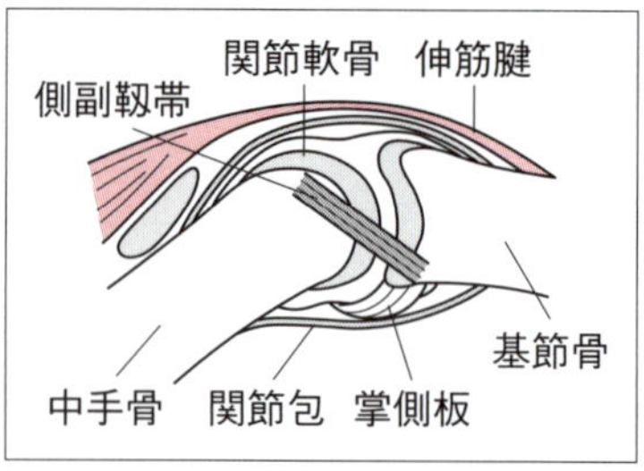
- 他動的にはあらゆる方向に動く．
- 自動的には屈伸．内外転方向に動く．
- 側副靱帯はMP関節伸展位で❷（　　　　）み，屈曲位で❸（　　　　）する．伸展位では側方動揺が認められる．
- 関節の掌側側には板状の軟骨である❹（　　　　）があり，MP関節伸展の制動作用と関節の接触面積を増大させ関節軟骨への負担を減少させている．

4. 近位および遠位指節間関節（PIPおよびDIP関節）
- 関節面形態からみて❶（　　　　）関節に分類される．
- MP関節と同様に掌側板を有する．
- PIPおよびDIP関節にも側副靱帯があり，伸展位で最も緊張し，屈曲位では伸展時の緊張と比べごくわずかに弛む．

---

解答　1 2. ❶ 鞍　3. ❶ 球　❷ 弛　❸ 緊張　❹ 掌側板　4. ❶ 蝶番

## SIDE MEMO

▶ 母指の CM 関節
橈側外転位

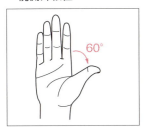

▶ 母指の CM 関節
尺側内転位

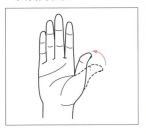

▶ 母指の CM 関節
掌側外転位

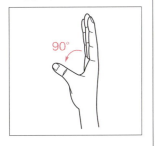

▶ 母指の CM 関節
掌側内転位

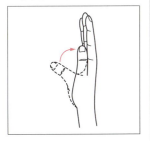

## 2 手指の運動と筋

### 1. 母指の CM 関節の運動に関与する筋

| | | |
|---|---|---|
| 橈側外転 | 母指を手掌面上で外側に開く | ❶（　　　　　）筋，長母指伸筋，短母指伸筋 |
| 尺側内転 | 橈側外転位から閉じる | ❷（　　　　　）筋，短母指屈筋 |
| 掌側外転 | 母指を手掌面に対して垂直に立てる | ❶筋，❸（　　　　　）筋，短母指伸筋 |
| 掌側内転 | 掌側外転から戻す | ❹（　　　　　）筋，❷筋 |
| 対立 | 母指を他の指に対向させる | ❺（　　　　　）筋<br>※短母指外転筋による掌側外転と母指内転筋による尺側内転が必要 |

### 2. 母指の MP，IP 関節の運動に関与する筋

| | | |
|---|---|---|
| 屈曲 | 母指の MP・IP 関節を曲げる | ❶（　　　　　）筋，❷（　　　　　）筋，母指内転筋 |
| 伸展 | 母指の MP・IP 関節を伸ばす | ❸（　　　　　）筋，短母指伸筋 |

### 3. 第 2〜5 指の MP 関節の運動に関与する筋

| | | |
|---|---|---|
| 屈曲 | 第 2〜5 指の MP 関節を曲げる | ❶（　　　　　），❷（　　　　　），背側および掌側骨間筋，浅指屈筋，深指屈筋，小指外転筋，小指対立筋 |
| 伸展 | 第 2〜5 指の MP 関節を伸ばす | ❸（　　　　　），示指伸筋，小指伸筋 |
| 内転 | 手掌面上で第 3 指に他の指を近づける | ❹（　　　　　） |
| 外転 | 手掌面上で第 3 指から他の指を遠ざける | ❺（　　　　　），小指外転筋 |

**解答** 2 1. ❶ 長母指外転　❷ 母指内転　❸ 短母指外転　❹ 長母指屈　❺ 母指対立
2. ❶ 長母指屈　❷ 短母指屈（❶・❷順不同）　❸ 長母指伸
3. ❶ 虫様筋　❷ 短小指屈筋（❶・❷順不同）　❸ 指伸筋　❹ 掌側骨間筋　❺ 背側骨間筋

## SIDE MEMO

▶指の内転・外転

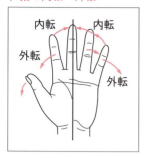

▶虫様筋と骨間筋
虫様筋：第2～5指MP屈曲，第2～5指PIP・DIP伸展
背側骨間筋：第2・3・4指MP屈曲，第2・3・4指PIP・DIP伸展
掌側骨間筋：第2・4・5指MP屈曲，第2・4・5指PIP・DIP伸展

▶外来筋
手指の外来筋とは，手という固有の領域に外側から入り込んでくる筋のことで，具体的には上腕骨または前腕骨に起始し，手指の骨に停止する筋をいう．外在筋ともいい，英語でextrinsic muscleという．

4．第2～5指のPIP関節の運動に関与する筋

| 屈曲 | 第2～5指のPIP関節を曲げる | ❶（　　　　　），深指屈筋 |
|---|---|---|
| 伸展 | 第2～5指のPIP関節を伸ばす | ❷（　　　　　），❸（　　　　　），❹（　　　　　），❺（　　　　　），背側および掌側骨間筋，小指外転筋 |

5．第2～5指のDIP関節の運動に関与する筋

| 屈曲 | 第2～5指のDIP関節を曲げる | ❶（　　　　　） |
|---|---|---|
| 伸展 | 第2～5指のDIP関節を伸ばす | ❷（　　　　　），❸（　　　　　），❹（　　　　　），❺（　　　　　），背側および掌側骨間筋，小指外転筋 |

### 3 手指の外来筋（または外在筋：筋の起始部が手関節より中枢側にある）

（❶～❻：右上肢回外位後面）

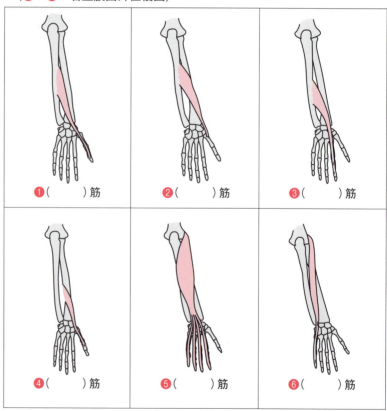

❶（　　　）筋　❷（　　　）筋　❸（　　　）筋
❹（　　　）筋　❺（　　　）筋　❻（　　　）筋

---

**解答**　②4．❶浅指屈筋　❷指伸筋　❸示指伸筋　❹小指伸筋　❺虫様筋（❷～❺順不同）
5．❶深指屈筋　❷指伸筋　❸示指伸筋　❹小指伸筋　❺虫様筋（❷～❺順不同）
③❶長母指伸　❷長母指外転　❸示指伸　❹短母指伸　❺指伸　❻小指伸

## SIDE MEMO

▶内在筋
　手指の内在筋とは，手という固有の領域に起始部と停止部をもつ筋のことで，具体的には母指球や小指球を構成する筋および中手骨間の筋をいう．固有筋ともいい，英語でintrinsic muscleという．内在筋が機能しなくなった状態をintrinsic－（イントリンシックマイナス）という．

（❼〜❾：右上肢回外位前面）

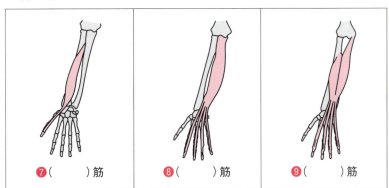

❼（　　　）筋　　❽（　　　）筋　　❾（　　　）筋

### 4 手指の内在筋（または固有筋：筋の起始部が手関節より末梢側にある）

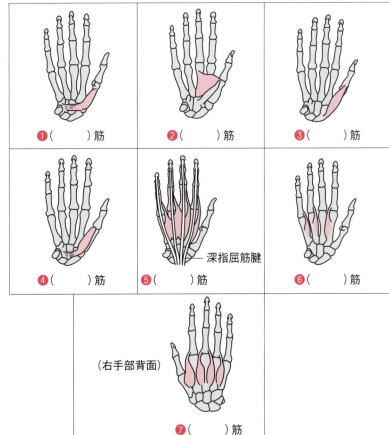

❶（　　　）筋　　❷（　　　）筋　　❸（　　　）筋

❹（　　　）筋　　❺（　　　）筋　　❻（　　　）筋

（右手部背面）

❼（　　　）筋

---

**解答** ③ ❼ 長母指屈　❽ 深指屈　❾ 浅指屈
　　　　④ ❶ 母指対立　❷ 母指内転　❸ 短母指外転　❹ 短母指屈　❺ 虫様　❻ 掌側骨間
　　　　❼ 背側骨間

# 第2章 上肢の運動学

## SIDE MEMO

▶4指の屈曲(母指を除く)

・MP関節の屈曲
骨間筋と虫様筋により行われ,浅・深指屈筋が補助的に作用する.
・PIP関節の屈曲
浅指屈筋が主に作用し,補助的に深指屈筋が作用する.
・DIP関節の屈曲
深指屈筋のみが作用する.

▶4指の伸展(母指を除く)

・MP関節の伸展
指伸筋,示指伸筋,小指伸筋が働く.
・PIP関節の伸展
指伸筋,虫様筋,骨間筋が主に働き,補助的に示指伸筋,小指伸筋が働く.
・DIP関節の伸展
指伸筋,虫様筋,骨間筋が主に働き,示指伸筋,小指伸筋が補助的に働く.

## 5 指の屈曲機構

※図中の●は屈伸運動軸,←は筋収縮力を表す.

1. 虫様筋と骨間筋(左第2指側面)

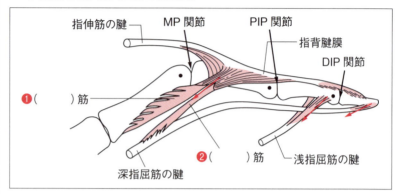

2. 側面(左第2指側面)

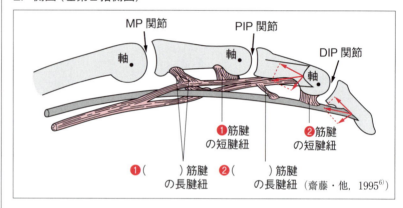

3. 掌側面(左第2指掌側面)

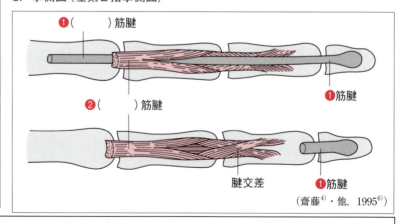

**解答** 5 1. ❶ 骨間  ❷ 虫様
    2. ❶ 浅指屈  ❷ 深指屈
    3. ❶ 深指屈  ❷ 浅指屈

# SIDE MEMO

## 6 指の伸展機構

※図中の●は屈伸運動軸，←は筋収縮力を表す．

1. 背側面（左第2指背側面）

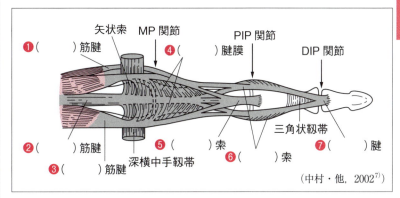

(中村・他, 2002[7])

2. 側面（左第2指内側面）

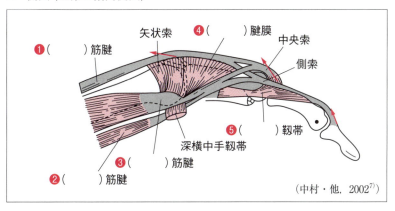

(中村・他, 2002[7])

握り拳を作った状態から指を伸ばす動き（母指は除く）の手順は次のとおりである．

①MP関節の伸展は基節骨背側基部に停止する指伸筋腱の分枝の緊張による．

↓

②PIP関節の伸展は中節骨背側基部に停止する❻（　　　　）の緊張による．

↓

③DIP関節の伸展はPIP関節の伸展に伴う❺靱帯の緊張と，末節骨背側基部に停止する❼（　　　　）の終伸腱の緊張による．

---

**解答** 6 1. ❶ 虫様　❷ 指伸　❸ 骨間　❹ 指背　❺ 中央　❻ 側　❼ 終伸
2. ❶ 指伸　❷ 虫様　❸ 骨間　❹ 指背　❺ 支　❻ 中央索　❼ 側索

## 演習問題

1. 右手背部の写真を下に示す．矢印が示す腱はどれか．(57-AM60)
   1. 短母指伸筋腱
   2. 長母指伸筋腱
   3. 母指内転筋腱
   4. 短母指外転筋腱
   5. 長母指外転筋腱

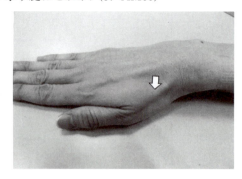

2. 第2中手骨底に付着する筋はどれか．(52-AM54)
   1. 円回内筋
   2. 尺側手根屈筋
   3. 浅指屈筋
   4. 長掌筋
   5. 橈側手根屈筋

3. 手指の運動とそれに作用する筋の組合せで誤っているのはどれか．(52-PM71)
   1. 母指MP関節伸展 ──── 短母指伸筋
   2. 小指MP関節屈曲 ──── 短小指屈筋
   3. 環指MP関節外転 ──── 背側骨間筋
   4. 小指MP関節内転 ──── 掌側骨間筋
   5. 中指MP関節伸展 ──── 虫様筋

4. 指尖つまみに比べ横つまみでより働く筋はどれか．(49-AM71)
   1. 短掌筋
   2. 虫様筋
   3. 短母指伸筋
   4. 短母指外転筋
   5. 第1背側骨間筋

5. 母指CM関節の屈曲に作用しない筋はどれか．(48-PM70)
   1. 短母指外転筋
   2. 短母指屈筋
   3. 母指内転筋
   4. 母指対立筋
   5. 掌側骨間筋

# 7 手の運動学 その2

## SIDE MEMO

▶休息肢位と機能肢位
休息肢位は睡眠時や麻酔下にみられる．機能肢位は関節の固定術をする場合，日常生活行為上機能的に最も都合がよい肢位のことをいう．

## 1 手の肢位

|  | 休息肢位 | 機能肢位 |
|---|---|---|
| 手関節 | 軽度❶（　　　）屈位 | 中等度❹（　　　）屈位<br>軽度❺（　　　）屈位 |
| 母指 | 軽度❷（　　　）位，<br>❸（　　　）位，<br>第2指の指先側面に対立 | 掌側❻（　　　）位 |
| 第2～5指 | 軽度❸位 | 軽度❸位<br>母指と他の指の尖端がほぼ等距離 |
| 各指の長軸の延長先 | 舟状骨 | 舟状骨 |
|  | 睡眠時や麻酔下でみられる | 手の各種動作を行いやすい肢位 |

## 2 手の変形

▶指の伸展機構

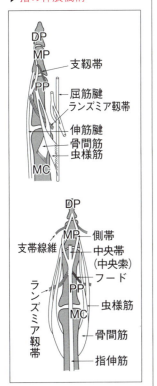

1. 指の伸展機構の障害による変形

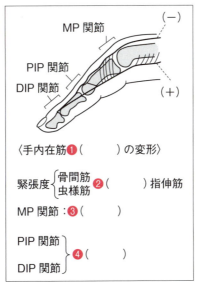

〈手内在筋❶（　　　）の変形〉
緊張度 ｛骨間筋<br>虫様筋｝❷（　　　）指伸筋
MP関節：❸（　　　）
PIP関節<br>DIP関節｝❹（　　　）

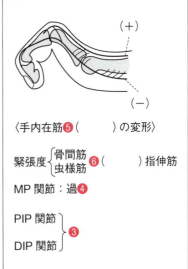

〈手内在筋❺（　　　）の変形〉
緊張度 ｛骨間筋<br>虫様筋｝❻（　　　）指伸筋
MP関節：過❹
PIP関節<br>DIP関節｝❸

---

解答　1 ❶ 掌　❷ 橈側外転　❸ 屈曲　❹ 背　❺ 尺　❻ 外転
　　　2 1. ❶ 優位　❷ ＞　❸ 屈曲　❹ 伸展　❺ 劣位　❻ ＜　❼ 白鳥の首（スワンネック）

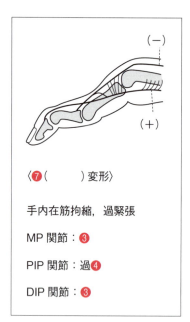

〈❼(　　)変形〉

手内在筋拘縮，過緊張

MP 関節：❸

PIP 関節：過❹

DIP 関節：❸

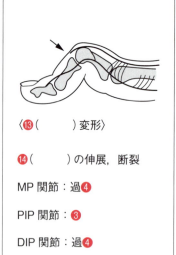

〈⓭(　　)変形〉

⓮(　　)の伸展，断裂

MP 関節：過❹

PIP 関節：❸

DIP 関節：過❹

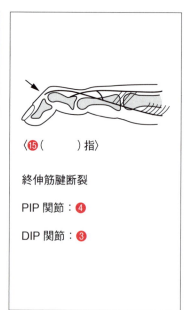

〈⓯(　　)指〉

終伸筋腱断裂

PIP 関節：❹

DIP 関節：❸

## SIDE MEMO

### 2. 上肢末梢神経麻痺による手の変形

❶(　　)手：❷(　　)神経麻痺

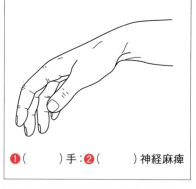

❸(　　)手：❹(　　)神経麻痺

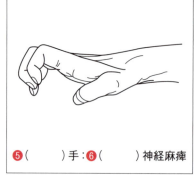

❺(　　)手：❻(　　)神経麻痺

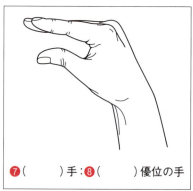

❼(　　)手：❽(　　)優位の手

---

**解答** ② 1. ⓭ ボタン穴（ボタンホール）　⓮（指背腱膜の）中央索　⓯ 槌
2. ❶ 下垂　❷ 橈骨　❸ 猿　❹ 正中　❺ 鷲　❻ 尺骨　❼ 視床　❽ 手内在筋

## 演習問題

1. 手の内在筋プラス肢位の組合せで正しいのはどれか.（55-AM70）
    1. MP関節屈曲 ――― PIP関節伸展 ――― DIP関節屈曲
    2. MP関節伸展 ――― PIP関節屈曲 ――― DIP関節屈曲
    3. MP関節屈曲 ――― PIP関節伸展 ――― DIP関節伸展
    4. MP関節伸展 ――― PIP関節屈曲 ――― DIP関節伸展
    5. MP関節屈曲 ――― PIP関節屈曲 ――― DIP関節伸展

2. 手の休息肢位で誤っているのはどれか.（36-PM41）
    1. 手関節軽度掌屈
    2. 母指軽度内転
    3. 母指軽度屈曲
    4. 示指軽度屈曲
    5. 小指軽度屈曲

3. 正しい組合せはどれか.（35-PM90）
    1. 猿　手 ――――――― 尺骨神経麻痺
    2. 下垂手 ――――――― 橈骨神経麻痺
    3. 鷲　手 ――――――― 正中神経麻痺
    4. 槌　指 ――――――― PIP関節脱臼骨折
    5. ボタン穴変形 ――――― 手指屈筋腱損傷

4. 手の機能肢位で誤っているのはどれか. 2つ選べ.（35-PM41）
    1. 手関節は軽度掌屈位である.
    2. 母指は軽度橈側外転位である.
    3. 母指と他の指との先端はほぼ等距離である.
    4. 第2〜5指は軽度屈曲位をとる.
    5. 第2〜5指の長軸の延長線は舟状骨に集まる.

# MEMO

# 第3章 下肢の運動学

1. 下肢の解剖学 …………… 100
2. 股関節の運動学 …………… 108
3. 膝関節の運動学 …………… 114
4. 足関節と足部の運動学 …… 125

# 1 下肢の解剖学

## SIDE MEMO

▶腰椎，股関節，大転子の位置

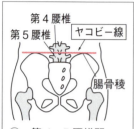

① 第4〜5腰椎間
ヤコビー線 (Jacob's line)：左右の腸骨稜の高位を結んだ線．

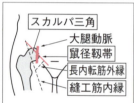

② 大腿骨頭の位置
スカルパ三角 (Scarpa's triangle)：鼠径靱帯，長内転筋外側縁，縫工筋内側縁で形成される三角部で，この領域内を大腿神経・大腿動脈・大腿静脈が通る．

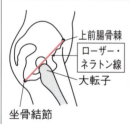

③ 大転子の位置
ローザーネラトン線 (Roser-Nelaton line)：上前腸骨棘と坐骨結節を結ぶ線のことで，股関節45°屈曲位では大転子がこの線上に位置する．

## 1 下肢の骨格（左下肢前面）

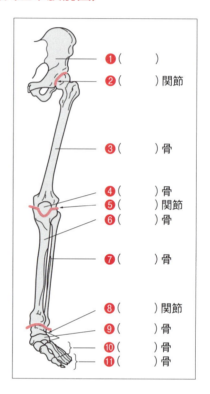

❶（　　　）
❷（　　　）関節
❸（　　　）骨
❹（　　　）骨
❺（　　　）関節
❻（　　　）骨
❼（　　　）骨
❽（　　　）関節
❾（　　　）骨
❿（　　　）骨
⓫（　　　）骨

## 2 下肢骨のまとめ

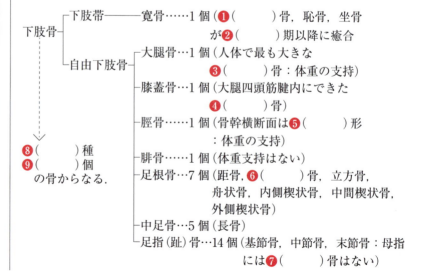

下肢骨─┬─下肢帯──寛骨……1個（❶（　　　）骨，恥骨，坐骨
　　　　│　　　　　　　　　　　　が❷（　　　）期以降に癒合
　　　　└─自由下肢骨─┬─大腿骨…1個（人体で最も大きな
　　　　　　　　　　　　　　　　　　❸（　　　）骨：体重の支持）
　　　　　　　　　　　├─膝蓋骨…1個（大腿四頭筋腱内にできた
　　　　　　　　　　　　　　　　　　❹（　　　）骨）
　　　　　　　　　　　├─脛骨……1個（骨幹横断面は❺（　　　）形
　　　　　　　　　　　　　　　　　　：体重の支持）
❽（　　　）種　　　　├─腓骨……1個（体重支持はない）
❾（　　　）個　　　　├─足根骨…7個（距骨，❻（　　　）骨，立方骨，
　の骨からなる．　　　　　　　　　　舟状骨，内側楔状骨，中間楔状骨，
　　　　　　　　　　　　　　　　　　外側楔状骨）
　　　　　　　　　　　├─中足骨…5個（長骨）
　　　　　　　　　　　└─足指(趾)骨…14個（基節骨，中節骨，末節骨：母指
　　　　　　　　　　　　　　　　　　には❼（　　　）骨はない）

## SIDE MEMO

### 3 下肢帯（または骨盤帯）の骨

下肢帯＝骨盤帯ともいう．骨盤は左右の寛骨とその間に位置する仙骨とで構成される．

1. 寛骨（右側内側面）

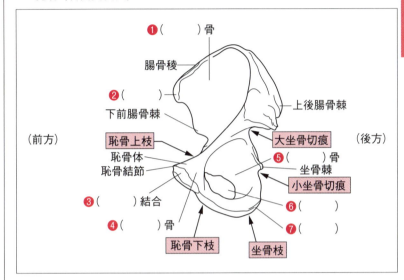

2. 寛骨（右側外側面）

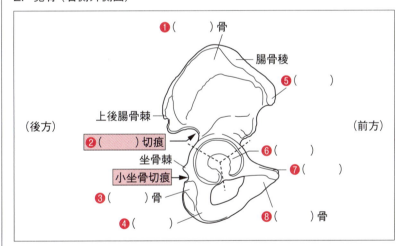

解答
1 ❶ 寛骨 ❷ 股 ❸ 大腿 ❹ 膝蓋 ❺ 膝 ❻ 脛 ❼ 腓 ❽ 足 ❾ 足根 ❿ 中足 ⓫ 指（趾）
2 ❶ 腸 ❷ 思春 ❸ 長 ❹ 種子 ❺ 三角 ❻ 踵 ❼ 中節 ❽ 8 ❾ 31
3 1. ❶ 腸 ❷ 上前腸骨棘 ❸ 恥骨 ❹ 恥 ❺ 坐 ❻ 閉鎖孔 ❼ 坐骨結節
　 2. ❶ 腸 ❷ 大坐骨 ❸ 坐 ❹ 坐骨結節 ❺ 上前腸骨棘 ❻ 寛骨臼 ❼ 恥骨結節 ❽ 恥

## SIDE MEMO

▶ 大腿骨の頸体角と前捻角

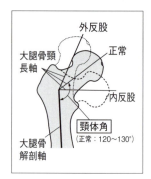

頸体角＝大腿骨頸部軸と大腿骨骨幹部軸のなす角度で，通常120〜130°である．この頸体角が増加している状態を外反股，減少している状態を内反股という．

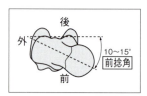

前捻角＝大腿骨内側顆と大腿骨外側顆の中心同士を結んだ線に対して大腿骨頸部軸が前方に捻れた角．通常成人で10〜15°，小児で30°．

## 4 大腿骨

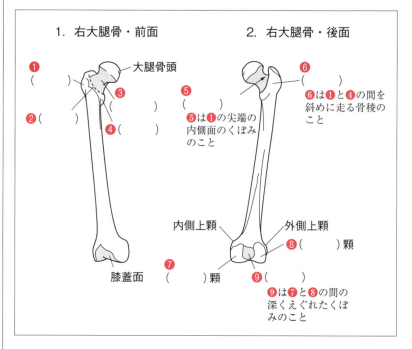

1. 右大腿骨・前面
❶( )　大腿骨頭　❸( )　❹( )　膝蓋面

2. 右大腿骨・後面
❻( )　❺( )　❺は❶の尖端の内側面のくぼみのこと　❻は❶と❹の間を斜めに走る骨稜のこと　内側上顆　外側上顆　❽( )顆　❾( )　❾は❼と❽の間の深くえぐれたくぼみのこと　❼( )顆

## 5 下腿骨

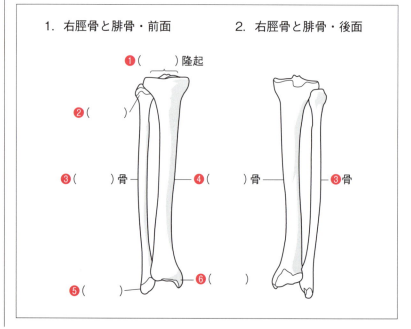

1. 右脛骨と腓骨・前面
❶( )隆起　❷( )　❸( )骨　❹( )　❺( )

2. 右脛骨と腓骨・後面
❹( )骨　❸( )骨　❻( )

**解答** ④ 1. ❶ 大転子　❷ 転子間線　❸ 大腿骨頸　❹ 小転子
2. ❺ 転子窩　❻ 転子間稜　❼ 内側　❽ 外側　❾ 顆間窩
⑤ 1, 2. ❶ 顆間　❷ 腓骨頭　❸ 腓　❹ 脛　❺ 外果　❻ 内果

## SIDE MEMO

▶ 解剖軸と運動軸

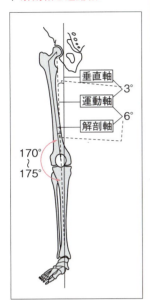

大腿脛骨角(膝外側角 femoro-tibial angle：FTA)＝大腿骨長軸と脛骨長軸との間にできる外側の角度．通常成人で170°～175°で，この角度が増加した状態を内反膝，減少した状態を外反膝という．

## 6 足部の骨

1. 左足部外側面

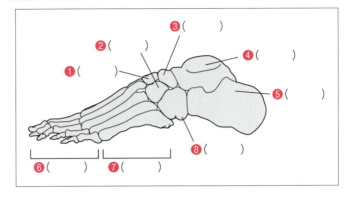

2. 右足部上面

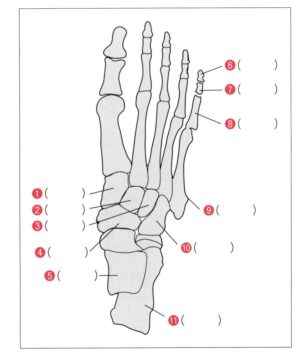

---

**解答** 6 1. ❶ 中間(第2)楔状骨 ❷ 外側(第3)楔状骨 ❸ 舟状骨 ❹ 距骨 ❺ 踵骨 ❻ 指(趾)骨 ❼ 中足骨 ❽ 立方骨

2. ❶ 内側(第1)楔状骨 ❷ 中間(第2)楔状骨 ❸ 外側(第3)楔状骨 ❹ 舟状骨 ❺ 距骨 ❻ 末節骨 ❼ 中節骨 ❽ 基節骨 ❾ 第5中足骨粗面 ❿ 立方骨 ⓫ 踵骨

## SIDE MEMO

▶下肢の動脈

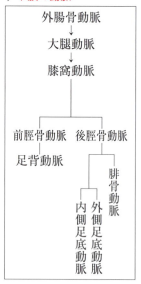

▶下肢の神経

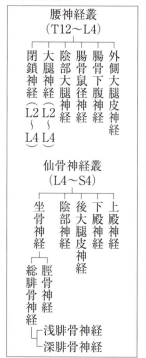

### 7 下肢の神経と動脈

1. 左下肢前面

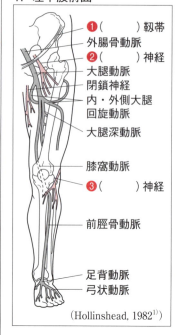

(Hollinshead, 1982[1])

2. 左下肢後面

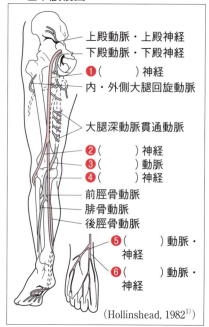

(Hollinshead, 1982[1])

### 8 下肢の神経と筋（右大腿前面）

1. 大腿神経　2. 閉鎖神経

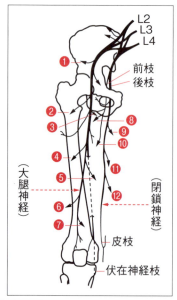

1. 大腿神経支配筋
❶(　　)筋
❷(　　)筋
❸(　　)筋
❹(　　)筋
❺(　　)筋
❻(　　)筋
❼(　　)筋

2. 閉鎖神経支配筋
❽(　　)筋
❾(　　)筋
❿(　　)筋
⓫(　　)筋
⓬(　　)筋

解答　7　1. ❶鼠径　❷大腿　❸総腓骨
　　　　　2. ❶坐骨　❷総腓骨　❸膝窩　❹脛骨　❺外側足底　❻内側足底
　　　8　1. ❶腸骨　❷縫工　❸恥骨　❹大腿直　❺内側広　❻外側広　❼中間広
　　　　　2. ❽外閉鎖　❾短内転　❿大内転　⓫長内転　⓬薄

## SIDE MEMO

▶ 坐骨神経（L4～S3）
※人体中最大の末梢神経で，大腿後面筋および下腿以下すべての筋を支配

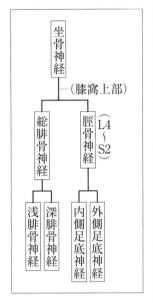

### 3. 総腓骨神経（右下肢前面）（赤線部）

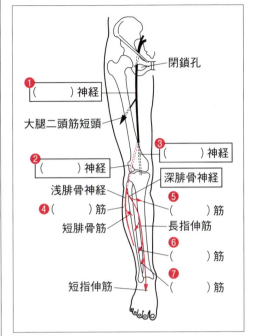

浅腓骨神経支配筋
- ❹ 筋
- 短腓骨筋

深腓骨神経支配筋
- ❺ 筋
- ❻ 筋
- ❼ 筋
- 長指伸筋
- 短指伸筋

脛骨神経支配筋
- ❽ 筋長頭
- ❾ 筋
- 半膜様筋
- ❿ 筋
- 膝窩筋
- 腓腹筋
- ⓭ 筋
- ⓮ 筋
- 足底筋
- 長指底筋
- 短指屈筋

### 4. 脛骨神経（右下肢後面）（赤線部）

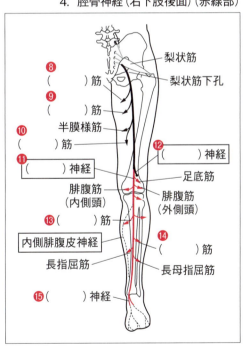

解答　3. ❶ 坐骨　❷ 総腓骨　❸ 脛骨　❹ 長腓骨　❺ 前脛骨　❻ 長母指伸　❼ 第3腓骨
　　　4. ❽ 大腿二頭　❾ 半腱様　❿ 大内転　⓫ 脛骨　⓬ 総腓骨　⓭ ヒラメ
　　　　 ⓮ 後脛骨　⓯ 内側足底

## SIDE MEMO

### 9 下肢の皮膚感覚

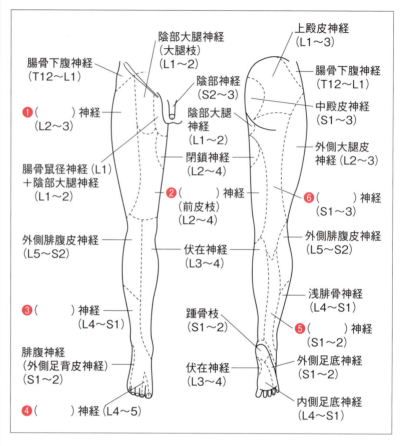

**解答** 9 ❶ 外側大腿皮 ❷ 大腿 ❸ 浅腓骨 ❹ 深腓骨 ❺ 腓腹 ❻ 後大腿皮

## 演習問題

1. 腰神経叢に含まれるのはどれか．(55-AM55)
    1. 陰部神経
    2. 下殿神経
    3. 坐骨神経
    4. 上殿神経
    5. 大腿神経

2. 閉鎖神経に支配されるのはどれか．(51-AM54)
    1. 薄　筋
    2. 縫工筋
    3. 半腱様筋
    4. 半膜様筋
    5. 大腿二頭筋長頭

3. 筋と付着部の組合せで正しいのはどれか．2つ選べ．(50-PM55)
    1. 恥骨筋 ――――― 大腿骨頸部
    2. 縫工筋 ――――― 下前腸骨棘
    3. 短内転筋 ――――― 恥骨上枝
    4. 長内転筋 ――――― 恥骨結節
    5. 大腿二頭筋 ――――― 腓骨頭

4. スカルパ三角で誤っているのはどれか．(47-AM60)
    1. 坐骨神経が通る．
    2. 大腿動脈が通る．
    3. 底面に恥骨筋がある．
    4. 外側は縫工筋で形成される．
    5. 内側は長内転筋で形成される．

5. 下肢の筋と支配神経との組合せで正しいのはどれか．2つ選べ．(46-PM54)
    1. 中殿筋 ――――― 下殿神経
    2. 縫工筋 ――――― 閉鎖神経
    3. 膝窩筋 ――――― 脛骨神経
    4. 後脛骨筋 ――――― 総腓骨神経
    5. 短指屈筋 ――――― 内側足底神経

# 2 股関節の運動学

## SIDE MEMO

▶大腿骨の頸体角と前捻角

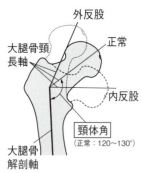

頸体角＝大腿骨頸部軸と大腿骨骨幹部軸のなす角度で，通常120～130°である．この頸体角が増加している状態を外反股，減少している状態を内反股という．

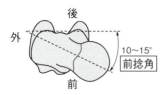

前捻角＝大腿骨内側顆と大腿骨外側顆の中心同士を結んだ線に対して大腿骨頸部軸が前方に捻れた角．通常成人で10～15°，小児で30°．

## 1 股関節の構造（右股関節横断面前方から観察）

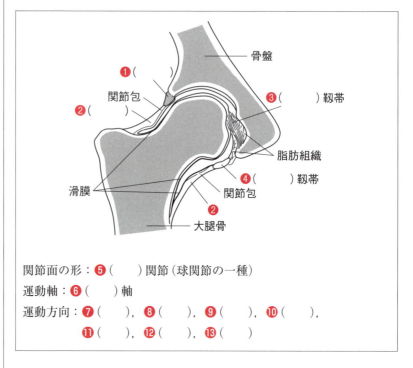

関節面の形：❺（　　）関節（球関節の一種）
運動軸：❻（　　）軸
運動方向：❼（　　），❽（　　），❾（　　），❿（　　），
⓫（　　），⓬（　　），⓭（　　）

## 2 股関節の靱帯

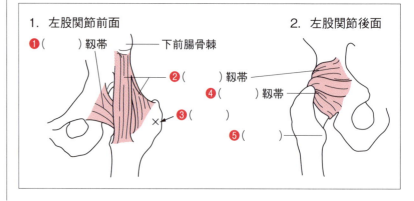

解答　1 ❶関節唇 ❷輪帯 ❸大腿骨頭 ❹寛骨臼横 ❺臼 ❻3 ❼屈曲 ❽伸展 ❾内転 ❿外転 ⓫内旋 ⓬外旋 ⓭分回し（❼～⓭順不同）
2 1. ❶恥骨大腿 ❷腸骨大腿 ❸大転子　2. ❹坐骨大腿 ❺小転子

## SIDE MEMO

▶股関節に関わる靱帯
　全部で6つ．下記の上位3つの靱帯は股関節伸展時に緊張する．
・腸骨大腿靱帯
・恥骨大腿靱帯
・坐骨大腿靱帯
・大腿骨頭靱帯
・輪帯
・寛骨臼横靱帯

▶右大腿の横断面

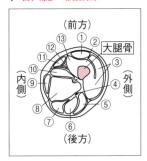

①大腿直筋
②中間広筋
③外側広筋
④坐骨神経
⑤大腿二頭筋
⑥半腱様筋
⑦半膜様筋
⑧大内転筋
⑨薄筋
⑩長内転筋
⑪縫工筋
⑫伏在神経
⑬内側広筋

## 3 股関節に働く筋

1. 腸腰筋（右股関節前面から）

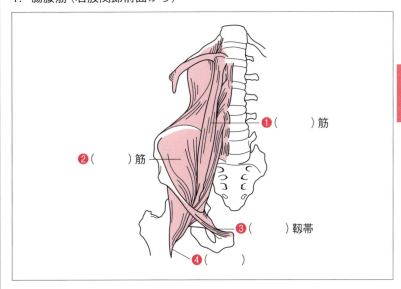

2. 右殿部の筋（右股関節後面から）

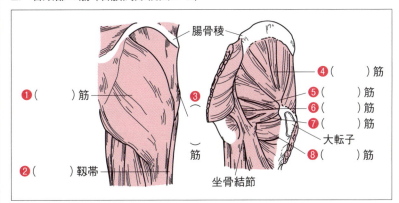

---

**解答** ③ 1. ❶ 大腰　❷ 腸骨　❸ 鼠径　❹ 小転子
　　　　 2. ❶ 大殿　❷ 腸脛　❸ 大腿筋膜張　❹ 中殿　❺ 上双子　❻ 内閉鎖
　　　　　 ❼ 下双子　❽ 大腿方形

## SIDE MEMO

▶右下腿の横断面

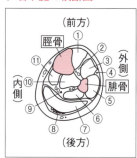

①前脛骨筋
②深腓骨神経
③長指伸筋・長母指伸筋
④浅腓骨神経
⑤長・短腓骨筋
⑥長母指屈筋
⑦ヒラメ筋
⑧腓腹筋腱
⑨脛骨神経
⑩後脛骨筋
⑪長指屈筋

3. 右大腿前面表層の筋

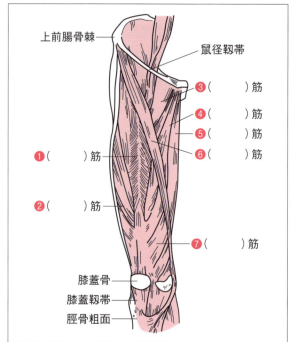

4. 右大腿前面深層の筋

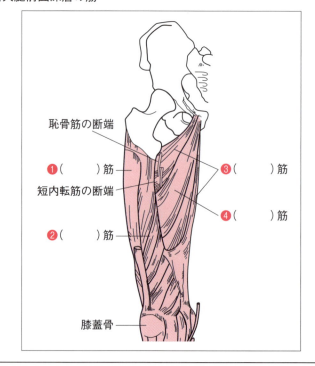

解答 ③ 3. ❶ 大腿直 ❷ 外側広 ❸ 恥骨 ❹ 長内転 ❺ 薄 ❻ 縫工 ❼ 内側広
4. ❶ 中間広 ❷ 内側広 ❸ 大内転 ❹ 長内転

## SIDE MEMO

5. 右大腿後面の筋

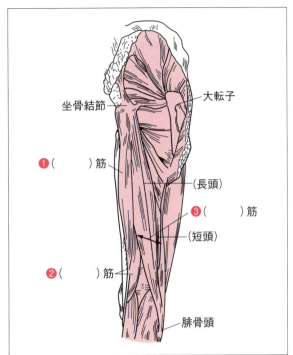

❶（　　　　）筋
❷（　　　　）筋
❸（　　　　）筋
（長頭）
（短頭）
坐骨結節
大転子
腓骨頭

## 4 股関節の運動と筋

| 股関節屈曲 | ❶（　　　　）筋，❷（　　　　）筋，❸（　　　　）筋，❹（　　　　）筋，縫工筋 |
|---|---|
| 股関節伸展 | ❺（　　　　）筋，❻（　　　　），❼（　　　　）筋，大腿二頭筋 |
| 股関節外転 | ❽（　　　　）筋，小殿筋，❾（　　　　）筋，大殿筋（上部），縫工筋 |
| 股関節内転 | ❿（　　　　）筋，長・短・大内転筋，薄筋 |
| 股関節外旋 | ⓫（　　　　）筋，⓬（　　　　）筋，大腿二頭筋，恥骨筋，外旋6筋（内・外閉鎖筋，上・下双子筋，大腿方形筋，梨状筋） |
| 股関節内旋 | ⓭（　　　　）筋，⓮（　　　　）筋，半膜様筋，大腿筋膜張筋 |

**解答** ③ 5. ❶ 半腱様　❷ 半膜様　❸ 大腿二頭
④ ❶ 腸腰　❷ 大腿筋膜張　❸ 恥骨　❹ 大腿直（❶〜❹順不同）　❺ 大殿　❻ 半膜様　❼ 半腱様（❺〜❼順不同）　❽ 中殿　❾ 大腿筋膜張（❽・❾順不同）　❿ 恥骨　⓫ 大殿　⓬ 縫工（⓫・⓬順不同）　⓭ 小殿　⓮ 半腱様（⓭・⓮順不同）

## 演習問題

1. 筋と股関節への作用との組合せで正しいのはどれか．2つ選べ．(56-PM72)
    1. 腸腰筋—————— 外　旋
    2. 小殿筋—————— 内　転
    3. 梨状筋—————— 外　転
    4. 大腿方形筋———— 屈　曲
    5. 恥骨筋—————— 伸　展

2. 股関節で正しいのはどれか．(53-PM51)
    1. 顆状関節である．
    2. 大腿骨頸部は関節包外にある．
    3. 寛骨臼は前外側を向いている．
    4. 寛骨臼は腸骨のみで構成される．
    5. 腸骨大腿靱帯が関節包後面から補強している．

3. 股関節の運動とそれに作用する筋の組合せで正しいのはどれか．(52-AM72)
    1. 屈　曲—— 梨状筋
    2. 伸　展—— 大腰筋
    3. 内　転—— 薄　筋
    4. 内　旋—— 上双子筋
    5. 外　旋—— 半腱様筋

4. 基本肢位からの股関節の運動とそれに作用する筋の組合せで正しいのはどれか．(51-PM70)
    1. 外　転—— 薄　筋
    2. 外　旋—— 半腱様筋
    3. 屈　曲—— 恥骨筋
    4. 内　旋—— 大殿筋
    5. 内　転—— 梨状筋

5. 基本肢位からの股関節の運動とそれに作用する筋の組合せで正しいのはどれか．2つ選べ．(50-AM72)
    1. 外　旋 —— 大殿筋
    2. 伸　展—— 腸腰筋
    3. 内　転—— 中殿筋
    4. 屈　曲—— 大腿二頭筋
    5. 屈　曲—— 大腿筋膜張筋

6. 基本肢位からの股関節の運動について正しいのはどれか. (50-PM72)
    1. 屈曲時に腸脛靱帯は緊張する.
    2. 伸展時に坐骨大腿靱帯は緊張する.
    3. 外転時に大腿骨頭靱帯は緊張する.
    4. 内旋時に恥骨大腿靱帯は緊張する.
    5. 屈曲時に腸骨大腿靱帯は緊張する.

7. 股関節について正しいのはどれか. (47-PM70)
    1. 関節窩には骨頭の1/3が入る.
    2. 臼蓋角は成人の方が小児よりも大きい.
    3. 運動範囲は内転の方が外転よりも大きい.
    4. 大腿骨頭靱帯は内転時に緊張する.
    5. 恥骨筋の収縮は外旋を制限する.

## MEMO

# 3 膝関節の運動学

## SIDE MEMO

▶膝関節
膝関節は大腿脛骨関節と膝蓋大腿関節とで構成される．一般的に膝関節という場合は大腿脛骨関節を指している．

## 1 膝関節の構造

### 1. 左膝矢状断面（内側面から観察）

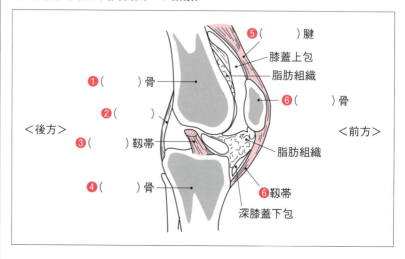

### 2. 左膝前額断面（前面から観察）

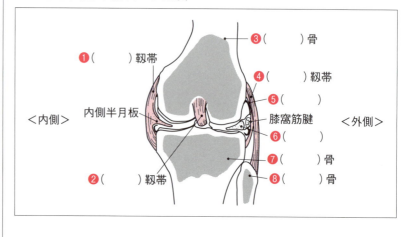

---

**解答** 1 1. ❶ 大腿　❷ 関節包　❸ 前十字　❹ 脛　❺ 大腿四頭筋　❻ 膝蓋
2. ❶ 内側側副　❷ 前十字　❸ 大腿　❹ 外側側副　❺ 関節包　❻ 外側半月板　❼ 脛　❽ 腓

3. 膝関節の運動学　115

## SIDE MEMO

3. 膝関節（右膝を外側前方から観察）

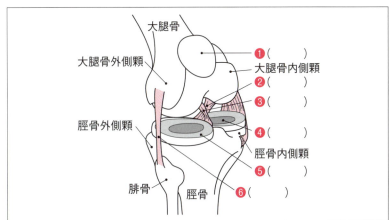

- 膝関節は大腿❼(　　　　　)関節と❽(　　　　　)大腿関節という2つの関節で構成される．通常，膝関節という場合は大腿❼関節を指していることが多い．
- 大腿脛骨関節の外側側では大腿骨外側顆の関節面と脛骨外側顆の関節面とが向かい合い，内側側では大腿骨内側顆の関節面と脛骨内側顆の関節面とが向かい合う．
- 大腿骨外側顆と脛骨外側顆とによって形成される領域を❾(　　　　　)コンパートメントといい，大腿骨内側顆と脛骨内側顆とによって形成される領域を❿(　　　　　)コンパートメントという．
- 大腿脛骨関節の関節頭に該当する大腿骨の外側顆ならびに内側顆の関節面は半球状の形態であるが，それに対し関節窩に該当する脛骨の外側顆ならびに内側顆の関節面は平面に近い凹面の形態である．→関節形態からみて非常に安定性に⓫(　　　　　)る．→関節裂隙の隙間を埋めるように内側および外側⓬(　　　　　)を介在させることで関節の適合性を高めている．→関節の⓭(　　　　　)が高まる．
- 膝蓋大腿関節は関節頭に該当する膝蓋骨後面と，関節窩に該当する大腿骨膝蓋面（大腿骨滑車面ともいう）により形成される．
- 膝の伸展機構とは⓮(　　　　　)-大腿四頭筋腱-膝蓋骨-⓯(　　　　　)-脛骨粗面の一連の組織をいい，特に膝蓋骨は大腿四頭筋に生じた収縮力を脛骨に効率的に伝える⓰(　　　　　)の役割を果たしている．

**解答** 1 3. ❶ 膝蓋骨　❷ 後十字靱帯　❸ 前十字靱帯　❹ 内側半月板　❺ 外側半月板　❻ 外側側副靱帯　❼ 脛骨　❽ 膝蓋　❾ 外側　❿ 内側　⓫ 劣　⓬ 半月板　⓭ 安定性　⓮ 大腿四頭筋　⓯ 膝蓋靱帯　⓰ 滑車

## SIDE MEMO

▶ **内側半月板**(MM：medial meniscus)
メディアル
メニスカス

内側半月板は脛骨前顆間区の前方部と後顆間区内側部に付着し、半円形の形をしている。側方で内側側副靱帯と強く結合しているため外側半月板ほど可動性はない。

▶ **外側半月板**(LM：lateral meniscus)
ラテラル
メニスカス

外側半月板は脛骨前顆間区の中間部と後顆間区に付着し、ほぼ完全な円形を示す。側方で外側側副靱帯とは結合していないため内側半月板より可動性は大きい。

膝関節を伸展位から屈曲させると関節面の接点が後方に移動するに伴い半月板も後方に移動する。ただし内側より外側半月板のほうがより多く移動する。

## 2 膝関節の半月板

### 1. 半月板（右膝の脛骨関節面からの観察）

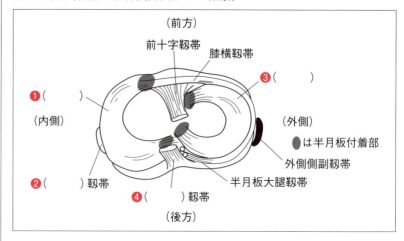

### 2. 半月板の特徴

内側半月板：❶(　　　)型の形態を呈し、外側半月板より直径は❷(　　　)く、側縁は❸(　　　)と強く結合しているため、外側半月板より可動性は❹(　　　)い。

外側半月板：❺(　　　)型の形態を呈し、内側半月板より直径は❻(　　　)く、側縁は靱帯などと結合していないため、内側半月板より大きな可動性がある。

### 3. 半月板の機能と動き

機能
- 関節の❶(　　　)を高める。
- 関節面にかかる圧縮応力を和らげる→❷(　　　)作用
- 関節可動域を確保する。
- ❸(　　　)内圧を均等化する。
- ❹(　　　)を分散化する。

動き
- 膝関節屈曲時には半月板は❺(　　　)する。
- 膝関節伸展時には半月板は❻(　　　)する。
- 膝関節屈曲位での下腿の外旋時には、内側半月板は❺し外側半月板は❻する。
- 膝関節屈曲位での下腿の内旋時には、内側半月板は❻し外側半月板は❺する。

解答　2 1. ❶ 内側半月板　❷ 内側側副　❸ 外側半月板　❹ 後十字
2. ❶ C　❷ 長　❸ 内側側副靱帯　❹ 少な　❺ O　❻ 短
3. ❶ 適合性　❷ 緩衝　❸ 関節　❹ 滑液　❺ 後退　❻ 前進

## SIDE MEMO

▶前十字靱帯（ACL）
大腿骨外側顆の後内面から斜め前内方に走行し，脛骨前顆間区に付着する．脛骨への付着部が顆間区の前方ということで前十字という．

▶後十字靱帯（PCL）
大腿骨顆間窩の前内面から斜め後外方に走行し，脛骨後顆間区の外側に付着する．脛骨への付着部が顆間区の後方ということで後十字という．

▶内側側副靱帯（MCL）
大腿骨内側上顆から脛骨内側顆へ走行．外側側副靱帯に比べ幅が広い．内側半月板と結合している．

▶外側側副靱帯（LCL）
大腿骨外側上顆から腓骨頭へ走行．細い紐様である．外側半月板とは結合していない．

## 3 膝関節の靱帯

1．十字靱帯とその機能

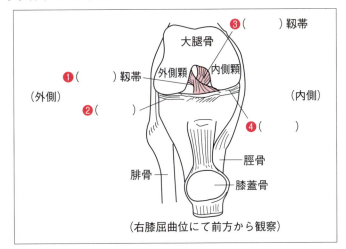

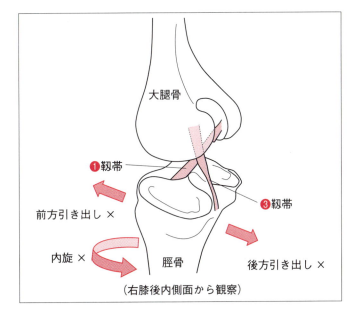

機能
・十字靱帯は膝関節がどの位置でも，程度の差はあるにせよ常に緊張．→膝安定性が増す．
・前十字靱帯は後十字靱帯よりも5：3の比率で❺（　　　　）い．
・前十字靱帯は伸展0°位と屈曲20〜25°位および屈曲70〜90°位でより緊張が増す．
・前十字靱帯は屈曲45〜50°位で緊張が低下する．

---

**解答** ③ 1．❶ 前十字　❷ 外側半月板　❸ 後十字　❹ 内側半月板　❺ 長

- 前十字靱帯は大腿骨に対する脛骨の❽(　　　)方へのすべりを防ぐ．
- 前十字靱帯は膝関節の❾(　　　)を防ぐ．
- 前十字靱帯は過度の内反(内転)および外反(外転)を防ぐ．
- 前十字靱帯は後十字靱帯と絡み合うことで下腿の❿(　　　)を制限する．
- 後十字靱帯は前十字靱帯よりも強靱である．
- 後十字靱帯は大腿骨に対する脛骨の⓫(　　　)方へのすべりを防ぐ．
- 後十字靱帯は膝関節の❾を防ぐ．
- 後十字靱帯は過度の内反(内転)および外反(外転)を防ぐ．

2. 側副靱帯とその機能

（伸展）（屈曲）　緊張　弛緩　一部緊張している　右膝内側側副靱帯

（屈曲）（伸展）　弛緩　右膝外側側副靱帯

機能
- 側副靱帯は膝関節伸展位では❶(　　　)している．→ 膝の内反外反と下腿の❷(　　　)を防ぐ．
- 側副靱帯は膝関節伸展位では❶している．→ 膝関節の❸(　　　)を防ぐ．
- 内側側副靱帯は膝関節の❹(　　　)(外転)を防ぐ．
- 外側側副靱帯は膝関節の❺(　　　)(内転)を防ぐ．

---

**解答** ③ 1. ❽ 前　❾ 過伸展　❿ 内旋　⓫ 後
　　　　 2. ❶ 緊張　❷ 外旋　❸ 過伸展　❹ 外反　❺ 内反

## SIDE MEMO

### 4 膝関節に働く筋

1. 膝関節の屈筋（左膝後方から観察）

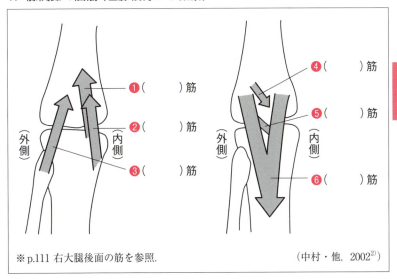

※p.111 右大腿後面の筋を参照. （中村・他, 2002[2]）

2. 膝関節の伸筋（左膝前方から観察）

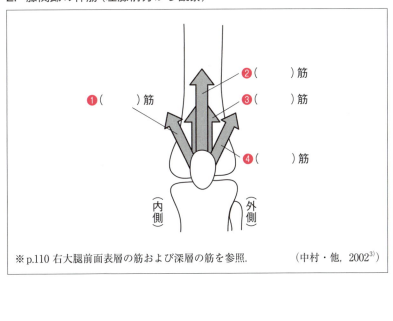

※p.110 右大腿前面表層の筋および深層の筋を参照. （中村・他, 2002[3]）

---

解答　4 1. ❶ 半膜様　❷ 半腱様　❸ 大腿二頭　❹ 足底　❺ 膝窩　❻ 腓腹
2. ❶ 内側広　❷ 大腿直　❸ 中間広　❹ 外側広

## SIDE MEMO

### 5 膝関節の運動と筋

| | | |
|---|---|---|
| 膝関節屈曲 | 主動筋 | ❶（　　　　　）筋<br>❷（　　　　　）筋<br>❸（　　　　　）筋 |
| | 補助筋 | ❹（　　　　　）筋，❺（　　　　　）筋<br>❻（　　　　　）筋，腓腹筋，膝窩筋，足底筋 |
| 膝関節伸展 | | ❼（　　　　　）筋，❽（　　　　　）筋 |
| 下腿内旋 | 主動筋 | ❾（　　　　　）筋<br>半膜様筋 |
| | 補助筋 | 縫工筋<br>薄筋 |
| 下腿外旋 | 主動筋 | ❿（　　　　　）筋 |
| | 補助筋 | 大腿筋膜張筋 |

### 6 膝関節の動きの特徴

1. 転がり運動と滑り運動
    - 後図においては，タイヤが右回りに回転することは膝関節が屈曲することを表し，タイヤが左回りに回転することは膝関節が伸展することを表す．
    - タイヤの回転には，空回りを一切することなく回転する<u>転がり運動</u>とその場で空回りすることで回転する<u>滑り運動</u>の2種類がある．
    - 転がり運動の最大の特徴は接点が❶（　　　　　）（進行方向に）移動することである．→この運動は，実際の関節においては関節面に掛かる負担が少なくてすむ（＝変形しにくい）という長所と同時に，大きな可動域を確保するには広い関節面を必要とするという短所をもっている．

---

**解答** ５ ❶ 半腱様　❷ 半膜様　❸ 大腿二頭（❶～❸順不同）　❹ 大腿筋膜張　❺ 縫工　❻ 薄（❹～❻順不同）　❼ 大腿四頭　❽ 大腿筋膜張（❼・❽順不同）　❾ 半腱様　❿ 大腿二頭
６ 1. ❶ 常に

## SIDE MEMO

- 滑り運動の最大の特徴は接点が全く移動❷(　　　　　)ことである．→この運動は，実際の関節運動においては接点となっている部分の関節面に負担が掛かりすぎる（＝変形しやすい）という短所と同時に，非常に狭い関節面でも大きな可動域を確保することができるという長所をもっている．
- 実際の膝関節では，伸展0°位から屈曲20°または30°位までは❸(　　　　　)運動のみ，屈曲20°または30°位から屈曲90°位までは❸運動に❹(　　　　　)運動が加わり，屈曲90°位から最大屈曲位までは❹運動のみとなる．

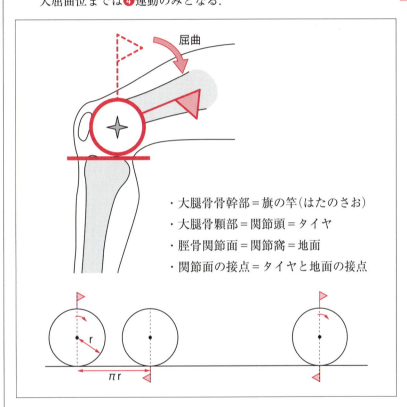

- 大腿骨骨幹部＝旗の竿(はたのさお)
- 大腿骨顆部＝関節頭＝タイヤ
- 脛骨関節面＝関節窩＝地面
- 関節面の接点＝タイヤと地面の接点

| 転がり運動 | 滑り運動 |
|---|---|
| 【特徴】<br>・タイヤが右方向に180°回転<br>・接点は常に進行方向に移動<br>・接点の移動距離はπr（半円周）<br>・空回りは一切しない回転<br>・接点にさほど負担がかからない<br>・接点の移動のために広い地面が必要 | 【特徴】<br>・タイヤが右方向に180°回転<br>・接点は一切移動しない<br>・接点の移動距離は0<br>・空回りのみでの回転<br>・接点に最大の負担がかかる<br>・接点は移動しないので広い地面は不要 |

**解答** ⑥ 1. ❷ しない　❸ 転がり　❹ 滑り

## SIDE MEMO

### 2. 膝関節のlocking(ロッキング)とscrew home movement(スクリューホームムーブメント)

- 何気なく立っている人の膝後面を不意に前方に押すと❶（　　　　）が生じるが，この現象を膝のlockが❷（　　　　）されたという．→逆に言うと，膝伸展位は膝に鍵が掛かった状態（=lockされた状態=locking）
- 通常の立位では膝関節伸展位の保持に膝伸筋の収縮を必要としないが，これは大腿脛骨関節面同士の適合性の高まりとそれを維持するための膝の❸（　　　　）や後方関節包の緊張によるものである．
- 膝関節をlockingするには大腿脛骨関節面同士の適合性を高める必要があり，そのために脛骨は膝伸展運動の最終域付近で大腿骨に対して❹（　　　　）する．

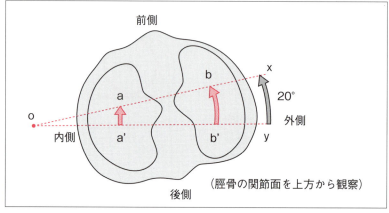

脛骨の関節面上を移動する内側および外側コンパートメントの接点移動

a'：屈曲位での内側コンパートメントの接点位置　　b'：屈曲位での外側コンパートメントの接点位置
a：伸展位での内側コンパートメントの接点位置　　b：伸展位での外側コンパートメントの接点位置
ox：伸展位での内側と外側との接点を結んだ線　　oy：屈曲位での内側と外側との接点を結んだ線

- 図のように，膝屈曲位から完全伸展位までの伸展運動では外側コンパートメントでの接点移動距離はb'b（=10〜12mm）で，内側コンパートメントでのそれはa'a（=5〜6mm）となる．
- 接点移動距離は外側コンパートメントのほうが内側コンパートメントより2倍❺（　　　　）ことより大腿骨が脛骨に対して❻（　　　　）することになる．これは脛骨が大腿骨に対して❹するともいえる．具体的には膝関節屈曲30°位付近から完全伸展位までの運動の間に脛骨は大腿骨に対して10°〜20°の❹運動をする．
- この大腿骨に対する脛骨の外旋運動をscrew home movementという．
- screw home movementを引き起こす因子は大腿骨内側顆の形状と前十字靱帯の緊張および大腿四頭筋が脛骨を外側へ引くことによる．

---

**解答** ⑥ 2. ❶ 膝折れ　❷ 解除　❸ 靱帯　❹ 外旋　❺ 長い　❻ 内旋

## 演習問題

1. 膝関節半月板について正しいのはどれか．(57-AM52)
   1. 内縁は外縁より厚い．
   2. 外縁は外側側副靱帯に付着する．
   3. 外縁は血行により栄養されている．
   4. 内側半月板の形状はO字状である．
   5. プロテオグリカン量は関節軟骨より多い．

2. 膝関節屈曲運動の制限に関与するのはどれか．(57-AM72)
   1. 斜膝窩靱帯の緊張
   2. 前十字靱帯の緊張
   3. 大腿後面と下腿後面の接触
   4. 大腿骨の転がり運動の出現
   5. 内側側副靱帯の緊張

3. 膝関節屈曲に作用する筋はどれか．(55-AM71)
   1. 外閉鎖筋
   2. 大内転筋
   3. 恥骨筋
   4. 長内転筋
   5. 薄　筋

4. 股関節伸展，内転，内旋および膝関節屈曲に作用する筋はどれか．(55-PM72)
   1. 大腿筋膜張筋
   2. 大腿二頭筋
   3. 中間広筋
   4. 半腱様筋
   5. 縫工筋

5. 膝蓋骨で正しいのはどれか．(54-AM71)
   1. 関節面は外側面に比べて内側面で広い．
   2. 膝関節屈曲位で可動性が高くなる．
   3. 膝関節伸筋の作用効率を高めている．
   4. 膝関節の屈曲に伴い上方に引かれる．
   5. 膝関節の伸展に伴い接触面は上方に移動する．

6. 膝関節の運動で正しいのはどれか．(54-AM72)
    1. 側副靱帯は屈曲時に緊張する．
    2. 関節包の後面は前面に比べて伸縮性が高い．
    3. 半月板の内外縁とも遊離して可動性に関与する．
    4. 大腿骨の脛骨上の転がり運動は，屈曲最終域までみられる．
    5. 大腿骨の脛骨上の転がり運動は外側顆部の方が内側顆部より大きい．

7. 正常な膝関節を屈曲したときの最終域感で正しいのはどれか．(53-AM72)
    1. 虚　性
    2. 筋　性
    3. 骨　性
    4. 靱帯性
    5. 軟部組織性

8. 膝関節半月板について正しいのはどれか．(52-PM72)
    1. 外縁は内縁より薄い．
    2. 外側半月板は外側側副靱帯に付着しない．
    3. 大腿骨と膝蓋骨の適合性を高める．
    4. 内側半月板は外側半月板より小さい．
    5. 膝関節伸展時には後方に移動する．

9. 椅子座位姿勢で膝関節屈曲位から完全伸展したときにみられるのはどれか．(51-PM71)
    1. 外側側副靱帯の弛緩
    2. 内側側副靱帯の弛緩
    3. 前十字靱帯の緊張
    4. 後十字靱帯の緊張
    5. 半月板の後方移動

# 4 足関節と足部の運動学

## SIDE MEMO

## 1 足関節と足部の骨と関節

1. **足関節および足部を構成する骨**

    下腿から足部を構成する骨には，下腿部には脛骨と腓骨，後足部には踵骨とその上部に位置する距骨，中足部には舟状骨とその前部の❶(　　　)個の楔状骨および外側部の立方骨，前足部には❷(　　　)本の中足骨と❸(　　　)個の趾骨がある．

足関節および足部を構成する骨（右足斜め外側前方から）

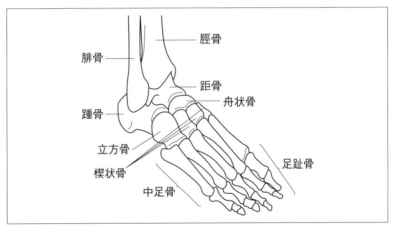

足部の骨と関節（右足部背面から）

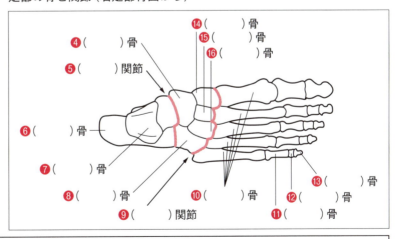

---

**解答** ①1. ❶ 3　❷ 5　❸ 14　❹ 舟状　❺ 横足根(Chopart)　❻ 踵　❼ 距　❽ 立方
❾ 足根中足(Lisfranc)　❿ 中足　⓫ 基節　⓬ 中節　⓭ 末節　⓮ 内側(第1)楔状
⓯ 中間(第2)楔状　⓰ 外側(第3)楔状

## SIDE MEMO

2. 足関節および足部の関節
- 下腿骨（脛骨と腓骨）と距骨との間の関節→❶（　　　　）関節
- 距骨と踵骨との間の関節→❷（　　　　）（または距骨下）関節
- 踵骨と立方骨との間の関節→踵立方関節
- 外側楔状骨と立方骨との間の関節→楔立方関節
- 距骨と踵骨および舟状骨との間の関節→距踵舟関節
- 3個の楔状骨と舟状骨との間の関節→楔舟関節
- 踵立方関節＋距舟関節→横足根関節→外科的切断部位として選択されるため別名❸（　　　　）関節
- 3個の楔状骨と1個の立方骨ならびに5本の中足骨との間の関節→足根中足関節→外科的切断部位として選択されるため別名❹（　　　　）関節
- 中足骨と中足骨との間の関節→中足間関節
- 中足骨と足趾の基節骨との間の関節→中足趾節関節→足趾MP関節
- 母趾基節骨と母趾末節骨との間の関節→母趾趾節間関節→母趾IP関節
- 母趾以外の足趾の基節骨と中節骨との間の関節→近位指節間関節→PIP関節
- 母趾以外の足趾の中節骨と末節骨との間の関節→遠位指節間関節→DIP関節

足根間関節（右足部外側面から）

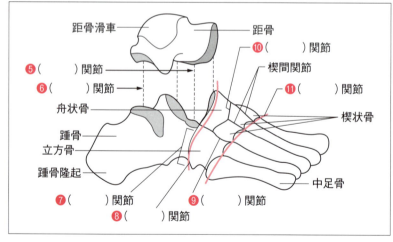

解答　1 2. ❶ 距腿　❷ 距踵　❸ Chopart　❹ Lisfranc　❺ 距舟　❻ 距踵（距骨下）　❼ 踵立方　❽ 横足根（Chopart）　❾ 楔立方　❿ 楔舟　⓫ 足根中足（Lisfranc）

## SIDE MEMO

### 2 主な関節の特徴

| | |
|---|---|
| 距腿関節 | ・関節頭→❶（　　　　　）<br>・関節窩→脛腓天蓋（脛骨と腓骨の下端部にできる台形状のくぼみ）<br>・形態による分類→❷（　　　　　）関節（蝶番関節）<br>・可動方向→背屈および底屈<br>・靱帯→外側は❸（　　　　　）靱帯・後距腓靱帯・踵腓靱帯<br>　　　↘内側は三角靱帯<br>・背屈位→距骨滑車が脛腓天蓋内に窮屈に陥入するため遊びなし<br>・❹（　　　　　）位→距骨滑車と脛腓天蓋間に隙間が生じるため遊びあり→不安定化→捻挫の危険あり |
| 距踵関節<br>（距骨下関節） | ・距骨と踵骨との間には3カ所の関節→前・中・後距踵関節<br>・形態による分類→❺（　　　　　）関節<br>・可動方向→内がえしおよび外がえし<br>・内がえし→足部の回外-内転-底屈<br>・外がえし→足部の回内-外転-背屈<br>・靱帯→骨間距踵靱帯・内側距踵靱帯・外側距踵靱帯 |
| 横足根関節 | ・踵立方関節＋距舟関節<br>・可動方向→わずかな底背屈・内外転・内がえしおよび外がえし<br>・靱帯→距舟靱帯・二分靱帯・踵立方靱帯・踵舟靱帯・長足底靱帯<br>・長足底靱帯→足底腱膜とともに縦アーチを形成<br>・別名❻（　　　　　）関節 |
| 足根中足関節 | ・3つの楔状骨と立方骨<br>・立方骨と第4・5中足骨間の可動性＋<br>・可動方向→滑りが主でわずかな底背屈と内外転<br>・靱帯→背側・底側・骨間足根中足靱帯<br>・別名❼（　　　　　）関節 |

▶内がえし，外がえしにおける運動の組合せ

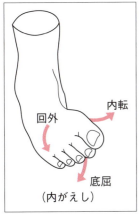

（内がえし）

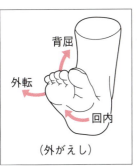

（外がえし）

（Casting, 1967，一部改変）

解答 ② ❶ 距骨滑車　❷ らせん　❸ 前距腓　❹ 底屈　❺ 顆状　❻ Chopart（ショパール）　❼ Lisfranc（リスフラン）

## SIDE MEMO

### 3 足関節および足部の靱帯

1. 右足部外側面

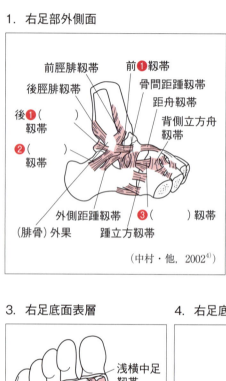

(中村・他, 2002[4])

2. 右足部内側面

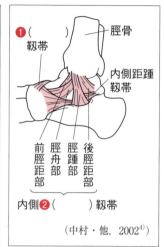

(中村・他, 2002[4])

3. 右足底面表層

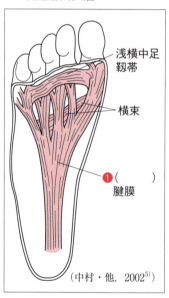

(中村・他, 2002[5])

4. 右足底面深層

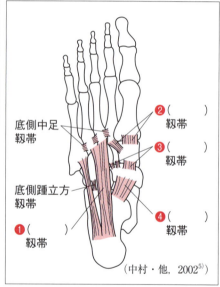

(中村・他, 2002[5])

**解答** ③ 1. ❶ 距腓　❷ 踵腓　❸ 二分
2. ❶ 距舟　❷ 三角
3. ❶ 足底
4. ❶ 長足底　❷ 底側足根　❸ 底側楔舟　❹ 底側踵舟

## SIDE MEMO

### 4 足関節に働く筋

1. 背屈に関わる筋（右足前面から観察）（❶筋〜❿筋まで）

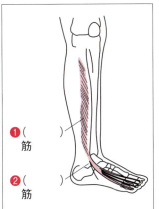
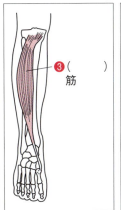
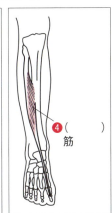

❶（　　）筋
❷（　　）筋
❸（　　）筋
❹（　　）筋

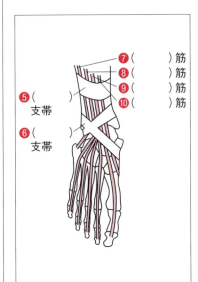

❺（　　）支帯
❻（　　）支帯
❼（　　）筋
❽（　　）筋
❾（　　）筋
❿（　　）筋

2. 底屈に関わる筋（❶筋・❷筋）（右足前面から観察）

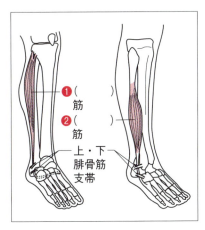

❶（　　）筋
❷（　　）筋
上・下腓骨筋支帯

---

**解答** ４ 1. ❶ 長趾伸　❷ 第三腓骨　❸ 前脛骨　❹ 長母趾伸　❺ 上伸筋　❻ 下伸筋
　　　　　❼ 第三腓骨　❽ 長趾伸　❾ 長母趾伸　❿ 前脛骨
　　　2. ❶ 長腓骨　❷ 短腓骨

## SIDE MEMO

3. 底屈に関わる筋（❶筋〜❼筋まで）（右足後面から観察）

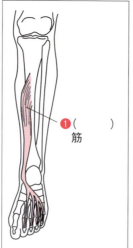
❶（　　　）筋

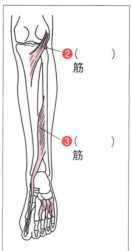
❷（　　　）筋
❸（　　　）筋

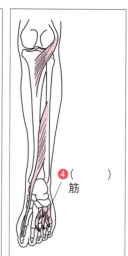
❹（　　　）筋

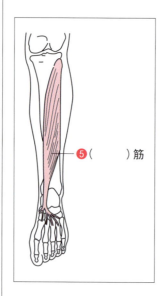
❺（　　　）筋

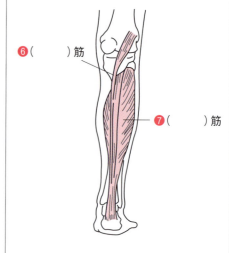
❻（　　　）筋
❼（　　　）筋

解答　4 3. ❶ 長趾屈　❷ 膝窩　❸ 長母趾屈　❹ 底側骨間　❺ 後脛骨　❻ 足底　❼ ヒラメ

## SIDE MEMO

▶足関節の運動範囲
　底屈：45°　背屈：20°
　外反：20°　内反：30°
　外転：10°　内転：20°

▶背屈と底屈

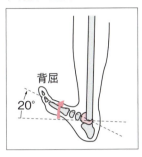

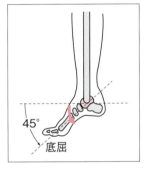

▶足部の運動範囲
　外がえし：20°
　内がえし：30°
　外転：10°　内転：20°
　母趾MP関節
　屈曲：35°　伸展：60°
　母趾IP関節
　屈曲：60°　伸展：0°
　足趾MP関節
　屈曲：35°　伸展：40°
　足趾PIP関節
　屈曲：35°　伸展：0°
　足趾DIP関節
　屈曲：50°　伸展：0°

## 5 足関節の運動と筋

### 1．足関節に作用する筋

| 筋名 | 神経 | 作用 |
|---|---|---|
| ❶（　　　）筋 | 深腓骨神経 | 足の背屈，内反，下腿の前傾 |
| ❷（　　　）筋 | 深腓骨神経 | 足の背屈，母趾の伸展，下腿の前傾 |
| ❸（　　　）筋 | 深腓骨神経 | 第2〜5趾伸展，足の背屈，外反，下腿の前傾 |
| ❹（　　　）筋 | 深腓骨神経 | 足の背屈，外転，外反 |
| 長腓骨筋 | ❺（　　　）神経 | 足の底屈，外反 |
| 短腓骨筋 | ❺神経 | 足の底屈，外反 |
| ❻（　　　）筋 | 脛骨神経 | 足の底屈，膝関節屈曲 |
| ヒラメ筋 | 脛骨神経 | 足の❼（　　　） |
| 足底筋 | 脛骨神経 | 足の❼ |
| ❽（　　　）筋 | 脛骨神経 | 足の底屈，内転，内反 |
| ❾（　　　）筋 | 脛骨神経 | 第2〜5趾屈曲，足の底屈，内反 |
| ❿（　　　）筋 | 脛骨神経 | 母趾屈曲，足の底屈，内反 |

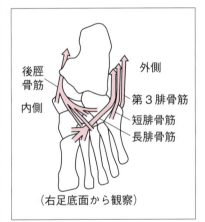

（右足底面から観察）

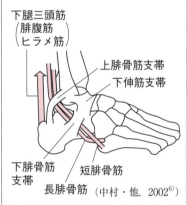

（中村・他，2002[6])

解答　5　1．❶ 前脛骨　❷ 長母趾伸　❸ 長趾伸　❹ 第三腓骨　❺ 浅腓骨　❻ 腓腹
　　　❼ 底屈　❽ 後脛骨　❾ 長趾屈　❿ 長母趾屈

## SIDE MEMO

### 2. 足関節の運動軸と作用筋の腱配置との関係

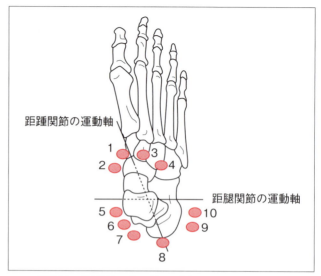

足関節の運動軸と作用筋の腱（右足部を背面から）

- 距腿関節の運動軸より前方に位置する筋は足関節❶（　　　）に作用する．
- 距腿関節の運動軸より後方に位置する筋は足関節❷（　　　）に作用する．
- 距踵関節の運動軸より内側に位置する筋は❸（　　　）（＝回外＋内転）に作用する．
- 距踵関節の運動軸より外側に位置する筋は❹（　　　）（＝回内＋外転）に作用する．

| 番号 | 筋名 | 足関節への作用 | 支配神経 |
|---|---|---|---|
| 1 | 長母趾伸筋 | 背屈＋内反 | 深腓骨神経 |
| 2 | ❺（　　　） | 背屈＋内反 | ❻（　　　）神経 |
| 3 | ❼（　　　） | 背屈＋外反 | 深腓骨神経 |
| 4 | 第3腓骨筋 | 背屈＋外反 | 深腓骨神経 |
| 5 | ❽（　　　） | 底屈＋内反 | 脛骨神経 |
| 6 | 長趾屈筋 | 底屈＋内反 | 脛骨神経 |
| 7 | 長母趾屈筋 | 底屈＋内反 | 脛骨神経 |
| 8 | 腓腹筋＋❾（　　　） | 底屈 | ❿（　　　）神経 |
| 9 | 短腓骨筋 | 底屈＋外反 | ⓫（　　　）神経 |
| 10 | ⓬（　　　） | 底屈＋外反 | 浅腓骨神経 |

**解答** ⑤ 2. ❶ 背屈 ❷ 底屈 ❸ 内反 ❹ 外反 ❺ 前脛骨筋 ❻ 深腓骨 ❼ 長趾伸筋 ❽ 後脛骨筋 ❾ ヒラメ筋 ❿ 脛骨 ⓫ 浅腓骨 ⓬ 長腓骨筋

## SIDE MEMO

### 6 足趾に働く筋

1. 足底浅層(右足底部から観察)

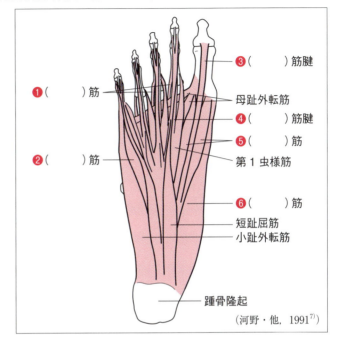

(河野・他,1991[7])

2. 足底深層(右足底部から観察)

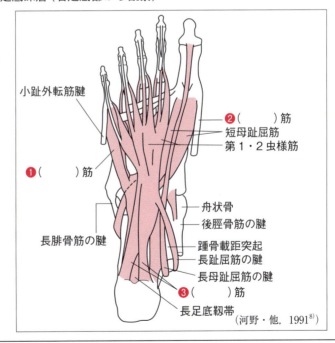

(河野・他,1991[8])

| 解答 | 6 | 1. | ❶ 背側骨間 | ❷ 短小趾屈 | ❸ 長母趾屈 | ❹ 長趾屈 | ❺ 短母趾屈 | ❻ 母趾外転 |
| | | 2. | ❶ 短小趾屈 | ❷ 母趾外転 | ❸ 足底方形 | | | |

## SIDE MEMO

▶**足のアーチ（足弓）**
足部骨格の全体の配列でつくる上方に隆起した軽い弯曲のこと．力学的に合理的な荷重指示に役立つ．アーチ形成により足底にかかる体重は分散されて床に伝達される．
内側縦アーチ，外側縦アーチ，横アーチの3種類ある．
高さは内側縦アーチのほうが外側縦アーチより高い．
出生時には低く未完成であるが，成長とともに活発な筋活動と体重増加に対する抗重力作用として高さを増して完成する．

▶**Böhler 角**（ベーラー）
踵骨隆起から後距踵関節面を結んだ線と前距骨関節面から後距骨関節面を結んだ線との間の角度で，正常は20°～40°．踵骨骨折時にこの角度が減少するとされる．

（踵骨側面図）

## 7 足趾の運動と筋

| | | |
|---|---|---|
| 屈曲 | 足趾を曲げる | ❶（　　　　　）筋，長母趾屈筋，短趾屈筋，❷（　　　　　）筋，骨間筋，短母趾屈筋，小趾屈筋 |
| 伸展 | 足趾を伸ばす | ❸（　　　　　）筋，❹（　　　　　）筋，短趾伸筋 |
| 外転 | 足趾を第2趾から遠ざける | ❺（　　　　　）筋，❻（　　　　　）筋，❼（　　　　　）側骨間筋 |
| 内転 | 足趾を第2趾に近づける | 母趾内転筋，❽（　　　　　）側骨間筋 |

## 8 足のアーチの構造

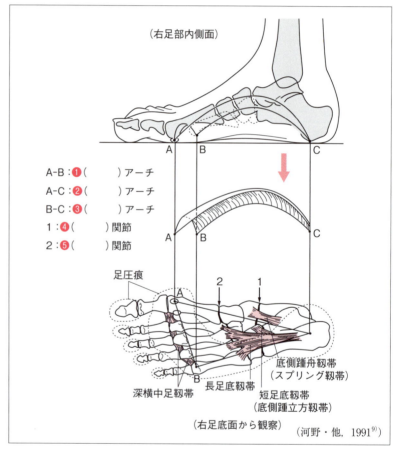

A-B：❶（　　　）アーチ
A-C：❷（　　　）アーチ
B-C：❸（　　　）アーチ
1：❹（　　　）関節
2：❺（　　　）関節

（右足底面から観察）　　（河野・他，1991⁹⁾）

**解答** 7 ❶ 長趾屈　❷ 虫様（❶・❷順不同）　❸ 長趾伸　❹ 長母趾伸（❸・❹順不同）
❺ 母趾外転　❻ 小趾外転（❺・❻順不同）　❼ 背　❽ 底
8 ❶ 横　❷ 内側縦　❸ 外側縦　❹ Chopart（横足根）　❺ Lisfranc（足根中足）

## SIDE MEMO

▶足部の変形

①尖足：足関節が底屈位に固定された状態の変形．

②内反尖足：足部が内がえし位に固定されている状態の変形．

③外反足：足部が外がえし位に固定されている状態の変形．

④凹足：足部の縦アーチが極端に強くなった状態の変形．

⑤扁平足：内側縦アーチが扁平化した状態の変形で，足底全体が接地する．

⑥踵足：足関節が背屈位で固定されている状態の変形で多くは外反を伴っている．

## 9 足のアーチの特徴

1. 内側縦アーチ
   - ❶（　　　　　　　　）を形成．
   - 歩行運動と密接な関係をもつ．
   - 骨：❷（　　　　　　）骨―❸（　　　　　　）骨―舟状骨―第1～3
     ❹（　　　　　　）骨―第1～3中足骨
   
   接地部分：❷骨隆起底側部，第1中足骨の種子骨
   
   アーチの頂点：❺（　　　　　　）骨
   - 靱帯：❻（　　　　　　）靱帯，距踵靱帯，❼（　　　　　　）靱帯，足根中足靱帯
   - 筋：❽（　　　　　　）筋，❾（　　　　　　）筋，長母趾屈筋，
     ❿（　　　　　　）筋，母趾外転筋

2. 外側縦アーチ
   - 足の❶（　　　　　　）と密接な関係をもつ．
   - 骨：❷（　　　　　　）骨―❸（　　　　　　）骨―第4，5中足骨
   
   接地部分：皮膚を含めた❹（　　　　　　）組織で全長にわたって接地
   
   アーチの頂点：❺（　　　　　　）関節部
   - 靱帯：❻（　　　　　　）靱帯，踵立方靱帯，足根中足靱帯
   - 筋：❼（　　　　　　）筋，短腓骨筋，小趾外転筋

3. 横アーチ
   - 内側縦アーチと外側縦アーチの間にできるもの
   1. 第1中足骨頭（種子骨）―第2～5中足骨頭
      
      アーチの頂点：❶（　　　　　　）骨頭
      
      靱帯：深横中足靱帯　　筋：母指内転筋横頭
   2. 内側楔状骨―中間楔上骨―外側楔状骨―❷（　　　　　　）骨
      
      アーチの頂点：❸（　　　　　　）骨
      
      靱帯：❹（　　　　　　）靱帯，❺（　　　　　　）靱帯
      
      筋：❻（　　　　　　）筋

---

**解答** 9 1. ❶ 土踏まず　❷ 踵　❸ 距　❹ 楔状　❺ 舟状　❻ 底側踵舟
　　❼ 楔舟（❻・❼順不同）　❽ 後脛骨　❾ 前脛骨　❿ 長趾屈（❽～❿順不同）
2. ❶ バランス　❷ 踵　❸ 立方　❹ 軟部　❺ 踵立方　❻ 長足底　❼ 長腓骨
3. ❶ 第2中足　❷ 立方　❸ 中間楔状　❹ 楔間　❺ 楔立方（❹・❺順不同）
　　❻ 長腓骨

## SIDE MEMO

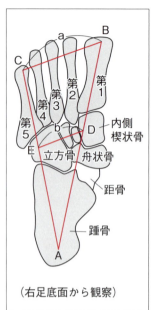

（右足底面から観察）

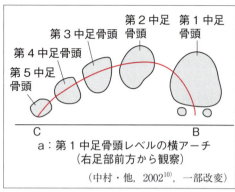

a：第1中足骨頭レベルの横アーチ
（右足部前方から観察）
（中村・他，2002[10]，一部改変）

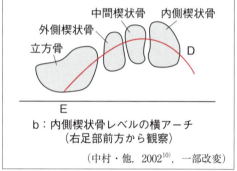

b：内側楔状骨レベルの横アーチ
（右足部前方から観察）
（中村・他，2002[10]，一部改変）

### 10 足の変形

次の（　）の中に足の変形の名称を記入しなさい．

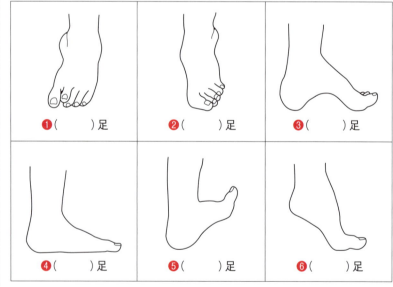

❶（　　）足　❷（　　）足　❸（　　）足

❹（　　）足　❺（　　）足　❻（　　）足

---

**解答** 10 ❶ 内反　❷ 外反　❸ 凹　❹ 扁平　❺ 踵　❻ 尖

## 演習問題

1. 膝関節屈曲と足関節底屈の両方に作用する筋はどれか．2つ選べ．(57-PM72)
    1. 足の長指屈筋
    2. 後脛骨筋
    3. 膝窩筋
    4. 足底筋
    5. 腓腹筋

2. 足関節外側面において，外果の前方を走行する筋はどれか．(56-PM55)
    1. 後脛骨筋
    2. 短腓骨筋
    3. 長腓骨筋
    4. 第3腓骨筋
    5. 長母指屈筋

3. 足の外側縦アーチを形成するのはどれか．2つ選べ．(53-AM73)
    1. 踵　骨
    2. 距　骨
    3. 舟状骨
    4. 立方骨
    5. 中間楔状骨

4. 足部アーチについて正しいのはどれか．(52-AM73)
    1. 外側縦アーチの要石は外則楔状骨である．
    2. 外側縦アーチは内側縦アーチよりも長い．
    3. 内側縦アーチは外がえしで高くなる．
    4. 内側縦アーチは中足指節関節の伸展時に高くなる．
    5. 足根骨部の横アーチで高い位置にあるのは立方骨である．

5. 足部縦アーチの保持に関与する筋・靱帯で正しいのはどれか．(51-AM72)
    1. 虫様筋
    2. 後脛骨筋
    3. 前距腓靱帯
    4. 短母指伸筋
    5. 浅横中足靱帯

6. 足部の運動で正しいのはどれか．2つ選べ．(50-AM73)
    1. 第三腓骨筋は内がえしに作用する．
    2. 長母指伸筋は外がえしに作用する．
    3. 長腓骨筋は横アーチの維持に作用する．
    4. 長指屈筋は内側縦アーチの維持に作用する．
    5. 後脛骨筋は外側縦アーチの維持に作用する．

7. 足関節の背屈を起こす筋はどれか．2つ選べ．(49-AM54)
    1. 前脛骨筋
    2. 長腓骨筋
    3. 後脛骨筋
    4. 長趾屈筋
    5. 第三腓骨筋

8. 足について正しいのはどれか．(49-PM71)
    1. 距腿関節の運動軸は膝軸に対して内捻5〜15°である．
    2. 舟状骨は外側縦アーチを構成している．
    3. 背屈運動により果間距離は拡大する．
    4. Lisfranc関節では内外旋が生じる．
    5. Böhler角は40〜50°である．

9. 足部の運動で正しいのはどれか．(48-AM72)
    1. 外がえしには長母指伸筋が関与する．
    2. 後脛骨筋は立位で横アーチの維持に働く．
    3. 距腿関節では足関節背屈位で内外転が可能である．
    4. 内がえしの運動は第2趾の長軸を中心として生じる．
    5. 踵腓靱帯は距骨下関節における外がえしを制限する．

10. 足部の関節について正しいのはどれか．(47-PM71)
    1. 中足間関節は縦アーチを形成する．
    2. 横足根関節は横アーチを形成する．
    3. 足根中足関節では回内外が起こる．
    4. 距骨下関節では内返しが起こる．
    5. 距腿関節は背屈位で関節の遊びが大きくなる．

# 第4章 体幹の運動学

1. 体幹の解剖・運動学 ………… 140
2. 頸部の運動学 ………………… 145
3. 胸部の運動学 ………………… 150
4. 腰部・骨盤の運動学 ………… 155

# 1 体幹の解剖・運動学

## SIDE MEMO

▶椎骨の連結

①棘間靱帯　⑤脊髄
②棘上靱帯　⑥椎間円板
③後縦靱帯
④前縦靱帯

## 1 体幹を構成する骨格（前面）

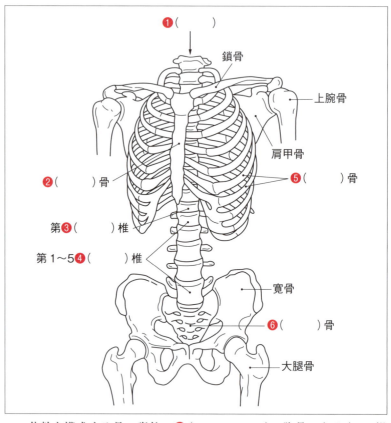

- 体幹を構成する骨：脊柱・❼（　　　　　）・胸骨である（この場合頸椎を除く場合がある）．
- 脊柱：❽（　　　　　）・胸椎・腰椎・仙骨・尾骨よりなる．
- 胸郭：❾（　　　　　）対の肋骨と肋軟骨・❿（　　　　　）・胸椎より形成される．
- 胸郭内の臓器：⓫（　　　　　）と肺．下方には⓬（　　　　　）がテント状に位置し胸腔と腹腔とを隔てる．
- 仙骨：左右の寛骨と⓭（　　　　　）関節を介して連結して⓮（　　　　　）を形成する．
- 仙骨：⓯（　　　　　）個の仙椎が骨癒合して形成される．

**解答** 1 ❶脊柱　❷胸　❸12胸　❹腰　❺肋　❻仙　❼肋骨　❽頸椎　❾12　❿胸骨　⓫心臓　⓬横隔膜　⓭仙腸　⓮骨盤　⓯5

## SIDE MEMO

### 2 脊柱

❶( )椎
❷( )椎
❸( )椎
❹( )個
❺( )椎
❻( )個
❼( )椎
❽( )個
❾( )骨
❿( )個
⓫( )骨
⓬( )個

(前面)　(右側面)

### 3 椎骨

1. 胸椎(上面)　　2. 胸椎(右側面)

❶( )
横突起
❷( )
❸( )
椎体
肋骨との関節面
椎体
❹( )
❺( )
❶

---

**解答** ② ❶環(第1頸) ❷軸(第2頸) ❸頸 ❹7 ❺胸 ❻12 ❼腰
❽5 ❾仙 ❿1 ⓫尾 ⓬1
③ 1, 2. ❶棘突起 ❷上関節突起 ❸椎孔 ❹下椎切痕 ❺下関節突起

## SIDE MEMO

### 4 椎間円板

椎間円板は髄核とそれを取り囲む線維輪とで構成される.

1. 椎間円板の機能
   - 上下椎体の❶(　　　　)作用
   - 脊柱の❷(　　　　)性作用
   - 体重圧の❸(　　　　)作用

2. 髄核の動き
   - 椎骨間の動きが屈曲の場合は❶(　　　　)方へ移動し，伸展の場合は❷(　　　　)方へ移動する.
   - 椎骨間の動きが右側屈の場合は❸(　　　　)側方へ移動し，左側屈の場合は❹(　　　　)側方へ移動する.
   - 椎骨間に❺(　　　　)が起こると，線維輪の緊張で髄核は圧迫を受ける.

### 5 ユニットの役割

1. 前方ユニット
   椎体-椎間板複合体で体重の❶(　　　　)の役割を担う．この部位はあらゆる方向に動く万能関節(universal joint)である.

---

**解答** ④ 1. ❶ 連結　❷ 可動　❸ 緩衝　2. ❶ 後　❷ 前　❸ 左　❹ 右　❺ 回旋
⑤ 1. ❶ 支持

## SIDE MEMO

2. 後方ユニット
   - 椎間関節部は主に椎骨間の可動❶(　　　　)を決定する役割を担う．
   - 靱帯群である棘間靱帯や棘上靱帯などの靱帯は動きの❷(　　　　)の役割を担う．

### 6 椎間関節の関節面の方向

1. 水平面に対する関節面の方向

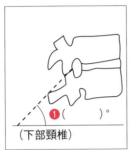
❶(　　　)°
（下部頸椎）

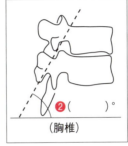
❷(　　　)°
（胸椎）

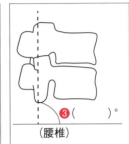
❸(　　　)°
（腰椎）

2. 前額面に対する関節面の方向

❹(　　　)°
（下位頸椎）

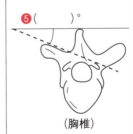
❺(　　　)°
（胸椎）

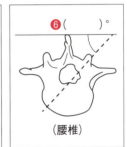
❻(　　　)°
（腰椎）

### 7 脊柱の可動性

|  | 頸椎 | 胸椎 | 腰椎 | 脊柱全体 |
|---|---|---|---|---|
| 前屈 | 45〜50° | 30〜35° | 40〜50° | 140° |
| 後屈 | 75〜80° | 20〜25° | 15〜20° | 100° |
| ※側屈 | 30〜35° | 20〜25° | 20° | 75° |
| ※回旋 | 65〜75° | 30〜35° | 5〜7° | 100° |

※左右それぞれの値．

**解答**　5 2. ❶ 方向　❷ 制動
6 1. ❶ 45　❷ 60　❸ 90
2. ❹ 0　❺ 20　❻ 45

## 演習問題

1. 脊髄の回旋運動について正しいのはどれか．(56-PM73)
    1. 上位頸椎に比べて下位頸椎で可動域が大きい．
    2. 腰椎に比べて胸椎で可動域が小さい．
    3. 胸鎖乳突筋は同側回旋に働く．
    4. 頭板状筋は同側回旋に働く．
    5. 中斜角筋は対側回旋に働く．

2. 脊柱管の前壁に沿って走行する靱帯はどれか．(53-PM52)
    1. 黄色靱帯
    2. 棘間靱帯
    3. 棘上靱帯
    4. 後縦靱帯
    5. 前縦靱帯

3. 背部正中で皮膚と脊髄くも膜下腔との間にある組織はどれか．2つ選べ．(48-PM54)
    1. 硬　膜
    2. 椎間板
    3. 黄色靱帯
    4. 前縦靱帯
    5. 後縦靱帯

4. 脊柱の屈曲に関与する筋で正しいのはどれか．2つ選べ．(44-PM43)
    1. 腹直筋
    2. 上後鋸筋
    3. 外腹斜筋
    4. 腰方形筋
    5. 脊柱起立筋

5. 脊柱の屈曲を制限しない靱帯はどれか．(43-PM44)
    1. 項靱帯
    2. 後縦靱帯
    3. 前縦靱帯
    4. 黄色靱帯
    5. 棘間靱帯

# 2 頸部の運動学

## SIDE MEMO

▶第1頸椎＝環椎
椎体がなく椎孔が最も大きく水平面からみて輪っか状（＝環状）に見えることからこの名がついた．

▶第2頸椎＝軸椎
この椎骨の最大の特徴は歯突起の存在であり，この歯突起を軸に頭部の回旋が生じることからこの名がついた．

▶第7頸椎＝隆椎
頸部を最大に前屈させると正中線上の首の後ろの付け根付近に隆起した所を確認できるが，これが第7頸椎の棘突起によることからこの名がついた．

## 1 頸椎の概要

1. 後頭骨と頸椎の連結（後方より）

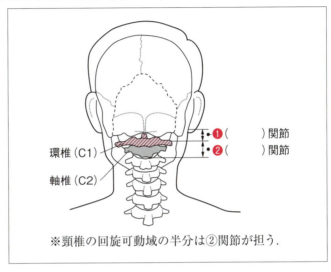

2. 環椎と軸椎の連結（右後方より）

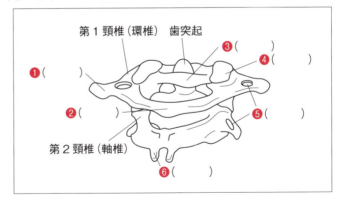

解答　1 1. ❶ 環椎後頭　❷ 環軸
　　　　2. ❶ 横突起　❷ 後結節　❸ 環椎横靱帯　❹ 上関節突起　❺ 横突孔　❻ 棘突起

# SIDE MEMO

### 3. 右斜め後方からみた頸椎全体

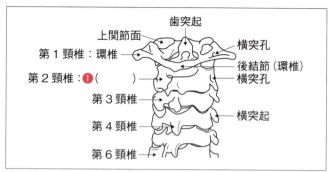

### 4. 矢状面からみた頸椎全体

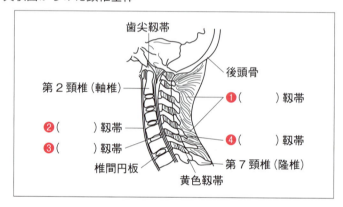

## 2 頸椎の連結と運動

### 1. 頸椎の連結

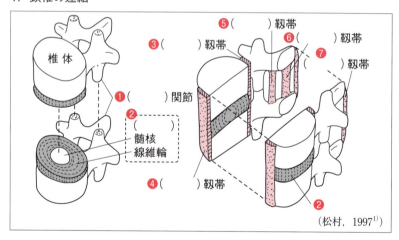

(松村, 1997[1])

---

**解答** 1 3. ❶ 軸椎
　　　　 4. ❶ 項　❷ 前縦　❸ 後縦　❹ 棘間
　　　 2 1. ❶ 椎間　❷ 椎間(円)板　❸ 後縦　❹ 前縦　❺ 黄色　❻ 棘間　❼ 棘上

## 2. 頸椎の運動

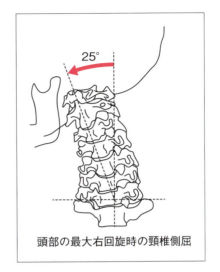

頭部の最大右回旋時の頸椎側屈

- 上位頸椎：第1頸椎から第❶（　　　　）頸椎までをいう．
- 下位頸椎：第❷（　　　　）頸椎から第7頸椎までをいう．
- 椎間関節面の向きが椎骨間の運動❸（　　　　）を決定する．
- 下位頸椎部では矢状面からみて椎体上面に対して椎間関節面は❹（　　　　）°の傾斜をもって上後方を向いているので，右回旋には❺（　　　　）側屈が伴うとも言えるし，右側屈には❻（　　　　）回旋が伴うとも言える．すなわち同側への回旋と側屈が❼（　　　　）に生じる．
- 頭部を側屈させることなく純粋に右回旋のみの動きができるのは，下位頸椎部で右回旋と同時に生じた❽（　　　　）側屈の動きを，上位頸椎部で同程度の❾（　　　　）側屈の動きをすることで打ち消している．
- 頭頸部全体の可動域を表に示す．

| 屈曲（前屈） | 伸展（後屈） | 回旋 | 側屈 |
|---|---|---|---|
| 45～50° | 75～80° | 左右各65～75° | 左右各30～35° |

- 回旋可動域の約半分は❿（　　　　）関節が担う．

---

**解答** ② 2. ❶ 2　❷ 3　❸ 方向　❹ 45　❺ 右　❻ 右　❼ 同時　❽ 右　❾ 左　❿ 環軸

## SIDE MEMO

## 3 頸部の筋

### 1. 頸部の屈曲（前面）

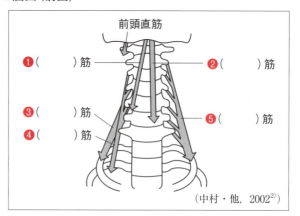

（中村・他，2002[2]）

### 2. 頸部の伸筋後面①

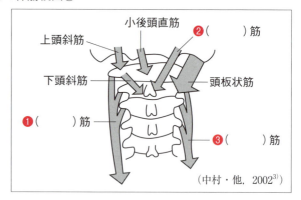

（中村・他，2002[3]）

### 3. 頸部の伸筋後面②

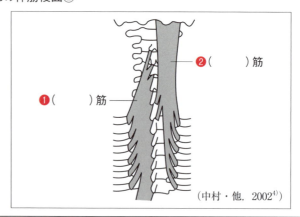

（中村・他，2002[4]）

---

**解答** ③ 1. ❶ 頭長  ❷ 頸長  ❸ 後斜角  ❹ 前斜角  ❺ 中斜角
2. ❶ 頸板状  ❷ 大後頭直  ❸ 肩甲挙
3. ❶ 頸半棘  ❷ 頭半棘

## SIDE MEMO

▶胸鎖乳突筋

頭部の屈曲,伸展いずれにも作用する筋.

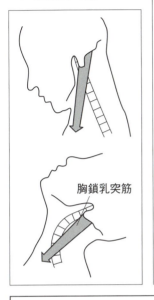

胸鎖乳突筋

## 4 頭・頸部の運動と筋

| 運動方向 | 関与する筋 |
|---|---|
| 屈 曲 | ❶(　　　　　)・椎前筋群・舌骨筋群・斜角筋群 |
| 伸 展 | ❷(　　　　　　　)群・脊柱起立筋群・後頭下筋群などの短背筋群・❶ |
| 側 屈 | 同側の椎前筋群・斜角筋群・❶・❷群・後頭下筋群などの短背筋群・脊柱起立筋群・肩甲挙筋 |
| 同側回旋 | ❷群・後頭下筋群・脊柱起立筋群 |
| 対側回旋 | ❶・短背筋群 |

 解答　4　❶ 胸鎖乳突筋　❷ 板状筋

## 演習問題

1. 頸椎で正しいのはどれか.2つ選べ.(54-AM51)
   1. 環椎に椎体はない.
   2. 軸椎に上関節面はない.
   3. 第4頸椎に鈎状突起はない.
   4. 第5頸椎の横突孔は椎骨動脈が貫通しない.
   5. 第7頸椎の棘突起先端は二分しない.

2. 頸椎の伸展に作用する筋はどれか.(53-AM70)
   1. 頸長筋
   2. 頭長筋
   3. 頸板状筋
   4. 後斜角筋
   5. 前頭直筋

# 3 胸部の運動学

## SIDE MEMO

▶胸椎椎間関節の連結
・屈伸運動の制限
・回旋運動有利

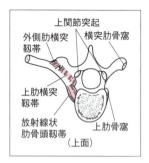

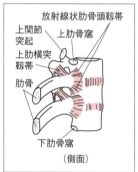

## 1 胸郭

- 胸郭：❶(　　　　　)個の胸椎，12対の❷(　　　　　)，1個の❸(　　　　　)で構成．
- 胸郭の役割：心臓や❹(　　　　　)を保護し，主として❺(　　　　　)運動に関与．
- 胸腔：胸郭内の空間を指している．
- 胸椎：矢状面からみると❻(　　　　　)弯している．椎間関節面の向きからみて屈伸ならびに側屈方向への可動域より回旋可動域のほうが❼(　　　　　)い．
- 肋骨：上位7対を❽(　　　　　)といい，❾(　　　　　)を介して胸骨に連結する．下位5対を❿(　　　　　)といい，胸骨に直接連結することなくすぐ上の肋骨に連結する．❿のうち第11-12肋骨は末端が遊離しているので，遊離肋または⓫(　　　　　)肋という．
- 胸骨：典型的な扁平骨で上から⓬(　　　　　)，胸骨体，剣状突起の3部構成．

## 2 胸郭呼吸運動

1. 関節

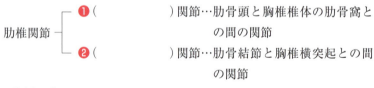

   肋椎関節 ┬ ❶(　　　　　)関節…肋骨頭と胸椎椎体の肋骨窩との間の関節
   　　　　 └ ❷(　　　　　)関節…肋骨結節と胸椎横突起との間の関節

2. 胸郭の動き
   - 前後方向への拡大：❶(　　　　　)位肋骨の挙上
     →胸郭❷(　　　　　)径の増大
   - 左右方向への拡大：❸(　　　　　)位肋骨の挙上
     →胸郭❹(　　　　　)径の増大

---

解答　1 ❶ 12　❷ 肋骨　❸ 胸骨　❹ 肺　❺ 呼吸　❻ 後　❼ 大き　❽ 真肋
　　　　❾ 肋軟骨　❿ 仮肋　⓫ 浮遊　⓬ 胸骨柄
　　　2 1. ❶ 肋骨頭　❷ 肋横突　2. ❶ 上　❷ 前後　❸ 下　❹ 左右(または横)

## SIDE MEMO

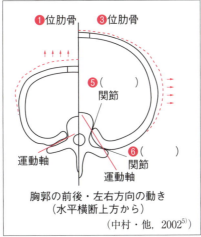

胸郭の前後・左右方向の動き
（水平横断上方から）
（中村・他, 2002⁵⁾）

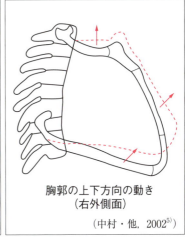

胸郭の上下方向の動き
（右外側面）
（中村・他, 2002⁵⁾）

- 上下方向への拡大：肋骨の挙上
  → 胸郭❼（　　　　　）径の増大
- 呼吸運動—腹式呼吸：❽（　　　　　）呼吸
   ❾（　　　　　）部の動き著明，男性＞女性
   胸式呼吸❿（　　　　　）呼吸
   ⓫（　　　　　）部の動き著明，男性＜女性

### ③ 呼吸に関与する筋

- 吸気筋：❶（　　　　　），❷（　　　　　）肋間筋，
  内肋間筋❸（　　　　　）部が働く．
- 呼気筋：安静時の呼気には筋❹（　　　　　）の必要性なし．
  強制呼気には❺（　　　　　）肋間筋横部・後部，
  ❻（　　　　　）筋群が働く．

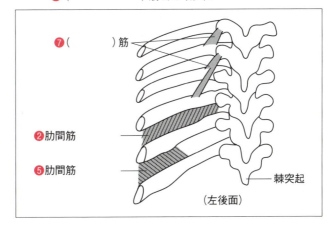

（左後面）

▶内肋間筋と
外肋間筋の走行図

---

**解答** ② 2. ❺ 肋骨頭  ❻ 肋横突  ❼ 上下（または縦）  ❽ 横隔膜  ❾ 腹  ❿ 肋骨  ⓫ 胸
③ ❶ 横隔膜  ❷ 外  ❸ 前  ❹ 収縮  ❺ 内  ❻ 腹  ❼ 肋骨挙

## SIDE MEMO

- 横隔膜の位置は体位により変化し，❽（　　　　　）で最も高位となりその振幅は最も大きくなる．❾（　　　　　）で最も低位でかつ振幅も最も小さくなる．
- 外肋間筋は安静時呼吸時にはほとんど無活動であるが，❿（　　　　　）吸気時に関与する．
- 安静呼気に関与する筋はほとんどなく，吸気後の胸郭や⓫（　　　　　）の縮小に伴って生じる．
- 努力吸気には横隔膜や⓬（　　　　　）をはじめ，補助筋として⓭（　　　　　），斜角筋群，大・小胸筋，肋骨挙筋，僧帽筋，肩甲挙筋，脊柱起立筋が関与する．
- 努力呼気には内肋間筋や⓮（　　　　　）群をはじめ，補助筋として胸横筋が関与する．

### ④ 胸部の動きに関与する筋

#### 1. 胸椎の後面側の筋

❶（　　　）
❷（　　　）
❹（　　　）
❺（　　　）
❸（　　　）
❻（　　　）

（中村・他，2002⁶⁾）

#### 2. 胸椎の前面側の筋

❶（　　　）
❷（　　　）
❸（　　　）
外腹斜筋
白線
鼠径靱帯

❹（　　　）
❸
鼠径靱帯

（中村・他，2012⁷⁾）　（中村・他，2012⁷⁾）

---

**解答** ③ ❽ 背臥位　❾ 座位　❿ 深（または努力）　⓫ 肺　⓬ 外肋間筋　⓭ 胸鎖乳突筋　⓮ 腹筋
④ 1. ❶ 頭最長筋　❷ 頸最長筋　❸ 胸最長筋　❹ 頸棘筋　❺ 胸棘筋　❻ 腸肋筋
2. ❶ 腹直筋　❷ 腱画　❸ 内腹斜筋　❹ 外腹斜筋

## SIDE MEMO

### 5 胸部の運動と筋

・胸椎全体の可動域を表に示す．

| 屈曲（前屈） | 伸展（後屈） | 回旋 | 側屈 |
|---|---|---|---|
| 30～35° | 20～25° | 左右各30～35° | 左右各20～25° |

・胸椎の運動に関与する筋は胸椎に直接付着する筋または胸椎とともに胸郭を構成する肋骨や胸骨の剣状突起に付着する筋とがある．

| 運動方向 | 主に関与する筋 |
|---|---|
| 屈曲 | ❶（　　　　　　）・内腹斜筋・外腹斜筋 |
| 伸展 | 広背筋・僧帽筋・胸腸肋筋・腰腸肋筋・❷（　　　　　　）・胸棘筋・胸半棘筋・多裂筋 |
| 回旋 | 長回旋筋・短回旋筋・❸（　　　　　　）・外腹斜筋 |
| 側屈 | ❹（　　　　　　）・腰腸肋筋・胸最長筋・胸棘筋・内腹斜筋・外腹斜筋・腰方形筋 |

**解答** 5 ❶ 腹直筋　❷ 胸最長筋　❸ 内腹斜筋　❹ 胸腸肋筋

---

### 演習問題

1. 強制吸気時に働くのはどれか．2つ選べ．(57-PM69)
    1. 横隔膜
    2. 腹直筋
    3. 肋下筋
    4. 外肋間筋
    5. 内腹斜筋

2. 努力吸気時に働く筋はどれか．(55-PM73)
    1. 腹横筋
    2. 腹直筋
    3. 外腹斜筋
    4. 内腹斜筋
    5. 胸鎖乳突筋

3. 強制呼気時に働く筋はどれか．(51-AM65)
    1. 胸鎖乳突筋
    2. 外肋間筋
    3. 大胸筋
    4. 横隔膜
    5. 腹斜筋

4. 肋骨に付着する筋はどれか．(50-PM53)
    1. 広背筋
    2. 僧帽筋
    3. 小円筋
    4. 大菱形筋
    5. 肩甲下筋

5. 努力性呼気時に働く筋はどれか．(47-PM72)
    1. 腹横筋
    2. 僧帽筋
    3. 大胸筋
    4. 小胸筋
    5. 胸鎖乳突筋

6. 呼気時に働く筋はどれか．(46-AM73)
    1. 横隔膜
    2. 大胸筋
    3. 後斜角筋
    4. 外腹斜筋
    5. 胸鎖乳突筋

7. 呼気の補助筋で図中の矢印の方向へ胸郭を引き下げるのはどれか．(45-AM73)
    1. 腹直筋
    2. 大腰筋
    3. 腰方形筋
    4. 内腹斜筋
    5. 外腹斜筋

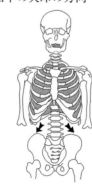

# 4 腰部・骨盤の運動学

## SIDE MEMO

▶**腰椎の動き**
屈曲，伸展，側屈は可能だが，回旋はほとんどできない．

▶**椎間板ヘルニア**
椎間板ヘルニアとは髄核が線維輪を突き破って後外方に脱出し，脊髄神経の神経根を圧迫刺激して，疼痛などをきたす疾患である．

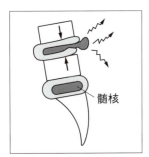

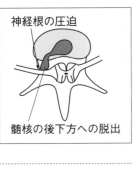

## 1 腰部・骨盤の連結

1. 右側面からみた腰椎の靱帯

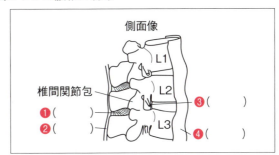

2. 前面からみた右骨盤の靱帯

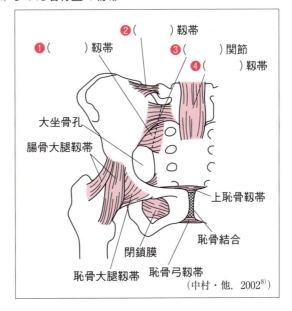
（中村・他，2002[8])）

---

**解答** 1 1. ❶ 棘間靱帯　❷ 棘上靱帯　❸ 後縦靱帯　❹ 前縦靱帯
2. ❶ 前仙腸　❷ 腸腰　❸ 仙腸　❹ 前縦

## SIDE MEMO

▶仙腸関節
- 慢性腰痛患者の約15〜30％が仙腸関節由来の疼痛とされる．
- 小児の仙腸関節は比較的可動性の高い滑膜性関節であるが，思春期から青年期にかけてその可動性は著しく減少する．

### 3. 後面からみた右骨盤の靱帯

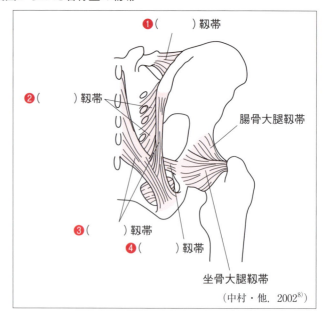

(中村・他, 2002[8])

## 2 仙腸関節

- 上体の荷重は仙腸関節経由で下肢に伝達される．
- 仙腸関節は仙骨の耳状面と腸骨の耳状面が対面し構成される．
- 腸骨に対する仙骨の前方への回旋を前屈運動または❶（　　　　）運動といい，同様に後方への回旋を後屈運動または❷（　　　　）運動という．

### 1. 露出させた右仙腸関節の関節面　　2. 仙腸関節の運動

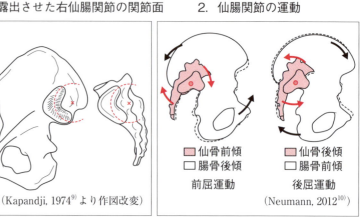

(Kapandji, 1974[9]) より作図改変)　　　(Neumann, 2012[10])

---

解答　1 3. ❶ 腸腰　❷ 後仙腸　❸ 仙結節　❹ 仙棘
　　　2 ❶ うなずき　❷ 起き上がり

## SIDE MEMO

▶骨の連結
・寛骨結合：骨結合
・恥骨結合：線維軟骨結合
・仙腸関節：半関節

▶胸腰部の運動に関与する筋
・屈曲
　腹直筋，外腹斜筋，内腹斜筋
・伸展
　脊柱起立筋，横突棘筋
・側屈
　外腹斜筋，内腹斜筋，腰方形筋，脊柱起立筋，横突棘筋群
・同側回旋
　内腹斜筋，脊柱起立筋
・反対側回旋
　横突棘筋群，外腹斜筋

## 3 矢状面からみた腰椎弯曲と骨盤傾斜との関係

・腰部の伸筋および股関節の屈筋を収縮させることで腹部を前方に突き出すような動きをした場合，腰椎前弯が❶（　　　　）し，骨盤の❷（　　　　），股関節の屈曲が生じる．
・腹部の筋および股関節の伸筋を収縮させることで腹部を後方に引くような動きをした場合，腰椎前弯が❸（　　　　）し，骨盤の❹（　　　　），股関節の伸展が生じる．

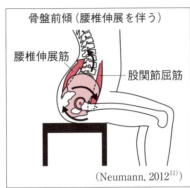
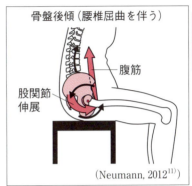

## 4 腰部の筋

1. 腰部前面の筋

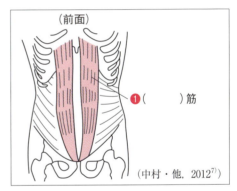

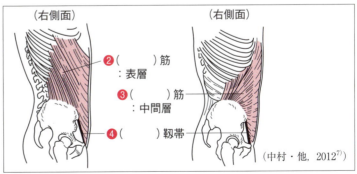

---

**解答**　3 ❶ 増加　❷ 前傾　❸ 減少　❹ 後傾
　　　　4 1. ❶ 腹直筋　❷ 外腹斜筋　❸ 内腹斜筋　❹ 鼠径

## SIDE MEMO

2. 腰部後面の筋

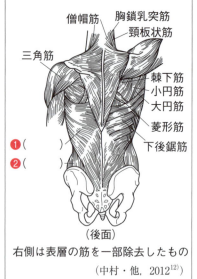

（後面）
右側は表層の筋を一部除去したもの
（中村・他, 2012[12]）

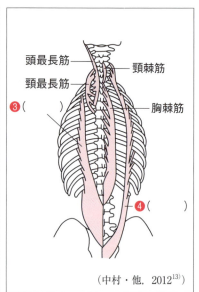

（中村・他, 2012[13]）

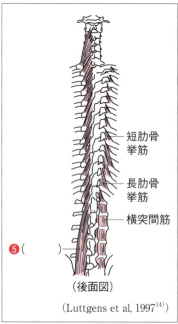

（後面図）
（Luttgens et al, 1997[14]）

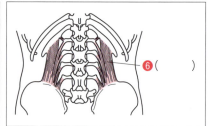

---

**解答** ④ 2. ❶ 広背筋　❷ 外腹斜筋　❸ 胸最長筋　❹ 腰腸肋筋　❺ 多裂筋　❻ 腰方形筋

## 5 腰部の運動と筋

腰部全体の可動域を表に示す．

| 屈曲（前屈） | 伸展（後屈） | 回旋 | 側屈 |
| --- | --- | --- | --- |
| 40～50° | 15～25° | 左右各5～7° | 左右各20° |

第3腰椎の高さの水平面上での筋配置とその作用

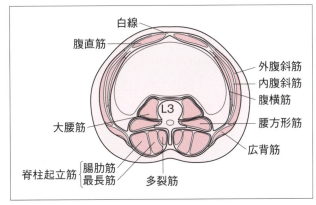

- 腹直筋
  - 両側同時：体幹❶（　　　　　）
- 外腹斜筋
  - 両側同時：体幹❷（　　　　　）
  - 片側のみ：体幹❸（　　　　　）側方向への側屈
  - 体幹❹（　　　　　）側方向への回旋
- 内腹斜筋
  - 両側同時：体幹❺（　　　　　）
  - 片側のみ：体幹❻（　　　　　）側方向への側屈
  - 体幹❼（　　　　　）側方向への回旋
- 脊柱起立筋群（腸肋筋・最長筋・棘筋）
  - 両側同時：体幹❽（　　　　　）
  - 片側のみ：体幹❾（　　　　　）側方向への側屈
  - 体幹❿（　　　　　）側方向への回旋
- 腰方形筋：体幹⓫（　　　　　）側方向への側屈
  - ：同側の骨盤挙上

---

解答 5 ❶ 屈曲　❷ 屈曲　❸ 同　❹ 反対　❺ 屈曲　❻ 同　❼ 同　❽ 伸展　❾ 同　❿ 同　⓫ 同

## 演習問題

1. 胸椎に付着する筋はどれか．(52-AM55)
    1. 外腹斜筋
    2. 肩甲挙筋
    3. 前鋸筋
    4. 僧帽筋
    5. 内腹斜筋

2. 筋と体幹の運動の組合せで正しいのはどれか．(49-PM72)
    1. 外腹斜筋 ——— 同側への回旋
    2. 最長筋 ——— 伸　展
    3. 腹横筋 ——— 側　屈
    4. 腹直筋 ——— 伸　展
    5. 腰方形筋 ——— 屈　曲

3. 筋と体幹の運動の組合せで誤っているのはどれか．(47-AM72)
    1. 最長筋 ——— 伸　展
    2. 腹直筋 ——— 屈　曲
    3. 腰方形筋 ——— 回　旋
    4. 外腹斜筋 ——— 回　旋
    5. 内腹斜筋 ——— 回　旋

4. 片側の収縮時に頭頸部または体幹を反対側へ回旋させるのはどれか．2つ選べ．(45-PM72)
    1. 内腹斜筋
    2. 外腹斜筋
    3. 板状筋群
    4. 胸鎖乳突筋
    5. 後頭下筋群

# 第5章 頭部・顔面の運動学

1. 頭蓋骨と顎関節 …………… 162
2. 咀　嚼 ………………… 164
3. 表　情 ………………… 166
4. 眼球運動 ………………… 168

# 1 頭蓋骨と顎関節

## SIDE MEMO

▶頭蓋骨

①脳頭蓋
→脳を保護する．
・前頭骨（1個）
・頭頂骨（2個）
・後頭骨（1個）
・側頭骨（2個）
・蝶形骨（1個）

②顔面頭蓋
→感覚・消化・呼吸器を保護する．
・篩骨（1個）
・下鼻甲介（2個）
・涙骨（2個）
・鼻骨（2個）
・鋤骨（1個）
・上顎骨（2個）
・口蓋骨（2個）
・頬骨（2個）
・下顎骨（1個）
・舌骨（1個）

## 1 頭蓋骨を構成する骨とその連結

・頭蓋骨は脳髄を包み込み保護する役割をする❶（　　　　）頭蓋と，感覚器や消化器および呼吸器を保護する役割をする❷（　　　　）頭蓋とで構成される．

1. 頭蓋の前面

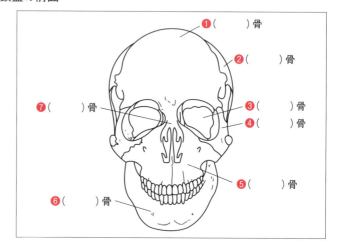

2. 頭蓋の側面

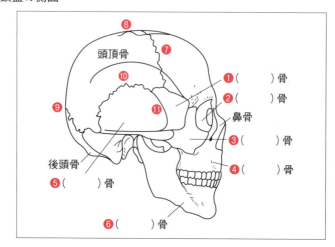

---

解答　1 ❶ 脳　❷ 顔面
1. ❶ 前頭　❷ 頭頂　❸ 蝶形　❹ 頬　❺ 上顎　❻ 下顎　❼ 鼻
2. ❶ 蝶形　❷ 涙　❸ 頬　❹ 上顎　❺ 側頭　❻ 下顎

## SIDE MEMO

- **❼**（　　　　　）縫合：前頭骨と左右の頭頂骨との連結部
- **❽**（　　　　　）縫合：左右の頭頂骨の連結部
- **❾**（　　　　　）縫合：左右の頭頂骨と後頭骨との連結部
- **❿**（　　　　　）縫合：頭頂骨と側頭骨との連結部
- **⓫**（　　　　　）縫合：蝶形骨と側頭骨との連結部

### 2 顎関節

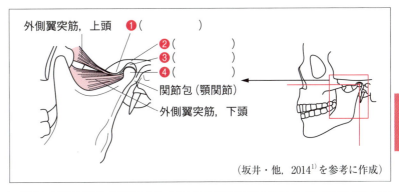

(坂井・他，2014¹⁾を参考に作成)

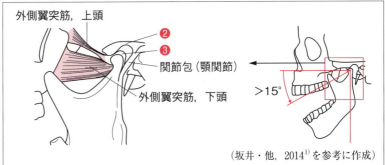

(坂井・他，2014¹⁾を参考に作成)

- 頭蓋における唯一の可動関節である．
- 関節頭に該当するのは下顎骨の❹で，関節窩に該当するのは側頭骨の❷から❶の下面に至る面である．
- 閉口時には❹は❷に収まっているが，口を15°以上開くと❷の前方を滑走して❶上に位置する．開口時に❹を前方に可動させるのは外側翼突筋の下頭で，❸を前方に可動させるのは外側翼突筋の上頭である．

---

**解答** ① 2. ❼ 冠状　❽ 矢状　❾ ラムダ　❿ 鱗状　⓫ 蝶鱗
② ❶ 関節結節　❷ 下顎窩　❸ 関節円板　❹ 下顎頭

# 2 咀嚼

## SIDE MEMO

### 1 咀嚼とは

- 食べ物を歯で噛んだり，砕いたり，潰したりする行為をいう．
- 神経系ならびにそれに支配される筋（咀嚼筋），歯，舌，左右の顎関節が相互に作用する．

### 2 顎関節の動き

- 顎関節の動きは下顎の動きとして認識される．

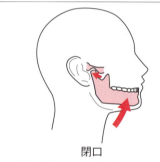

閉口
下顎を挙上させる運動．

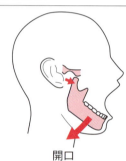

開口
下顎を下制させる運動．成人では最大開口時には3本の指が入る隙間ができる．

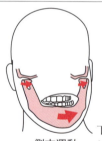

側方運動
下顎を側方に動かす運動．成人では片側への最大平均変位は11mmである．

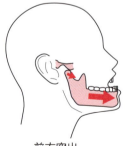

前方突出
下顎を前方に突き出す運動．口を最大限に開けるための重要な要素である．

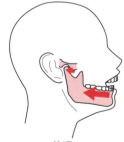

後退
下顎を後方に引く運動．口を大きく開き前方突出させた下顎を閉じるための重要な要素である．

## SIDE MEMO

### 3 咀嚼筋と支配神経

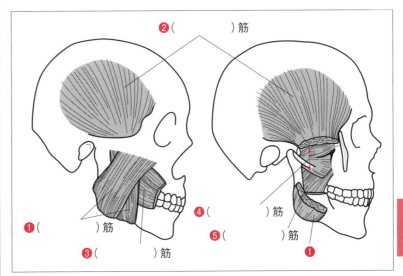

| 筋 | 閉口 | 開口 | 側方運動 | 前方突出 | 後退 |
|---|---|---|---|---|---|
| ❶筋 | ++ | | + | + | |
| 内側翼突筋 | ++ | | ++※ | + | |
| 外側翼突筋（上頭） | | | ++※ | ++ | |
| 外側翼突筋（下頭） | | ++ | ++※ | ++ | |
| ❷筋 | ++ | | + | | ++ |
| 舌骨上筋群 | | ++ | | | + |

（++：強く関与　+：ある程度関与　※：対側が働く）

・咀嚼の主動筋である❶筋，内側翼突筋，外側翼突筋，❷筋の支配神経は三叉神経の分枝である❻（　　　）神経である．

---

解答　3 ❶ 咬　❷ 側頭　❸ 頰　❹ 外側翼突　❺ 内側翼突　❻ 下顎

# 3 表情

## SIDE MEMO

▶表情筋（顔面筋）
→顔面神経支配

・前頭筋（額のシワ）
・皺眉筋（眉間のシワ）
・口輪筋（口笛を吹く）
・上唇挙筋
　（泣くときの上唇）
・大頬骨筋（笑う）
・口角下制筋（不満顔）
・小頬骨筋（泣く）
・眼輪筋（ウインク）
・口角挙筋（ウインク）

## 1 表情を作り出すしくみ

・顔面に位置する筋を表情筋という．
・表情筋は顔面の浅層の筋であり，頭蓋の骨膜や連結する隣接の筋から起こり，他の表情筋や皮膚の結合組織に停止する．
・表情筋は皮膚に停止してさまざまな表情を作ることより皮筋とも呼ばれる．

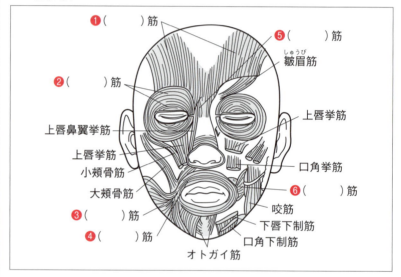

## 2 機能別表情筋

・表情筋が表層の皮膚を動かすことでさまざまな表情が作り出される．

| 領域 | 筋 | 所見 |
|---|---|---|
| 頭蓋冠 | 前頭筋 | 前頭部にシワを寄せる |
| 眼瞼裂 | ❶（　　　　）<br>皺眉筋<br>眉毛下制筋 | 眼瞼を閉じる<br>眉にシワを寄せる<br>眉毛を下げる |
| 鼻 | 鼻根筋<br>鼻筋（翼部）<br>鼻筋（横部）<br>上唇鼻翼挙筋 | 鼻根にシワを寄せる<br>鼻翼を下方に引く（鼻孔を開く）<br>外鼻孔を狭める<br>上唇と鼻翼を挙上する |

**解答** ① ❶ 前頭 ❷ 眼輪 ❸ 笑 ❹ 口輪 ❺ 鼻根 ❻ 頬
　　　 ② ❶ 眼輪筋

## SIDE MEMO

| | | |
|---|---|---|
| 口 | ❷(        ) | 口を閉じる |
| | 頬筋 | 頬壁を歯列に押しつける．頬壁と歯列との間に挟まった食物を歯のほうに追い出す |
| | 大頬骨筋 | 口角を引き上げる |
| | 小頬骨筋 | 上唇を引き上げる |
| | ❸(        ) | 笑う．口角を外側に引き，えくぼを作る |
| | 上唇挙筋 | 上唇を引き上げる |
| | 口角挙筋 | 口角を引き上げる |
| | 口角下制筋 | 口角を引き下げる |
| | 下唇下制筋 | 下唇を外下方に引く |
| | ❹(        ) | オトガイ部の皮膚を引き上げ，下唇をつき出し，小さなくぼみを作る |
| | オトガイ横筋 | 二重あごを作る |
| 耳 | 前耳介筋 | 耳介を前方に引く |
| | 上耳介筋 | 耳介を上方に引く |
| | 後耳介筋 | 耳介を後方に引く |
| 頸 | ❺(        ) | 下顎骨縁から第2肋骨付近の皮膚につく．頸部および鎖骨下方の皮膚を上に引く |

### 3 表情筋の支配神経

- 表情筋を支配する神経：❶(        )
- 脳幹の❷(        )に位置する顔面神経核は上下の2部に分かれた構造をしている．
- 上部は前頭部の筋と❸(        )の周囲の筋を支配し，下部は顔面下半分を支配する．
- 顔面神経核の上部は❹(        )の皮質（上位）運動ニューロンからの支配を受け，下部は❺(        )の皮質（上位）運動ニューロンからの支配を受ける．
- 中枢性の顔面神経麻痺（核上性）では❻(        )の顔面下半分の表情筋が麻痺するが，前頭部の筋と眼の周囲の筋は機能が保たれている．
- 末梢性の顔面神経麻痺（核下性）では❼(        )の表情筋はすべて麻痺している．

---

**解答** ２ ❷ 口輪筋 ❸ 笑筋 ❹ オトガイ筋 ❺ 広頸筋
３ ❶ 顔面神経 ❷ 橋 ❸ 眼 ❹ 両側 ❺ 対側 ❻ 対側 ❼ 同側

# 4 眼球運動

## 1 外眼筋

（左図：右眼球の高さの水平断面，右図：右眼球の前面）

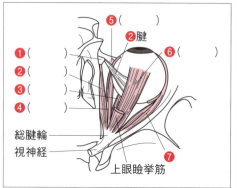
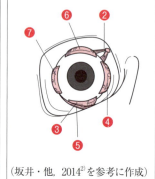

(坂井・他，2014[2])を参考に作成）

## 2 外眼筋の作用と支配神経

| 筋 | 主な作用 | 副次的な作用 | 神経支配 |
|---|---|---|---|
| 外側直筋 | ❶（　　　　） | なし | ❸（　　　　） |
| 内側直筋 | 内転 | なし | ❹（　　　　），下枝 |
| 上直筋 | ❷（　　　　） | 内転と内旋 | ❹，上枝 |
| 下直筋 | 下転 | 内転と外旋 | ❹，下枝 |
| 上斜筋 | 下転と外転 | 内旋 | ❺（　　　　） |
| 下斜筋 | ❶と❷ | 外旋 | ❹，下枝 |

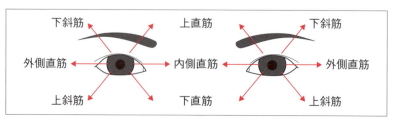

**解答** ① ❶ 滑車　❷ 上斜筋　❸ 下直筋　❹ 内側直筋　❺ 下斜筋　❻ 上直筋　❼ 外側直筋
② ❶ 外転　❷ 上転　❸ 外転神経　❹ 動眼神経　❺ 滑車神経

## 演習問題

1. 筋滑車がみられる筋はどれか．2つ選べ．(57-PM52)
    1. 烏口腕筋
    2. 顎二腹筋
    3. 示指伸筋
    4. 小胸筋
    5. 上斜筋

2. 筋と支配神経の組合せで正しいのはどれか．2つ選べ．(56-AM58)
    1. 下斜筋 ――――― 外転神経
    2. 下直筋 ――――― 視神経
    3. 上眼瞼挙筋 ――――― 動眼神経
    4. 上斜筋 ――――― 滑車神経
    5. 内側直筋 ――――― 眼神経

3. 外眼筋の中で動眼神経の支配でないのはどれか．(54-PM53)
    1. 上斜筋
    2. 下斜筋
    3. 上直筋
    4. 下直筋
    5. 上眼瞼挙筋

4. 咀嚼筋はどれか．2つ選べ．(53-PM70)
    1. 咬　筋
    2. 側頭筋
    3. 口輪筋
    4. 小頰骨筋
    5. オトガイ筋

5. 顎関節の説明で正しいのはどれか．(48-PM51)
    1. 関節円板は存在しない．
    2. 側頭筋は下顎骨を前方に引く．
    3. 下顎骨が凹の関節面を形成する．
    4. 開口に伴って下顎骨は前進する．
    5. 咬筋は第一のてことして作用する．

# MEMO

# 第6章 姿　勢

**1.** 姿勢と重心との関係 ………  172
**2.** 立位姿勢と姿勢保持 ………  176

# 姿勢と重心との関係

## SIDE MEMO

### 1 構えと体位

- 姿勢には構えと体位の2つの側面がある．
- 構え……頭部，体幹，四肢の各部位の相対的位置関係のことで，具体的には体幹前屈位や右上肢外転位などと記述
- 体位……身体と重力の方向との位置関係のことで，具体的には臥位や立位などと記述

〈体位の主な種類〉

### 2 重心と重心線

❶（　　　　　　）：物体を質点の集合体とみなした場合，各質点に働く重力の合力の作用点をいう．質量の中心と一致する．

❷（　　　　　　）：重心から地球の中心に向かう直線

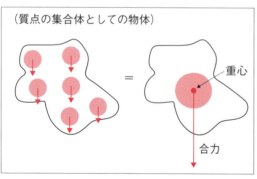

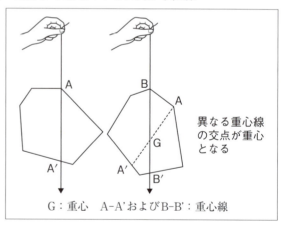

異なる重心線の交点が重心となる

G：重心　A-A'およびB-B'：重心線

---

解答　2　❶ 重心　❷ 重心線

## SIDE MEMO

### 3 人体の重心の測定法（直接法）

てこの原理を利用する．板の上に人を背臥位にして，板の一端を支持台Sに乗せ，肩の下方付近に体重計を配置して板を水平に保つ．支持台と板の接点をO，体重計と板の接点をA，求める重心の位置をG，体重計の目盛りの値を$W_1$，体重を$W_0$とすると，体重によって生じた右回りのモーメント$W_0 \times OG$と，体重計に示されている反力によって生じた左回りのモーメント$W_1 \times OA$とが釣り合っているので，

❶（　　　　　　　）＝ $W_1 \times OA$　　∴　$OG = OA \times (W_1/W_0)$

この$OG$の値が身長に対する床面からの重心の位置を表す．

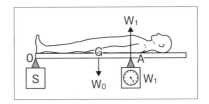

### 4 自然立位時の重心の位置

- 成人においては骨盤内で❶第（　　）仙椎前方2.5cmの位置とされる．
- 成人男性：床面より身長の❷約（　　）%の高さに位置する．
- 成人女性：床面より身長の❸約（　　）%の高さに位置する．
- 小児では頭部が身体に対して相対的に重いため，成人より重心の位置は❹（　　　　）．

---

**解答** 3 ❶ $W_0 \times OG$
4 ❶ 2　❷ 56　❸ 55　❹ 高い

## SIDE MEMO

### 5 重心線とアライメント

アライメントとは，❶(　　　　　)の意．一直線（一列）にする（なる）ことと和訳されている．人が理想的な基本的立位姿勢を保持しているときのアライメントの指標となる点は❷(　　　　　)に一致する．

基本的立位姿勢の理想的なアライメントを下図に示す．

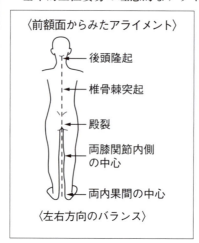

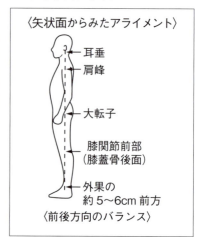

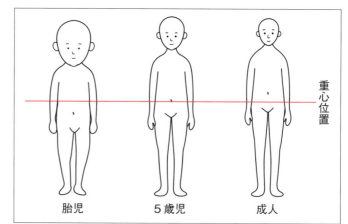

---

解答 5 ❶ 配列　❷ 重心線

## 演習問題

1. 成人の正常立位姿勢で正しいのはどれか．(54-PM74)
   1. 腰仙角は約10度である．
   2. 胸椎と仙椎は前弯を示す．
   3. 矢状面上における重心は仙骨の後方に位置する．
   4. 矢状面における身体の重心線は足関節中心を通る．
   5. 両上前腸骨棘と恥骨結合を含む面は前額面とほぼ一致する．

2. 立位姿勢時の重心について正しいのはどれか．(51-PM72)
   1. 仙骨の後方にある．
   2. 閉眼すると後方に移動する．
   3. 小児は相対的に成人より足底に近い．
   4. 重心線は膝関節中心の後方1〜2cmを通る．
   5. 重心動揺面積は老年期には加齢に伴い増大する．

3. 立位姿勢について正しいのはどれか．(49-AM73)
   1. 重心動揺は閉眼にて減少する．
   2. 重心動揺は年齢によって変化しない．
   3. 立位持に股関節のY靱帯は弛緩する．
   4. 安静立位時にヒラメ筋の持続的筋収縮がある．
   5. 立位時の重心の位置は第1腰椎の後方にある．

4. 安静立位姿勢における重心線の通る位置で正しいのはどれか．2つ選べ．(48-AM73)
   1. 耳垂の前方
   2. 肩関節の前方
   3. 大転子の前方
   4. 膝蓋骨の後方
   5. 外果の後方

## 2 立位姿勢と姿勢保持

### SIDE MEMO

### 1 立位姿勢の安定性

1. 姿勢の相違による重心の高さの変化

×：重心

2. 支持基底面の広さ

両足を密着した場合（左上）よりも，両足を開いた状態（右上）や松葉杖を使用した状態（下）のほうが支持基底は拡大する．

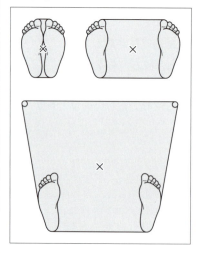

3. 左下肢を上げたときの重心線と支持基底面

×：重心線の位置

## SIDE MEMO

▶重力筋
　重力に対抗して姿勢を保持するために働く筋.
▶部位別抗重力筋
〈顎関節〉
　咬筋，側頭筋
〈頸部伸筋群〉
　後頭下筋群，頭(半)棘筋，頭(頸)最長筋，頸腸肋筋，頭(頸)板状筋
〈脊柱起立筋群〉
　胸棘筋，最長筋，腸肋筋，僧帽筋(中部と下部)，菱形筋
〈腹筋群〉
　内腹斜筋，外腹斜筋，腹横筋
〈殿筋群〉
　中殿筋，大殿筋
〈大腿部筋群〉
　大腿四頭筋，ハムストリングス
〈下腿部筋〉
　腓腹筋，ヒラメ筋，後脛骨筋
〈足趾〉
　長母趾屈筋，長趾屈筋，母趾外転筋，小趾外転筋

## ② 立位姿勢の安定のための影響因子

- 重心の位置：重心の位置が❶(　　　　　)いほど安定性がよい.
- 支持基底面の広さ：身体を支持する面が❷(　　　　　)いほど安定性がよい.
- 支持基底面と重心線の関係：重心線が支持基底面の中心に❸(　　　　　)いところを通るほど安定性がよい.
- 質量：質量が❹(　　　　　)いほど安定性がよい.
- 摩擦：身体と床面のとの摩擦係数が❺(　　　　　)いほど安定性がよい.
- 分節性：分節構造物より単一構造物のほうが安定性が❻(　　　　　)い.
- 心理的要因：視覚を遮断すると❼(　　　　　)覚フィードバックが障害され，不安定になる.
- 生理的要因：立位では重力に対抗して活動する❽(　　　　　)筋が作用する他，❾(　　　　　)反射などが関与する.

## ③ 立位保持に働く筋

- 立位保持に働く筋を抗重力筋という.
- 安静立位を保つための抗重力筋のうち，頭頸部伸筋群，脊柱起立筋群，大腿二頭筋およびヒラメ筋を主要姿勢筋という.

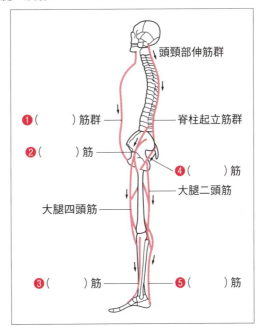

---

解答　②❶低　❷広　❸近　❹大き　❺大き　❻良(高)　❼視　❽抗重力　❾姿勢
　　　③❶腹　❷腸腰　❸前脛骨　❹大殿　❺下腿三頭

## SIDE MEMO

▶ **重心動揺**
　立位での重心線は支持基底のなかに落下し，その位置は時間とともにわずかずつ変化している．この重心線の変位を重心動揺という．

▶ **姿勢保持**
　姿勢保持のためには立ち直り反射などの姿勢反射が必要不可欠である．

▶ **骨盤の傾斜**
　後上腸骨棘と恥骨結合を結ぶ線と水平線のなす角度をいう．正常約30°である．

### 4 快適な立位姿勢保持のための3要素

安定性：力学的に安定した状態なら筋活動は最小となり，疲労は❶（　　　　　）．

非対称性：直立より片脚を斜めに出した方が支持基底面は❷（　　　　　）なり，安定性は❸（　　　　　）．

交代性：一定の姿勢を長時間保持するより，主に荷重をかける脚を❹（　　　　　）させた方が筋疲労は❶．

### 5 立位姿勢の重心動揺

　立位姿勢では❶（　　　　　）を支点とし，頭部や重心が動揺している逆振子運動が認められる．立位姿勢では重心線が足関節の❷（　　　　　）を通るため身体は前方に倒れるが，それに抗するために下腿三頭筋などの背側にある筋群が活動し，重心の❸（　　　　　）方向の動揺を調整する．重心動揺の面積は，幼児期から10代後半までは年齢の増加につれて❹（　　　　　）し，20歳代には❺（　　　　　）になる．その後は加齢とととともに増加し，70歳代以降では著しく増加する．

### 6 姿勢の型

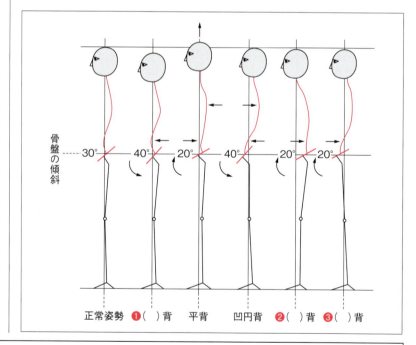

正常姿勢　❶（　）背　平背　凹円背　❷（　）背　❸（　）背

---

**解答**
4 ❶ 少ない　❷ 広く　❸ 増す　❹ 交代
5 ❶ 足関節　❷ 前方　❸ 前後　❹ 減少　❺ 最小
6 ❶ 凹　❷ 亀　❸ 円

## SIDE MEMO

### 7 姿勢制御

姿勢制御に必要な感覚情報系には、視覚系、前庭系、体性感覚系の3つがある。

視覚系：❶（　　　　　）によって身体動揺は増強される。急に❶すると重心はやや前方へ移動するが、これは眼からの立ち直り反射の欠如によるとされる。

前庭系：両側の迷路の機能喪失によって重心の前後動揺は❷（　　　　　）する。

体性感覚系：下肢伸筋群や足底皮膚からの感覚入力が❸（　　　　　）すると重心動揺は増大する。

**解答** 7 ❶ 閉眼　❷ 増大　❸ 減少

---

### 演習問題

1. 立位姿勢が安定しているのはどれか．(52-AM69)
   1. 支持基底面が狭い．
   2. 重心の位置が高い．
   3. 床と足底の接触面の摩擦抵抗が小さい．
   4. 上半身と下半身の重心線が一致している．
   5. 重心線の位置が支持基底面の中心から離れている．

2. 姿勢を不安定にする要因はどれか．2つ選べ．(46-PM73)
   1. 視覚の遮断
   2. 高い重心位置
   3. 広い支持基底
   4. 接触面との大きな摩擦
   5. 支持基底中心への重心線の投射

# MEMO

# 第7章 歩行と走行

1. 歩行周期 ………………… 182
2. 運動学的歩行分析 ………… 186
3. 運動力学的歩行分析 ……… 190
4. 歩行時の筋活動 …………… 195
5. 小児および高齢者の歩行 … 198
6. 異常歩行 …………………… 201
7. 走　行 ……………………… 206

# 1 歩行周期

## SIDE MEMO

▶立脚相
（stance phase）
歩行周期のうち，床と足底が接触している状態または時間をいう．
・踵接地：heel strike
・足底接地：foot flat
・立脚中期：mid stance
・踵離地：heel off
・足尖離地：toe off

## 1 歩行とは

- 歩行は最も一般的な移動方法で，最も高度に❶(　　　　)された運動といえる．
- 歩行を円滑に行うには瞬間，瞬間の❷(　　　　)制御がうまくなされる必要がある．
- 二足歩行による移動は，重力下において意図的に力学的バランスを崩し，再び元に戻ることを❸(　　　　)に繰り返す現象である．

## 2 歩行周期と関連用語

歩行とは，動作学には左右の下肢を交互に進行方向に同程度振り出す動きの繰り返しであるとされることより，そこに周期が存在することになる．その周期を歩行周期（walking cycle, gait cycle）といい，通常一側の踵が接地してから次に❶(　　　　)の踵がふたたび接地するまでの期間をいう．

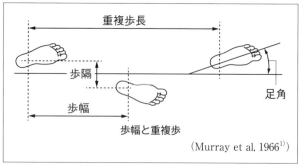

（Murray et al, 1966¹⁾）

一歩（step）：一側の踵接地から❷(　　　　)側の踵接地までの動作．
歩幅（step length）：一側の踵接地から一歩となる❷側の踵接地までの距離．
重複歩（stride）：一側の踵接地から次なる❶の踵接地までの動作．
重複歩長（stride length）：一側の踵接地から次なる同側の踵接地までの❸(　　　　)で，自由速度での歩行では❹(　　　　)の80〜90％，速歩きでは❹の100〜110％に該当する．
歩隔（stride width）：歩行時における左右の❺(　　　　)間の左右幅．

---

**解答** 
① ❶ 自動化　❷ 姿勢　❸ 規則的
② ❶ 同側　❷ 反対　❸ 距離　❹ 身長　❺ 踵

## SIDE MEMO

歩行率 (cadence)：単位時間あたりの❻(　　　　　　)．通常は1分間あたりの歩数で身長，年齢，性別により異なる．

歩行速度 (walking speed)：通常1分あたりの❼(　　　　　　)．歩行速度＝歩幅×歩行率，小児や高齢者では成人より❽(　　　　　　)．

PCI (physiological cost index)：歩行時における生理的なエネルギー効率を示す指標で，

PCI (拍/m) ＝〔歩行時心拍数 (拍/分) －安静時心拍数 (拍/分)〕÷❾(　　　　　　)(m/分)で表す．

### ③ 歩行周期の区分

| 事象 | 踵接地 | 足底接地 | | 立脚中期 | 踵離地 | つま先離地 | | | 踵接地 |
|---|---|---|---|---|---|---|---|---|---|
| | 0% | 8% | | 30% | 40% | 60% | 75% | 85% | 100% |
| 期間 | | | | | プッシュオフ | 遊脚初期 | 遊脚中期 | 遊脚後期 | |

伝統的な歩行周期の区分

(Neumann, 2012²⁾)

1. **立脚相 (stance phase)**：歩行や走行時に足底の一部でも地面 (床) と接している時期のことである．通常歩行では踵が接地してから足が離地するまでの相や期間をいい，1歩行周期の約❶(　　　　　　)%を占める．

　立脚相
　├ 踵接地 (heel contact：HC)：❷(　　　　　　)が地面に接した時期．この時期を歩行周期の開始点(0%)とした場合．
　├ 足底接地 (foot flat：FF)：❸(　　　　　　)全体が地面に接した時期：8～10%
　├ 立脚中期 (mid stance：MS)：足底の直上に❹(　　　　　　)が位置した時期：30%
　├ 踵離地 (heel off：HO)：❷が地面から離れる時期：40%
　└ つま先離地 (または足趾離地) (toe off：TO)：❺(　　　　　　)または足趾が地面から離れる時期：60%

---

**解答**　②❻ 歩数　❼ 移動距離　❽ 遅い　❾ 歩行速度
　　　　③ 1. ❶ 60%　❷ 踵　❸ 足底　❹ 骨盤　❺ つま先

## SIDE MEMO

2. **遊脚相（swing phase）**：歩行や走行時に足底が地面と全く接触していない時期のことである．通常歩行ではつま先が離地してから踵が接地するまでの足部が空間にある期間をいい，1歩行周期の約❶（　　　）%を占める．

遊脚相
- 加速期：下肢が体幹の後方から直下まで移動する時期．
- 遊脚中期：下肢が体幹の直下に位置する時期．
- 減速期：下肢が体幹の直下から前方に移動する時期．

3. **単脚支持期**：片脚のみで体重を支えている時期，他側の脚が❶（　　　）相にある．

4. **両脚支持期**：両脚ともが立脚期にある時期をいい，立脚相と遊脚相との移行時期に認められる．❶（　　　）定着時期ともいい，1歩行周期に❷（　　　）%ずつ2回ある．

### 4 歩容要素の新しい定義

| 伝統的な定義 | 新たな定義<br>（ランチョ・ロス・アミゴス, 1995） |
|---|---|
| 踵接地 | 初期接地（initial contact） |
| 踵接地から足底接地まで | 荷重反応期（loading response） |
| 足底接地から立脚中期まで | 立脚中期（mid stance） |
| 立脚中期から踵離地まで | 立脚終期（terminal stance） |
| つま先離地 | 遊脚前期（preswing） |
| つま先離地から加速期まで | 遊脚初期（initial swing） |
| 加速期から遊脚中期まで | 遊脚中期（mid swing） |
| 遊脚中期から減速期まで | 遊脚終期（terminal swing） |

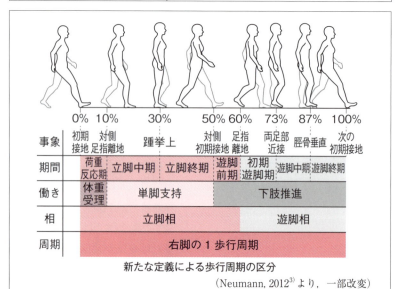

新たな定義による歩行周期の区分

（Neumann, 2012[3]より，一部改変）

**解答** ③ 2. ❶ 40　3. ❶ 遊脚　4. ❶ 同時　❷ 10

## 演習問題

1. 10 m 歩行において歩幅 45 cm，歩行率 80 歩/分を示す．このときの歩行速度（m/秒）はどれか．(57-AM74)
   1. 0.4 m/秒
   2. 0.5 m/秒
   3. 0.6 m/秒
   4. 0.7 m/秒
   5. 0.8 m/秒

2. 歩行について正しいのはどれか．2つ選べ．(43-PM47)
   1. 重心点の高さは立脚中期に最大となる．
   2. 歩行速度は重複歩時間に比例する．
   3. 両脚支持期は1歩行周期に1回ある．
   4. 歩行率は一般に男性が女性よりも高い．
   5. エネルギー効率は快適歩行速度で最もよい．

3. 歩行率で誤っているのはどれか．(40-PM45)
   1. 歩調ともいう．
   2. 1分間の歩数で表示する．
   3. 歩行速度は歩幅×歩行率で計算できる．
   4. 一般に女性より男性で高い．
   5. 壮年以降は加齢に従い低下する．

# 2 運動学的歩行分析

## SIDE MEMO

▶運動学的歩行分析
力の概念ではなく，歩行のパターン，歩行そのものを解析すること．

▶運動学的歩行分析方法
・写真撮影法
・映画撮影法
・クロノサイクログラフ
・ストロボスコープ
・ビデオテープレコーダー
・バゾグラフ
・電気角度計
　　　　　　　　　など

### 1 歩行時の重心移動

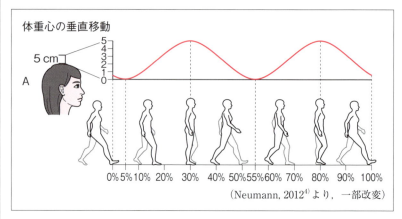

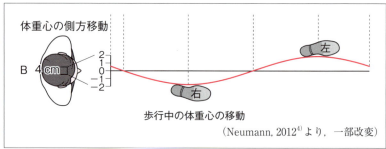

歩行中の体重心の移動
（Neumann, 2012⁴⁾より，一部改変）

重心の位置：成人男性の重心の位置は，身長に対して床から
❶（　　　　　）％の高さで，第❷（　　　　　）仙椎
❸（　　　　　）2.5 cmに位置する．
歩行時の重心の移動：上下左右方向とも❹（　　　　　）曲線を描く．
重心の上下方向への移動：振幅は約❺（　　　　　）cm，
❻（　　　　　）に最高位，❼（　　　　　）直後に最低位
重心の左右方向への移動：振幅は約4 cm，❻が左右への移動の限界．

---

**解答** 1　❶ 56　❷ 2　❸ 前方　❹ 正弦　❺ 5　❻ 立脚中期　❼ 踵接地

## SIDE MEMO

### 2 歩行時の体節の回旋

骨盤の回旋角度は約❶(　　　　)°である．
骨盤と大腿骨との相対的回旋角度は約❷(　　　　)°である．
大腿骨と脛骨との相対的回旋角度は約❸(　　　　)°である．

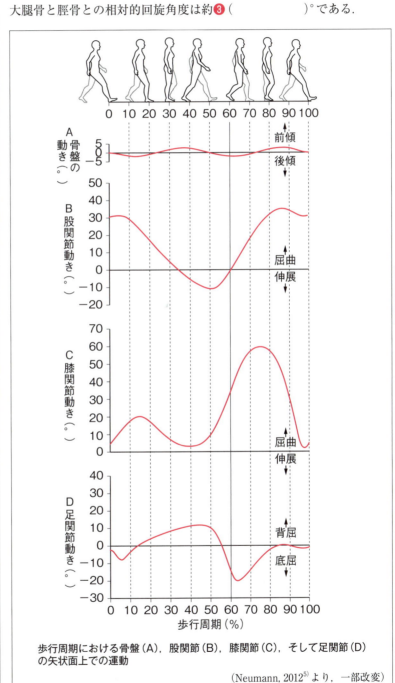

歩行周期における骨盤(A)，股関節(B)，膝関節(C)，そして足関節(D)の矢状面上での運動

(Neumann, 2012[5]より，一部改変)

解答 2 ❶ 8　❷ 8　❸ 9

## SIDE MEMO

### 3 歩行時の下肢関節の角度変化

股関節：1歩行周期中に屈伸を各1回ずつ．
膝関節：1歩行周期中に屈伸を各❶（　　　　　）回ずつ．
足関節：1歩行周期中に屈伸を各2回ずつ．
体幹：体幹上部と下部は❷（　　　　　）方向に回旋する．
大腿骨や脛骨の内旋運動：❸（　　　　　）相初期から
❹（　　　　　）相初期に出現．
大腿骨や脛骨の外旋運動：❹相初期から❸相初期に出現．

### 4 歩行の決定因子

骨盤の回旋：自然歩行では，骨盤は❶（　　　　　）軸・❷（　　　　　）面上で片側4°，両側8°の回旋．水平前額軸・矢状面上では踵接地時に❸（　　　　　）は最大，❹（　　　　　）期に前傾は最大．
骨盤傾斜：一側の立脚中期時に遊脚側に骨盤は前額面上で水平位より約❺（　　　　　）°下方へ傾斜．
立脚相における膝関節屈曲：膝関節はほぼ❻（　　　　　）位で立脚相の出発点である踵接地を迎え，その後の立脚相の進展に伴い，屈曲-伸展-屈曲の動きをする．これを❼（　　　　　）という．この作用の意義は，❽（　　　　　）時の衝撃の軽減と重心の❾（　　　　　）移動を減らすことにある．
足関節と膝関節の機構：膝関節伸展時には足関節背屈，膝関節屈曲時には足関節底屈することで機能的に下肢の長さを一定化する．これの意義は重心の❾移動を減らすことにある．
骨盤の側方移動：❹期時に骨盤は最も側方移動をする．この期には股関節は❿（　　　　　）位，大腿骨や脛骨が生理的⓫（　　　　　）位にあるため，約3cmの側方移動で済んでいる．

### 5 歩行時の上肢の運動

歩行時の左右交互になされる上肢の振り子運動は，体幹の❶（　　　　　）運動をできるだけ打ち消して進行方向に❷（　　　　　）を安定化させるためである．

---

**解答** 3 ❶ 2　❷ 逆　❸ 遊脚　❹ 立脚
4 ❶ 垂直　❷ 水平　❸ 後傾　❹ 立脚中　❺ 5　❻ 伸展　❼ 二重膝作用
❽ 踵接地　❾ 上下　❿ 内転　⓫ 外反
5 ❶ 回旋　❷ 視線

## 演習問題

1. 正常歩行について正しいのはどれか．(57-PM74)
    1. 足関節は1歩行周期に背屈と底屈とが2回生じる．
    2. 股関節は1歩行周期に伸展と屈曲とが2回生じる．
    3. 膝関節は1歩行周期に伸展と屈曲とが1回生じる．
    4. 一側下肢の立脚相と遊脚相の割合は7：3である．
    5. 高齢者では歩行比が大きくなる．

2. 正常歩行について正しいのはどれか．(53-AM74)
    1. 肩関節は同側の踵接地時に最大屈曲位となる．
    2. 膝関節は踵接地直後に伸展する．
    3. 骨盤は水平面において回旋運動をする．
    4. 骨盤は前額面において水平に保たれる．
    5. 骨盤は遊脚側へ側方移動する．

3. 次の歩行周期で足関節が最も底屈位となるのはどれか．(51-AM74)
    1. 踵接地
    2. 足底接地
    3. 立脚中期
    4. 爪先離地
    5. 遊脚中期

4. 正常歩行時の重心移動幅の減少への関与が小さいのはどれか．(50-AM74)
    1. 骨盤傾斜
    2. 二重膝作用
    3. 膝関節の回旋
    4. 骨盤の回旋運動
    5. 骨盤の側方移動

5. 正常歩行時の矢状面における重心移動について正しいのはどれか．(49-AM74)
    1. 歩行速度が増すと重心軌道の高低差は小さくなる．
    2. 1歩行周期において重心軌道は一峰性を示す．
    3. 重心の移動速度は立脚中期で最も速くなる．
    4. 重心が最も高くなるのは荷重反応期である．
    5. 重心が最も低くなるのは踵接地期である．

# 3 運動力学的歩行分析

## SIDE MEMO

▶運動力学的歩行分析
　歩行と力との関連から歩行を解析することを運動力学的歩行分析という．以下の測定がある．
・床反力測定
・足底圧痕測定
・加速度測定
・積分筋電図解析

## 1 足力と床反力

　片脚立ち位や歩行時には立脚側の足底が床面を下方に押すことになるが，その押す力を足力といい，その力と真逆な方向に同じ大きさの力（反力）が同時に生じる．この力のことを❶（　　　　）という．足力と❶はニュートンの第3法則である❷（　　　　）の法則に従っている．

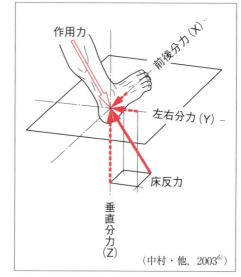

(中村・他，2003[6])

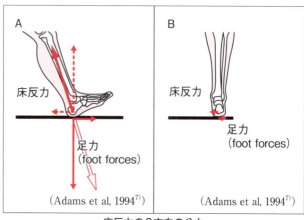

床反力の3方向の分力

---

**解答**　1 ❶ 床反力　❷ 作用・反作用

## SIDE MEMO

▶ 床反力の3方向の分力

・左右側方への分力
$\begin{pmatrix} +：外側方向への力 \\ -：内側方向への力 \end{pmatrix}$
一側立脚相では内向きに働く．

・前後分力
$\begin{pmatrix} +：前方向への力 \\ -：後方向への力 \end{pmatrix}$
踵接地で後方への力が働き，一側立脚相で最大となる．その後，後方への力が減少し，立脚中期から前方への力が働くようになる．

・垂直分力
　＋：上方向への力
立脚相で上方へ働く力に2つのピーク期がある．第1ピーク期は立脚初期，第2ピーク期は立脚後期である．

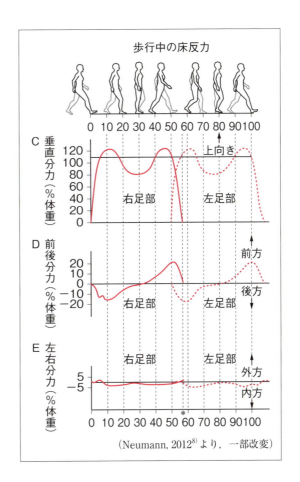

(Neumann, 2012[8])より，一部改変)

## 2 床反力の3方向の分力

### 1. 垂直分力

支持面に対して垂直方向の力（上図のC：上向きを＋）

・垂直分力の第1ピーク：❶（　　　　　）期に出現．この時期には体重心は下降するので身体の下向きの動きを減速させ，続いて身体を上向きに加速させるために体重より❷（　　　　　）い垂直床反力が必要．その値は体重の約120％．

・垂直分力の第2ピーク：❸（　　　　　）期に出現．足関節底屈による押しと遊脚前期の身体の下方運動を減速させるために体重より❷い垂直床反力が必要．その値は体重の約120％．

・ピーク間の谷：立脚中期に出現．体重心の垂直方向への加速ために体重よりわずかに小さい垂直床反力が必要．

---

**解答** 2 1. ❶ 荷重反応　❷ 大き　❸ 立脚終

## SIDE MEMO

2. 前後分力

進行方向で支持面に対して平行な力（前図のD：前向きを＋）

前後方向の床反力は踵接地で❶（　　　　　）力として後ろ向きに働き，単脚支持期になると最大となる．その後徐々に後ろ向きの分力は減少し単脚支持期の中頃を転換点として前向きの❷（　　　　　）力に変わる．この力は単脚支持期から両脚支持期への移行期に最大．その値は体重の20%．

3. 左右分力

進行方向に直交し，支持面に対して平行な力（前図のE：外向きを＋）

側方方向の床反力は最初の両脚支持期で外向きから内向きに転じ，単脚支持期の間は❶（　　　　　）向きに働いている．最大値は体重の5%．

### 3 踵接地時の床反力によって生じるトルク

踵接地から足趾離地までの立脚中の足底にかかる圧力の中心を❶（　　　　　）という．❶は踵接地時には踵中央部よりやや外側に位置し，その後中足部やや外側から前足部の第1または第2中足骨頭下に移動する．踵接地時に❶は床反力の作用点の役割を果たす結果，足関節の❷（　　　　　）トルクおよび距骨下関節での❸（　　　　　）トルクを生じる．これらの外的トルクに抗するために背屈内反作用をもつ❹（　　　　　）によって制御される．

▶足圧中心の軌跡

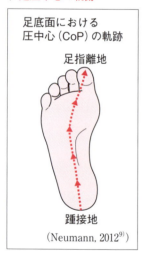
足底面における圧中心（CoP）の軌跡
（Neumann, 2012[9]）

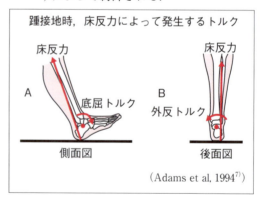
踵接地時，床反力によって発生するトルク
（Adams et al, 1994[7]）

---

**解答** ② 2. ❶ 制動　❷ 推進　3. ❶ 内
③ ❶ 足圧中心　❷ 底屈　❸ 外反　❹ 前脛骨筋

## SIDE MEMO

### 4 荷重反応期と床反力

右下肢の荷重反応期における床反力は足関節と❶(　　　)の後方を，股関節では❷(　　　)を走行する結果，足関節底屈，膝関節❸(　　　)および股関節屈曲を引き起こし，一般に言う膝折れ現象を生じさせる．通常これに抗するために足関節❹(　　　)筋，膝関節❺(　　　)筋，股関節❻(　　　)筋が動く．

(Whittle, 2007[10] より改変)

**解答** 4 ❶ 膝関節　❷ 前方　❸ 屈曲　❹ 背屈　❺ 伸　❻ 伸

---

## 演習問題

1. 反射マーカを用いた三次元歩行分析装置で評価が最も困難なのはどれか．(55-PM74)
    1. 歩幅
    2. 歩行率
    3. 重心の変化
    4. 足底圧分布
    5. 関節角度変化

2. 運動分析の計測対象と機器との組合せで正しいのはどれか．(44-45)
    1. 筋トルク ──────── 表面筋電計
    2. 足圧中心 ──────── 床反力計
    3. 関節座標 ──────── 電気角度計
    4. 関節角速度 ─────── 圧電計
    5. 関節モーメント ───── 加速度計

3. 正常歩行時の床反力で誤っているのはどれか.（42-PM47）
    1. 垂直分力は2峰性の波形を示す.
    2. 垂直分力の最大値は体重を超える.
    3. 左右分力は立脚中期には外向きに働く.
    4. 前後分力は足底接地時には後ろ向きに働く.
    5. 前後分力は爪先離地時には前向きに働く.

MEMO

# 4 歩行時の筋活動

## SIDE MEMO

▶ 歩行時の筋活動
歩行時の筋活動については，一般には筋電図での測定結果を通して語られる．その場合，筋が求心性収縮しているのか，遠心性収縮しているのかなどの収縮様態までは筋電図からは不明であるため，それを理解するためには筋電図上の筋活動量と実際の動きとの照合が重要となる．

## 1 歩行周期からみた筋活動

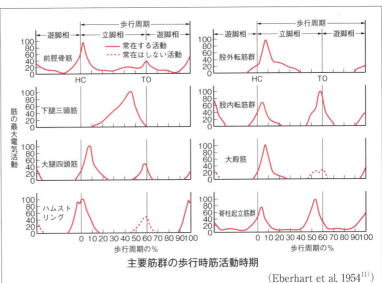

主要筋群の歩行時筋活動時期

(Eberhart et al, 1954[11])

歩行周期全体を通して活動する筋
　❶（　　　　　），前脛骨筋などの足関節背屈筋群．

初期接地から立脚中期にかけて活動する筋
　脊柱起立筋，大殿筋，❷（　　　　　），股関節内転筋群，
❸（　　　　　），ハムストリングス，足関節背屈筋群．

立脚終期に活動する筋
　❹（　　　　　）・ヒラメ筋・後脛骨筋・長母趾屈筋などの底屈筋群，脊柱起立筋．

遊脚相加速期に活動する筋
　腸腰筋・大腿直筋などの股関節屈筋群，股関節内転筋群，
❺（　　　　　）などの足関節背屈筋群．

遊脚相減速期に活動する筋
　❻（　　　　　），大腿四頭筋，前脛骨筋などの足関節背屈筋群．

遊脚相全般に活動する筋
　❺・長趾伸筋・長母趾伸筋などの足関節背屈筋群．

---

**解答** 　1　❶ 脊柱起立筋　❷ 股関節外転筋群　❸ 大腿四頭筋　❹ 腓腹筋　❺ 前脛骨筋　❻ ハムストリングス

## SIDE MEMO

▶ **Trendelenburg徴候**
中殿筋などの股外転筋群に弱化がある場合，患脚起立時に骨盤を水平位に保てず，遊脚側に骨盤が傾く現象をいう．

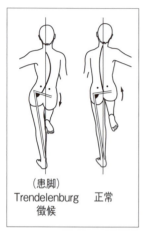
（患脚）
Trendelenburg徴候　　正常

## 2 機能面からみた主な筋活動

股関節外転筋群：特に片脚支持期にかけて遊脚側に❶（　　　　　）が沈下しないように関与→❷（　　　　　）現象が出現しないように関与．

股関節内転筋群：特に立脚初期に❸（　　　　　）筋群と共同して骨盤の安定化に関与．

股関節伸展筋群：遊脚終期における下肢の❹（　　　　　）に関与し，その後の立脚中期までの股関節の❺（　　　　　）と体幹の前方へのジャックナイフ現象の予防に関与．特に荷重反応期から立脚中期には大腿四頭筋ともに膝❺に関与．

大腿四頭筋：荷重反応期は❻（　　　　　）収縮することで衝撃吸収と過度の膝屈曲を防ぐ→❼（　　　　　）予防．その後立脚中期まで体重支持に関与．

ハムストリングス：遊脚相終期における下肢の減速に関与し，その後❽（　　　　　）とともに膝関節の安定化に関与．

足関節背屈筋群：遊脚相全般にわたり足関節背屈位保持に関与するのと同時に❾（　　　　　）時における足関節の固定に関与．

下腿三頭筋：立脚終期における❿（　　　　　）に関与．

脊柱起立筋群：歩行周期全般にわたり活動し，体幹の⓫（　　　　　）へのジャックナイフ現象の予防に関与．

---

**解答** 2　❶ 骨盤　❷ Trendelenburg　❸ 外転　❹ 減速　❺ 伸展　❻ 遠心性
❼ 膝折れ　❽ 大腿四頭筋　❾ 初期接地（または踵接地）　❿ 蹴り出し　⓫ 前方

---

## 演習問題

1. 正常歩行で遠心性収縮をする筋はどれか．2つ選べ．(58-AM74)
    1. 踵接地から足底接地までの前脛骨筋
    2. 足底接地から立脚中期までの下腿三頭筋
    3. 立脚中期から踵離地までの大殿筋
    4. 加速期から遊脚中期までの内側広筋
    5. 遊脚中期から減速期までの腸腰筋

2. 正常歩行の全歩行周期にわたって筋活動がみられるのはどれか．(49-PM73)
    1. 下腿三頭筋
    2. 大腿四頭筋
    3. ハムストリングス
    4. 中殿筋
    5. 脊柱起立筋

3. 健常成人の歩行時の床反力の垂直分力（片側）を図に示す．床反力を計測している側の筋のうち，Aの時点で収縮力が増加するのはどれか．(48-PM73)
   1. 大殿筋
   2. 中殿筋
   3. 大腿二頭筋
   4. 前脛骨筋
   5. 腓腹筋

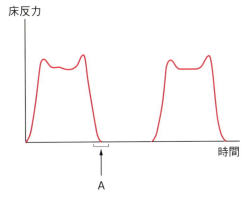

4. 正常歩行で求心性収縮を示すのはどれか．2つ選べ．(46-PM74)
   1. 立脚初期の中殿筋
   2. 踵接地期の前脛骨筋
   3. 踵離地期の下腿三頭筋
   4. つま先離地期の腸腰筋
   5. 踵接地期直前のハムストリングス

MEMO

## 5 小児および高齢者の歩行

**SIDE MEMO**

▶ 自律歩行
初期起立の姿勢で体を前傾させるとあたかも歩行しているかのように交互に足を踏み出すこと．

### 1 小児の起立と歩行（発達段階からみた）

| 生後1～2カ月 | ❶（　　　　　　　）反応による初期起立，初期起立の姿勢で体幹を前傾させると下肢を踏み出す自律歩行の出現． |
|---|---|
| 生後3カ月 | 初期起立，自律歩行の消失． |
| 生後5カ月 | 体幹保持にて全体重を足底で支持． |
| 生後6カ月 | 体幹保持にてその場での足踏み． |
| 生後8カ月 | つかまり立ち． |
| 生後11カ月 | 物につかまって立ったり座ったり，つかまり歩き． |
| 生後❷（　　　　　　　）カ月 | 座位からの立ち上がり，支持なしでの歩行（処女歩行）． |
| 生後18カ月 | 比較的転倒なく早歩き． |
| 生後24カ月 | 転倒しないで走る． |
| 生後36カ月 | 片脚立ちができる． |
| 6歳 | 成人型の歩行になる． |

　上記の発達段階には個人差がある．通常生後❷カ月前後でみられる処女歩行が2歳前後にずれ込むこともある．それぞれの動作を獲得していく順序には個人差はあまりない．

### 2 小児の歩行の特徴

- 通常，1歳から1歳半では支持なしでの歩行が可能である．この時期の歩行の特徴は踵から接地するのではなく，❶（　　　　）全体で接地する．歩行周期全般を通し，股関節❷（　　　　　）位で歩隔を広くしたワイドベースでの歩行パターンを示す．結果，❸（　　　　　）方向への安定性は良好となるが，反面❹（　　　　　）方向の安定性が低下するため，前後に転倒しやすい．歩きの覚えはじめにはあたかも万歳をするかのように❺（　　　　　）を挙上する．
- 2歳児では，踵からの接地が認められワイドベースの割合は減少する．立脚中期からつま先離地までに膝の❻（　　　　　）が出現してくる．

---

**解答** 1 ❶ 陽性支持　❷ 12
2 ❶ 足底　❷ 外転　❸ 左右　❹ 前後　❺ 上肢　❻ 屈曲

## SIDE MEMO

- 3歳児では，踵接地や各関節の連動した動き，❼（　　　　）肢の交互振りなどが認められ，成人に近い歩容を示す．
- 加齢とともに，単脚支持期(%)，歩幅(cm)，歩行周期(sec) は長くなり，歩行速度(m/分)は速くなる．反面，❽（　　　　）(歩/分) は低下する．

### ③ 高齢者の歩行の特徴

- 高齢者は若年者より歩行速度が❶（　　　　）．特に❷（　　　　）歳以降では自然歩行の速度は急速に❸（　　　　）する．その傾向は❹（　　　　）性で著しい．
- 歩行の特徴
  1. 重複歩長が❺（　　　　）．
  2. 歩隔が❻（　　　　）．
  3. 特に❼（　　　　）関節の動きが少なくなる．
  4. 二重支持期が❽（　　　　）する．
  5. 歩行率が❾（　　　　）くなる．

〈高齢者の歩行の特徴〉

| 歩行周期の変化 | 運動学的変化 | 運動力学的変化 |
|---|---|---|
| ・歩行速度の❸<br>・歩幅の減少<br>・歩行率の❸<br>・重複歩長の❿（　　）<br>・歩隔の⓫（　　）<br>・立脚期の延長<br>・二重支持期の❽<br>・遊脚期の短縮 | ・重心の上下移動の❿<br>・腕振りの減少<br>・股・膝・足関節の⓬<br>　（　　）域の減少<br>・足底での接地<br>・股・膝関節の⓭<br>　（　　）の低下<br>・立脚相における動的安定性の低下 | ・爪先離地における⓮<br>　（　　）力の減少<br>・踵接地における⓯<br>　（　　）力の低下 |

- 高齢者の歩行が変化する理由
  1. 歩行時のエネルギー消費を⓰（　　　　）に保つ
  2. 全身筋力の低下
  3. バランス機能の低下
  4. 四肢体幹の柔軟性の低下
  5. 身体的な⓱（　　　　）障害（心血管障害，神経障害，骨関節障害，骨粗しょう症，甲状腺機能低下，視覚障害，うつ状態，認知障害，薬物など）

---

**解答**　②❼ 上　❽ 歩行率
③ ❶ 遅い　❷ 65　❸ 低下　❹ 女　❺ 短い　❻ 広がる　❼ 足　❽ 延長　❾ 低　❿ 短縮　⓫ 拡大　⓬ 屈曲　⓭ 協調性　⓮ 蹴り出し　⓯ 衝撃吸収　⓰ 最小　⓱ 機能

## 演習問題

1. 小児を裸足で方眼紙の上を歩行させた図を示す．重複歩距離はどれか（55-PM1）
   1. 10 cm
   2. 20 cm
   3. 35 cm
   4. 40 cm
   5. 55 cm

   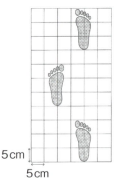

2. 歩行時に若年者よりも高齢者の方が大きいのはどれか．（44-PM47）
   1. 歩　隔
   2. 歩　幅
   3. 骨盤回旋
   4. 遊脚相/立脚相比
   5. 頭部の上下動の振幅

3. 小児の歩行で正しいのはどれか．（40-PM77）
   1. 独歩開始時から踵接地がみられる．
   2. 歩幅に対する歩隔の比率は発達とともに増加する．
   3. 両脚支持期は発達とともに増加する．
   4. ケイデンスは発達とともに減少する．
   5. 上肢肢位は発達とともに挙上位となる．

4. 高齢者の歩行の特徴で正しいのはどれか．（38-PM45）
   1. 若年者と同じ速度で歩く場合は歩調を多くとる．
   2. 若年者に比べて遊脚相/立脚相比が増加する．
   3. 若年者に比べて骨盤の水平回旋は大きくなる．
   4. 若年者に比べて頭部の上下動の振幅は大きくなる．
   5. 若年者に比べて床反力垂直成分の変化は大きい．

5. 小児歩行の特徴で誤っているのはどれか．（34-PM48）
   1. 前額面に比べて矢状面では安定している．
   2. 上肢は肘屈曲位である．
   3. 足底全体で接地する．
   4. 遊脚期に股関節は外転する．
   5. 歩隔は大きい．

# 6 異常歩行

ここでいう異常歩行とは歩容が健常者と異なっている場合を指す．

## 1 異常歩行の観察

前後ならびに左右から観察する．

1. 一般所見
    - 運動の❶（　　　　　）：右半身と左半身との時間のずれのもとでの対称性
    - 運動の円滑さ：ぎこちなさやよろめきの有無と，あるとした場合のその程度
    - 腕の振りの程度：腕の振りの有無と，あるとした場合のその程度．
    - 体幹の動き：前後または左右への傾きの有無と，あるとした場合のその程度
    - 身体の❷（　　　　　）運動：頭部や肩の上下動を通して，その動きの円滑さや程度

2. 特殊所見
    - 頭部や肩の位置
    - ❶（　　　　　）の前後方向への傾き
    - 股関節や膝関節の可動域や❷（　　　　　）・拘縮
    - 足関節の動き
    - 踵接地，立脚中期，つま先離地における足の状態
    - 疲労の有無と，あるとした場合のその程度
    - ❸（　　　　　）の有無と，あるとした場合のその程度

## SIDE MEMO

▶**酩酊歩行**
酒に酔ったときのようにふらついて一直線上を歩けないような歩行．

▶**小刻み歩行**
歩幅が小さく，足底が地面をこするような歩行．

▶**突進歩行**
体の重心の移動に下肢が後からついていくような現象で，重心方向に歩き続け，歩行を止められなくなったり，方向転換ができない歩行．

▶**分回し歩行**
遊脚側下肢の振り出し時に外側に円を描くような歩行．

▶**鶏歩（steppage gait）**
まるで鶏が歩くような形をとる．遊脚期に膝を高く上げ，つま先から接地する歩行．

▶**反張膝歩行**
正常な膝関節の最大伸展位を0°とすると，それ以上の過伸展位での歩行．

▶**失調性歩行**
下肢の深部表在感覚低下や脱失のため，立位歩行のバランスが悪い状態である．ゆえに，ワイドベースにして床にしっかりと足を踏みしめて視覚や上肢で確認しながら歩行しようとする．

---

**解答** ① 1. ❶ 対称性　❷ 上下
2. ❶ 骨盤　❷ 変形　❸ 疼痛

## SIDE MEMO

▶ **間欠性跛行**
歩行中に下肢のしびれ,脱力,疼痛のために歩行パターンやリズムが崩れて歩行困難となるが,しばらく休息するとまた歩行が可能となること.椎間板ヘルニアや脊柱管狭窄症,閉塞性動脈硬化症などで起こる.

▶ **踵打ち歩行**
踵接地時に踵を地面に打ちつけるような歩行をいう.

▶ **Trendelenburg歩行**
患肢による片脚立ちの際,遊脚側の骨盤が下降することにより腰や上体を左右に振る歩行.

▶ **アヒル歩行(動揺性歩行)**
アヒルが歩いているように殿部を左右に振りながら腰椎の前弯増強が加わった歩行.中殿筋,小殿筋の筋力低下や両股関節脱臼で起こる(両側性のTrendelenburg歩行).

▶ **はさみ足(脚)歩行**
両下肢の緊張が高く,突っ張った状態で両下肢を膝部で交差させた状態での歩行.

▶ **草刈り歩行**
下肢の動きがまるで草刈りがまで草を刈るようなパターンをとる歩行.

▶ **円書き歩行**
下肢で円を描くように回しながら歩行する.草刈り歩行と同義.

## 2 異常歩行とその原因

### 1. 筋骨格系障害による異常歩行

| 疾患・障害 | 異常歩行 |
|---|---|
| 3cm以上の脚長差 | ❶(　　　　　)相のつま先立ち歩行 |
| 股関節屈曲拘縮 | 腰椎前弯,拘縮側の足部が常に健側の足部より❷(　　　　　)方に位置する |
| 膝関節伸展拘縮 | 遊脚相での患側❸(　　　　　)歩行または外転歩行,のびあがり歩行 |
| 足関節尖足変形 | 遊脚相での❹(　　　　　)歩,のびあがり歩行,立脚相での❺(　　　　　)接地,反張膝歩行 |
| 足関節踵足変形 | 足尖離地なし,蹴り出しなし |
| 膝関節の不安定 | ❻(　　　　　)歩行 |

### 2. 疼痛性障害による異常歩行

| 腰背痛 | 両側性 | 体幹前屈位,歩行速度が遅い |
|---|---|---|
| | 片側性 | 前屈と❶(　　　　　)屈位 |
| 股関節痛 | | 股関節は屈曲・外転・❷(　　　　　)位になりやすい |
| 膝関節痛 | | 膝❸(　　　　　)位,患側つま先歩き |
| 腰部脊柱管狭窄症 | | ❹(　　　　　) |

### 3. 中枢・末梢神経障害による異常歩行

| 痙性片麻痺,ヒステリー性片麻痺 | 草刈り歩行,円書き歩行,反張膝歩行,❶(　　　　　)歩行 |
|---|---|
| 痙性対麻痺,ヒステリー性対麻痺,痙直型脳性麻痺,筋ジストロフィー症 | ❷(　　　　　)歩行,アヒル歩行,はさみ足歩行 |
| ❸(　　　　　)症候群 | 前屈姿勢,小刻み歩行,加速歩行,突進歩行 |
| 小脳性障害,前庭迷路系障害 | ❹(　　　　　)歩行,よろめき歩行 |
| 脊髄性失調症,Friedrich失調症 | 失調性歩行,❺(　　　　　)歩行 |
| 弛緩性対麻痺,坐骨神経麻痺,Charcot-Marie-Tooth病 | 馬脚歩行,❻(　　　　　)歩 |
| 中殿筋麻痺 | ❼(　　　　　)歩行(両側性:モンローウォーク,アヒル歩行) |
| 大腿四頭筋筋力低下 | 反張膝歩行 |
| ❽(　　　　　)筋力低下 | 反張膝歩行 |
| ❾(　　　　　)神経麻痺 | 鶏歩 |
| ❿(　　　　　)神経麻痺 | 踵歩行 |

---

**解答** ② 1. ❶ 立脚　❷ 前　❸ 分回し　❹ 鶏　❺ つま先　❻ 反張膝
2. ❶ 側　❷ 外旋　❸ 屈曲　❹ 間欠性跛行
3. ❶ 分回し　❷ 尖足　❸ Parkinson　❹ 酩酊　❺ 踵打ち　❻ 鶏
　❼ Trendelenburg　❽ ハムストリングス　❾ 腓骨　❿ 脛骨

## SIDE MEMO

### 3 異常歩行の例

1. Duchenne型筋ジストロフィー症の立位ポジション

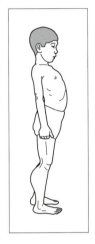

2. Duchenne型筋ジストロフィー症患者の歩行

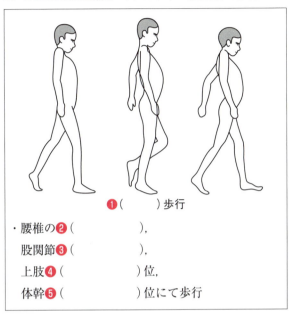

❶(　　　)歩行

- 腰椎の❷(　　　)，
- 股関節❸(　　　)，
- 上肢❹(　　　)位，
- 体幹❺(　　　)位にて歩行

3. 脳卒中片麻痺歩行

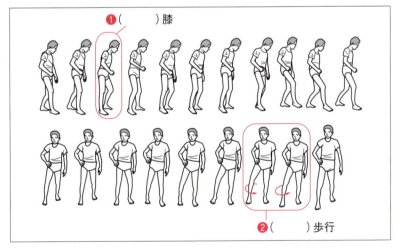

❶(　　　)膝

❷(　　　)歩行

- ❸(　　　)の肢位（肩甲帯後退，肩外転位，肘屈曲位，手部掌屈位，手指屈曲位，骨盤後退，股屈曲・外転・外旋位，足部内反尖足，足指屈曲位）
- 立脚期❶膝
- 遊脚期❷歩行

---

**解答** 3 2. ❶ 大殿筋　❷ 前弯　❸ 屈曲　❹ 後方　❺ 反張
3. ❶ 反張　❷ 分回し　❸ Mann-Wernicke（マン・ウェルニッケ）

第7章

## SIDE MEMO

4. 末梢神経麻痺における異常歩行

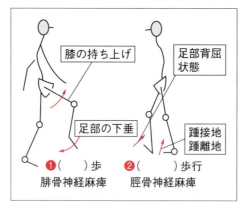

❶（　　）歩　腓骨神経麻痺
❷（　　）歩行　脛骨神経麻痺

5. 中殿筋筋力低下時の異常歩行

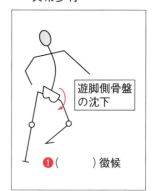

❶（　　）徴候

6. 痙性両麻痺（脳性麻痺）の異常歩行

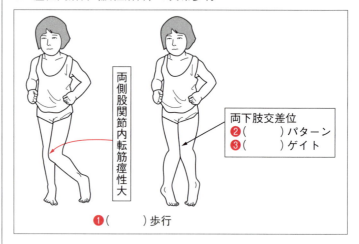

❶（　　）歩行
❷（　　）パターン
❸（　　）ゲイト

7. 大腿四頭筋, ❶（　　　　　）筋両方の筋力低下の異常歩行

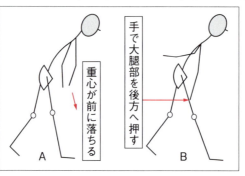

---

**解答** ③ 4. ❶ 鶏　❷ 踵打ち
5. ❶ Trendelenburg（トレンデレンブルグ）
6. ❶ はさみ足（脚）　❷ シザーズ　❸ クロスレッグ
7. ❶ 大殿

### 演習問題

1. 歩行障害と病態の組合せで正しいのはどれか．(54-PM83)
   1. 鶏　歩 ———————————— ハムストリングスの筋力低下
   2. 踵足歩行 ———————————— 深部感覚障害
   3. 動揺性歩行 ———————————— 錐体外路障害
   4. 小刻み歩行 ———————————— 運動失調
   5. Trendelenburg歩行 ———————— 腸腰筋の筋力低下

2. 疾患または症候と異常歩行の組合せで誤っているのはどれか．(50-PM73)
   1. 運動失調 ———————————— 酩酊歩行
   2. Parkinson病 ———————————— すくみ足歩行
   3. 脳卒中片麻痺 ———————————— 尖足歩行
   4. 総腓骨神経麻痺 ———————————— 分回し歩行
   5. 両下肢痙性麻痺 ———————————— はさみ脚歩行

3. 麻痺のために鶏歩を呈するのはどれか．(47-AM74)
   1. 腓腹筋
   2. ヒラメ筋
   3. 前脛骨筋
   4. 大腿二頭筋
   5. 大腿四頭筋

MEMO

## 7 走行

## SIDE MEMO

▶走行
　歩行速度を速めること．同時定着時期が消失し，同時遊脚期が出現する．
・走行では，歩行時でいう立脚相を支持相または駆動相という．
・走行では，歩行時でいう遊脚相を非支持相または飛翔期という．

▶走行時の接地
・速い走行では足底の前外側（小指球）．
・ゆっくりとした走行では足底全体．
・さらに遅い走行では踵接地．

## 1 走行と歩行の比較

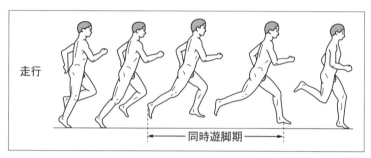

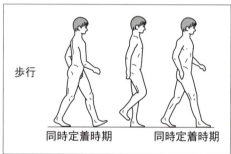

| | 走　行 | 歩　行 |
|---|---|---|
| 両脚同時定着期 | ❶(　　　　　) | 有 |
| 両脚同時遊脚期 | ❷(　　　　　) | 無 |
| 立脚相の支持・加速・減速 | 支持・加速（駆動） | 支持・加速・減速 |
| 接地 | ❸(　　　　　)接地 | 踵接地 |
| 接地時の衝撃 | 大：衝撃緩和のための膝屈曲大 | 小 |
| 体幹前傾角度 | 大 | 小 |
| 膝屈曲角度 | ❹(　　　　　) | 小 |
| 肘屈曲角度 | ❺(　　　　　) | 小 |
| スタート時のエネルギー | 大 | 小 |
| 地面との摩擦 | 大 | 小 |

解答　1　❶ 無　❷ 有　❸ 母指球（または小指球）　❹ 大　❺ 大

## SIDE MEMO

### 2 走行の特徴

- 通常の走行では支持相と非支持相の時間的比率はそれぞれ約50％であるが，速度を❶（　　　　）すと支持相の比率が減少し，非支持相が増加する．
- 走行速度は重複歩長（ストライド）とその頻度（ピッチ）との積で表す．通常，身長の高い人は脚長が長いために重複歩長も❷（　　　　）くなるので，高身長者と低身長者とが同じ速度で走行するには，低身長者は重複歩のピッチを❸（　　　　）げなければならない．
- 走行時の重心の上下移動は歩行に比較して大きい．
- 長距離走と短距離走時の重心の上下移動の比較においては，❹（　　　　）距離走では比較的平坦となるが，❺（　　　　）距離走では著しい．
- 走行時の床反力の垂直分力は，支持脚が接地した直後には体重の❻（　　　　）倍，支持相中期には体重の❼（　　　　）倍となる．
- 走行での加速時には体幹は5～7°くらい❽（　　　　）し，速度が維持されてくると体幹は垂直位となる．
- 走行時の腕の振りは骨盤回旋と下肢の運動に相反した動きを示し，肘はほぼ❾（　　　　），前腕中間位あるいは軽度回内位となる．速度が増すと❿（　　　　）への腕の振りが大きくなる．

**解答** 2 ❶ 増　❷ 長　❸ 上　❹ 長　❺ 短　❻ 2　❼ 2.5～3　❽ 前傾　❾ 直角　❿ 後方

### 演習問題

1. 快適歩行から速度を速めた際の変化で正しいのはどれか．(55-AM72)
    1. 歩幅は減少する．
    2. 重心の上下動は減少する．
    3. 立脚相の時間は減少する．
    4. 股関節の屈曲角度は減少する．
    5. 体幹の水平面内回旋運動は減少する．

2. 健常成人が歩行速度を上げた場合の変化で正しいのはどれか．2つ選べ．(48-AM74)
    1. 歩隔の拡大
    2. 歩行率の増加
    3. 重複歩距離の増加
    4. 両脚支持期の延長
    5. 重心の左右移動の増加

MEMO

# 第8章 運動学習

**1.** 学習と記憶 …………………… 210
**2.** 運動技能と学習曲線 ………… 214

# 1 学習と記憶

## 1 学習 (learning)

### 1. 学習とは
過去の経験によって生じる❶(　　　　　)(behavior)の永続的変化であり，環境への❷(　　　　)現象とみなされる．
→人はこの学習能力をもっているために複雑な運動行動であってもさまざまな運動パターンを組合せるなどしてそれを遂行している．

### 2. 学習方法
1) ❶(　　　　　)(exercise)あるいは❷(　　　　　)(practice)によるもの．
2) ❸(　　　　　)(transfer)によるもの．

### 3. 学習の特徴
個体内に生じた変化であり，その変化は行動を通して観察される．
1) 結果として❶(　　　　)に変化を起こす．
2) 練習または経験の❷(　　　　)として起こる．
3) 結果として比較的❸(　　　　)する変化である．
4) 直接的に観察することはできない．

### 4. 学習の種類
❶(　　　　)学習と❷(　　　　　)学習の2型がある．
❶学習とは，楽器の演奏や車の運転，スポーツから手芸に至るまでの運動技能の学習をいう．一定のレベルの技能を維持するために反復練習が必要となる．
❷学習とは，特定の人の顔や景色あるいは絵画や音楽などを知っているといった比較的単純なことから，外国語の学習や各種の学問に関することなどといった複雑なことまである．

---

**解答** 1 1. ❶ 行動　❷ 適応
2. ❶ (反復)練習　❷ 実践　❸ 転移
3. ❶ 行動　❷ 結果　❸ 永続
4. ❶ 運動　❷ 認知

## SIDE MEMO

5. 学習の段階

以下の3段階を経て技能は向上する．自転車に乗れるようになったことを例とする．

1) 初期相（認知相，言語-認知段階）

自転車が動く仕組みの理解，自転車の部品の名称とその機能の理解などを通して❶（　　　　　）レベルでの巧みな自転車操作についての戦略を思考する段階．

2) 中間相（連合相，運動段階）

ハンドルを両手で持ち，一方の足をペダルにかけ，片方の足で地面を蹴りながら自転車を走らせる．このときに自転車の姿勢を乱さないように注意しながら，適当なところで蹴りに使っていた足を反対側のペダルにかけるように自転車をまたがせ，殿部をサドルに載せ，両足でペダルを漕ぐ．カーブの手前でブレーキを使い自転車を減速させ，カーブの曲率に合わせハンドルを操作する．これら一連動作を円滑に行えるようになる段階．

この段階で重要なことは動作中の感覚情報のフィードバックと❷（　　　　　）(knowledge of results：KR)である．自転車の操作中の感覚情報やハンドル操作の誤りや足の蹴り出すタイミングの誤りで転倒といった結果がKRとなってその修正を図る．これを幾度となく繰り返すことで円滑に自転車に乗れるようになる．

3) 最終相（自動化相，自動段階）

中間相の延長ではあるが，自転車に乗りそれを操作することに一切の無駄がなく素早くできるようになる．場合によっては視覚を遮断しても自転車操作ができるレベルまで❸（　　　　　）された段階．

## 2 記憶（memory）

1. 記憶とは

❶（　　　　　）による成果のことであり，❶したことを過去の経験としていつでも表出できる状態に保持していることである．

2. 記憶の過程

❶（　　　　　）（または符号化）→保持（または貯蔵）→❷（　　　　　）（または検索）→忘却

---

**解答** 1 5. ❶ 言語　❷ 結果の知識　❸ 自動化
2 1. ❶ 学習　2. ❶ 記銘　❷ 想起

## SIDE MEMO

▶ **マジカルナンバーとチャンク**

7±2という数は，短期記憶での記憶容量のことをいい，「マジカルナンバー」と呼ばれている．一般的に人は数字なら約7個，文字なら約6個，単語なら約5個を短期記憶として記憶できるとされる．

「チャンク」とは，前述のマジカルナンバーを認知心理学の「ワーキングメモリー」の観点からとらえ直したもので，「言葉の一塊」といった概念のこと．たとえば「コーヒーカップ」を仮名7文字として知覚すると7チャンク，「コーヒー」と「カップ」として理解すれば2チャンク，「コーヒーカップ」として理解すれば1チャンクとなる．人が一度に覚えられるチャンク数には限りがあり，7±2とされる．心理学や脳科学の世界では，人間はこの「チャンク」の単位で世の中の事象をとらえているとされる．

3. **記憶構造（情報を保持している時間に基づく分類）**

1) **感覚記憶（sensory memory）または短期感覚貯蔵（short sensory storage）**

瞬間の記憶のことで，その保持時間は250 msec前後で，容量は❶（　　　　　）である．次なる刺激が入力されるとすべての情報は失われてしまう．記憶が保持されているわずかな時間に「注意」が向けられた情報のみが❷（　　　　　）記憶に転送される．

2) **短期記憶（short term memory：STM）**

記憶の保持時間が数秒間から数分間に及ぶもので，❸（　　　　　）つの項目ぐらいしか記憶保持できないほど容量は少ない．短期記憶を保持する，あるいは短期記憶を長期記憶に転送するためには，❹（　　　　　）を行う必要がある．❹は復唱をはじめ，情報に意味づけをしたり，過去の情報と関連づけたりする方法で実施される．

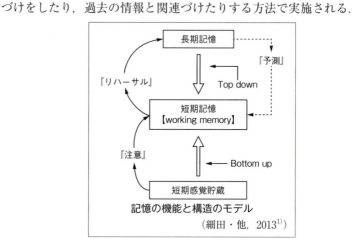

記憶の機能と構造のモデル
（細田・他，2013[1]）

3) **長期記憶（long term memory：LTM）**

記憶の保持時間が数日から数年あるいは永続するものまであり，容量は❺（　　　　　）である．

いったん長期記憶に保存された情報は永続するものであるが，「思い出せない」などの想起（または検索）不能状態に陥ることがある．長期記憶の忘却の原因説には，減衰説，❻（　　　　　），さらには検索失敗説がある．

これら3つの記憶構造の中で最も能動的に働くのは❷記憶である．外界からの情報は感覚記憶（または短期感覚貯蔵）を介して短期記憶へ送り込まれる（ボトムアップ過程），一方外界からの情報を分析するために❼（　　　　　）記憶から引き出された必要な知識が短期記憶へ送り込まれる（トップダウン過程）．ボトムアップによる情報だろうがトップダウンによる情報だろうが，これらは短期記憶構造の中で統合解釈され，結果その内容は❼記憶として保存される．

---

**解答** ②3. ❶ 無限大　❷ 短期　❸ 7±2　❹ リハーサル　❺ 無限大　❻ 干渉説　❼ 長期

## 演習問題

1. 記憶と関係部位の組合せで正しいのはどれか.（57-AM78）
    1. 長期記憶 ──────── 視　床
    2. 手続き記憶 ─────── 扁桃体
    3. プライミング ────── 小　脳
    4. エピソード記憶 ───── 松果体
    5. ワーキングメモリー ─── 前頭葉

2. 意識することなく再生される記憶はどれか.（52-PM79）
    1. 即時記憶
    2. 意味記憶
    3. 近時記憶
    4. 手続き記憶
    5. エピソード記憶

3. 記憶のプライミングについて正しいのはどれか.（51-PM79）
    1. 学習によって習熟する.
    2. 健忘症候群では障害される.
    3. 潜在記憶の1つである.
    4. 短期記憶に分類される.
    5. 陳述記憶の1つである.

4. 箸の使い方などの熟練に関するのはどれか.（43-58）
    1. 陳述記憶
    2. 感覚記憶
    3. 手続き記憶
    4. エピソード記憶
    5. ワーキングメモリー

## 2 運動技能と学習曲線

### SIDE MEMO

### 1 運動技能(motor skill)

#### 1. 技能(skill)

最高の❶(　　　　)でしかも最少の❷(　　　　)消費，あるいは最短の時間でしかも最少の❷消費で，あらかじめ決められた結果を引き起こすように学習された能力．

> 覚醒レベル
> 普段どおりにやればいい．興奮するとろくなことがない

> 技能の向上
> ナイスショット！ 思ったとおりの弾道だ．方向，飛距離文句なし

> 動機づけ
> 2年ぶりの優勝を目指すぞ！目標をもつことは重要だ

#### 2. 技能の構成要素

運動学習の測定には運動技能の判定を用いる．この技能を構成する要素は，❶(　　　　)，❷(　　　　)，❸(　　　　)，❹(　　　　)の4つがある．

#### 3. 運動技能を効率的に向上させる手順

❶(　　　　)→❷(　　　　)→❸(　　　　)あるいは❹(　　　　)

#### 4. 技能向上のための練習(exercise)に必要な条件

運動技能の向上のためには練習が必要不可欠であるが，その練習に必要な条件は，次のとおりである．

1) 自己の❶(　　　　)を意識していること．
2) パフォーマンスの結果に関する知識(KR)を知っていること．
3) 技能向上への❷(　　　　)や欲求があること．

---

**解答** 1 1. ❶ 正確さ ❷ エネルギー
2. ❶ フォーム ❷ 正確さ ❸ 速さ ❹ 適応性(❶〜❹は順不同)
3. ❶ フォーム ❷ 正確さ ❸ 速さ ❹ 適応性(❸❹は順不同)
4. ❶ 目標 ❷ 動機づけ

## 5. 練習の効果
1) パフォーマンスの時間短縮．
2) ❶(　　　　　)の向上および❷(　　　　)の減少．
3) 複雑な課題への適応性向上．
4) 課題遂行時の注意努力の❸(　　　　)．

## 2 パフォーマンス（performance）と学習曲線（learning curve）

### 1. パフォーマンス
課題を遂行するときに周囲から観察可能な行動のことで，このレベルを判定することで❶(　　　　　)のレベルを知ることができる．

### 2. 学習曲線
練習期間や練習回数に対する❶(　　　　　　)の変化をグラフ化したもので，動きが運動学習を重ねていくにつれ洗練されていくように，試行を重ねるたびに学習反応の割合や強さなどの変化を示したものをいう．

### 3. 学習曲線のタイプ
学習曲線には4つのタイプがある．
1) 負の加速曲線 A：学習初期にはパフォーマンスは向上するが，その後は伸び悩む．比較的❶(　　)な課題の場合に観察される．
2) 線形曲線 B：練習を積み重ねるたびにパフォーマンスは向上する．
3) S型曲線 C：正の加速曲線の変形で，個人のパフォーマンスが最高レベルに達した結果とみなされる．
4) 正の加速曲線 D：学習初期にはパフォーマンスはあまり向上しないが，その後は急速に伸びる．学習に時間を要する特殊な運動パターンの必要な課題で観察される．

### 4. パフォーマンスと動機づけ
1) パフォーマンス＝❶(　　　　　)×技能

典型的な学習曲線
A：負の加速曲線
B：線形曲線
C：S型曲線
D：正の加速曲線

（Singer, 1968[2]）

---

**解答**　①5. ❶ 正確さ　❷ 誤り　❸ 減少
②1. ❶ 運動技能　2. ❶ パフォーマンス　3. ❶ 容易　4. ❶ 動機づけ

2) 同程度の技能レベルの場合は，動機づけがあるとパフォーマンスは上昇

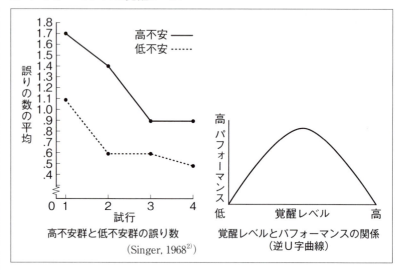

5. パフォーマンスと覚醒レベル

1) 覚醒レベルには深い睡眠から極端に興奮した状態までの幅がある．
2) 不安なときには覚醒レベルが❶（　　　　　）いが，この状態でのパフォーマンスには誤りが❷（　　　　　）い．
3) パフォーマンスと覚醒レベルとの関係では，一般には❸（　　　　　）程度の覚醒レベルのとき最も高いパフォーマンスを発揮できるとされる．→逆U字曲線仮説．
4) ゴルフのパットのときのように，集中力や弁別力，判断力を必要とする繊細な動きの場合などは覚醒レベルは❹（　　　　　）程度以下がよい．
5) 強い筋力や速い関節運動などを必要とする動きの場合などは覚醒レベルは❺（　　　　　）い方がよい．

解答　2 5. ❶高　❷多　❸中　❹中　❺高

## 6. パフォーマンスとフィードバック (feedback)

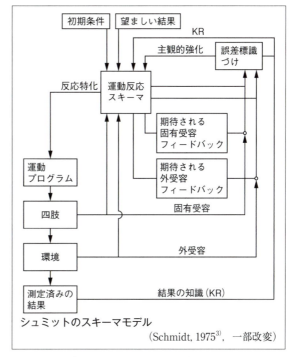

シュミットのスキーマモデル
(Schmidt, 1975³⁾, 一部改変)

1) パフォーマンス向上のためには,感覚情報のフィードバックと結果の知識(KR)が重要.
2) 感覚情報のフィードバックには筋感覚や関節覚などの
   ❶(          )情報と視覚や触覚あるいは聴覚などの
   ❷(          )からの感覚情報とがある.
3) 結果の知識(KR)はパフォーマンスの結果が良好なときに知覚する身体運動の感じ(feeling フィーリング)や指導者の賞賛や指摘のことで,その後のパフォーマンスを実行する上での情報,❸(          ),強化の働きがある.

**解答** ② 6. ❶ 固有感覚  ❷ 外受容器  ❸ 動機づけ

---

## 演習問題

1. 運動学習におけるパフォーマンスの知識はどれか.(56-AM74)
   1. フィギュアスケートの得点
   2. 投球のストライク判定
   3. 50m平泳ぎのタイム
   4. サッカーのゴール数
   5. 宙返りの空中姿勢

2. 運動学習における結果の知識〈KR〉が与えられるのはどれか．(55-AM74)
    1. フリースロー時の肘の伸ばし具合を指導する．
    2. 投げた球がストライクかどうかを教える．
    3. ボーリングのスコアの付け方を教える．
    4. バレーボールのルールを教える．
    5. 平泳ぎの手の使い方を教える．

3. 運動学習について正しいのはどれか．(53-PM74)
    1. 動機付けが高いほどパフォーマンスが向上する．
    2. 覚醒レベルが高いほどパフォーマンスが向上する．
    3. 学習によるパフォーマンスの向上は直線的に起こる．
    4. 2種類の運動課題間に類似性があるほど転移の影響は大きくなる．
    5. パフォーマンスの向上がみられなくなることは運動学習の停止を意味する．

4. フィードバックの説明で正しいのはどれか．(52-AM74)
    1. 平均フィードバックは試行ごとに与える．
    2. 帯域幅フィードバックは何回分かをまとめて一度に与える．
    3. 同時フィードバックは運動課題を実行している最中に与える．
    4. 漸減的フィードバックは誤差が一定の幅を外れた場合に与える．
    5. 要約フィードバックは学習の進行に伴い頻度を減らして与える．

5. 運動学習における結果の知識〈KR〉の提示について正しいのはどれか．(51-PM74)
    1. 難しい課題では1試行ごとに提示すると学習効率が低下する．
    2. 運動の誤差修正を行えるようになっても継続する必要がある．
    3. 成人では学習パフォーマンスを向上させない．
    4. 誤りの大きさを提示すると有効である．
    5. 動機付けには効果がない．

6. 運動学習において部分法に最も適している動作はどれか．(49-PM74)
    1. 歩　行
    2. 食事動作
    3. 階段の降段
    4. リーチ動作
    5. 立ち上がり動作

# 付録　筋の作用と神経支配

# 筋の作用と神経支配

## 1 肩甲骨の動き

| 主動作筋 | 主な動作 | 神経支配 | 髄節 |
|---|---|---|---|
| ❶(　　　)筋 | 肩甲骨下制, 下方回旋, 外転 | 内側・外側胸神経 | C7〜T1 |
| 前鋸筋 | 肩甲骨外転, 上方回旋 | ❷(　　　)神経 | C5〜7 |
| 僧帽筋：上部 | 肩甲骨❸(　　　) | 副神経, 頸神経叢筋枝 | C2〜4 |
| 　　　：中部 | 肩甲骨❹(　　　) | 副神経, 頸神経叢筋枝 | C2〜4 |
| 　　　：下部 | 肩甲骨❺(　　　) | 副神経, 頸神経叢筋枝 | C2〜4 |
| 　　　：全体 | 肩甲骨上方回旋, ❻(　　　) | 副神経, 頸神経叢筋枝 | C2〜4 |
| ❼(　　　)筋 | 肩甲骨挙上 | 肩甲背神経 | C2〜5 |
| ❽(　　　)筋 | 肩甲骨挙上, 内転, 下方回旋 | 肩甲背神経 | C(4)〜5〜(6) |

## 2 肩関節の動き

| 主動作筋 | 主な動作 | 神経支配 | 髄節 |
|---|---|---|---|
| 三角筋：前部 | 肩関節屈曲, 水平屈曲 | 腋窩神経 | C5〜6 |
| 　　　：中部 | 肩関節外転, 水平伸展 | 腋窩神経 | C5〜6 |
| 　　　：後部 | 肩関節伸展, 水平伸展 | 腋窩神経 | C5〜6 |
| 　　　：全体 | 肩関節❶(　　　) | ❷(　　　)神経 | C5〜6 |
| 棘上筋 | 肩関節外転 | 肩甲上神経 | C5 |
| ❸(　　　)筋：鎖骨部 | 肩関節屈曲, 水平屈曲 | 内側・外側胸筋神経（前胸神経） | C5〜T1 |
| ❸筋：胸腹部 | 肩関節内転, 水平屈曲 | 内側・外側胸筋神経（前胸神経） | C5〜T1 |
| ❹(　　　)筋 | 肩関節水平屈曲 | 筋皮神経 | C6〜7 |
| 肩甲下筋 | 肩関節水平屈曲, 内旋 | 肩甲下神経 | C5〜7 |
| 広背筋 | 肩関節❺(　　　), 内転 | 胸背神経 | C6〜8 |
| 大円筋 | 肩関節❻(　　　), 内転, 内旋 | 肩甲下神経 | C5〜7 |
| ❼(　　　)筋 | 肩関節外旋, 水平伸展 | 肩甲上神経 | C5〜6 |
| ❽(　　　)筋 | 肩関節外旋, 水平伸展 | 腋窩神経 | C5 |

**解答** 1 ❶ 小胸　❷ 長胸　❸ 挙上　❹ 内転　❺ 下制　❻ 内転　❼ 肩甲挙　❽ 菱形
2 ❶ 外転　❷ 腋窩　❸ 大胸　❹ 烏口腕　❺ 伸展　❻ 伸展　❼ 棘下　❽ 小円

## 3 肘関節の動き

| 主動作筋 | 主な動作 | 他の動作 | 神経支配 | 髄節 |
|---|---|---|---|---|
| 上腕二頭筋 | 肘関節❶(　　) | 前腕回外, 肩の屈曲(短頭), 外転(長頭) | 筋皮神経 | C5～6 |
| ❷(　　)筋 | 肘関節屈曲 |  | 筋皮神経(ときに橈骨神経) | C5～6 |
| 上腕三頭筋 | 肘関節❸(　　) | 肩の内転・伸展(長頭) | ❹(　　)神経 | C6～8 |
| 肘筋 | 肘関節❺(　　) | 肘関節包の緊張 | ❻(　　)神経 | C7～8 |
| ❼(　　)筋 | 肘関節屈曲 | 前腕回内, 回外 | 橈骨神経 | C(5), 6, 7, (8) |
| 円回内筋 | 前腕回内 | 肘関節❽(　　) | 正中神経 | C6～7 |
| ❾(　　)筋 | 前腕回内 |  | 正中神経 | C6～T1 |
| ❿(　　)筋 | 前腕回外 |  | 橈骨神経 | C(5), 6, 7, (8) |

## 4 手関節の動き

| 主動作筋 | 主な動作 | 他の動作 | 神経支配 | 髄節 |
|---|---|---|---|---|
| 橈側手根屈筋 | 手関節掌屈, 橈屈 | 前腕❶(　　), 肘関節屈曲 | ❷(　　)神経 | C6～7 |
| ❸(　　)筋 | 手関節掌屈 | 肘関節屈曲 | 正中神経 | C7～T1 |
| ❹(　　)筋 | 手関節掌屈, 尺屈 | 肘関節屈曲 | 尺骨神経 | C(7), 8, T1 |
| 長橈側手根伸筋 | 手関節背屈, 橈屈 | 前腕回外, 肘関節伸展 | ❺(　　)神経 | C(5), 6, 7, (8) |
| 短橈側手根伸筋 | 手関節背屈, 橈屈 |  | 橈骨神経 | C(5), 6, 7, (8) |
| ❻(　　)筋 | 手関節背屈, 尺屈 | 前腕回外, 肘関節伸展 | ❼(　　)神経 | C6～7 |

解答　3 ❶ 屈曲　❷ 上腕　❸ 伸展　❹ 橈骨　❺ 伸展　❻ 橈骨　❼ 腕橈骨　❽ 屈曲　❾ 方形回内　❿ 回外
　　　4 ❶ 回内　❷ 正中　❸ 長掌　❹ 尺側手根屈　❺ 橈骨　❻ 尺側手根伸　❼ 橈骨

## 5 手の指の動き

| 主動作筋 | 主な動作 | 他の動作 | 神経支配 | 髄節 |
|---|---|---|---|---|
| ❶（　　　）筋 | 第2〜5指PIP・MP屈曲 | 手関節掌屈 | 正中神経 | C7〜T1 |
| ❷（　　　）筋 | 第2〜5指DIP・PIP・MP屈曲 | 手関節掌屈 | 正中神経,<br>尺骨神経 | C7〜T1<br>C7〜T1 |
| 指伸筋 | 第2〜5指PIP・DIP・MP伸展 | 手関節❸（　　　） | 橈骨神経 | C(5),6〜8 |
| 示指伸筋 | 第2指PIP・DIP・MP伸展 | 手関節背屈 | 橈骨神経 | C6〜8 |
| 小指伸筋 | 第5指PIP・DIP・MP伸展 | 手関節背屈 | 橈骨神経 | C(6),7〜8 |
| ❹（　　　）筋 | 母指のIP・MP屈曲 | 手関節掌屈 | 正中神経 | C6〜7,(8) |
| ❺（　　　）筋 | 母指のIP・MP伸展，CM橈側外転・掌側内転 | 手関節背屈 | 橈骨神経 | C6〜7,(8) |
| 短母指伸筋 | 母指のMP伸展，CM外転 | 手関節橈屈 | 橈骨神経 | C6〜7,(8) |
| 長母指外転筋 | 母指のCM橈側外転 | 手関節❻（　　　）<br>掌屈 | 橈骨神経 | C(6),7,(8) |
| 虫様筋（4筋） | 第2〜5指<br>MP❼（　　　）<br>PIP・DIP❽（　　　） | | 橈側2筋<br>→正中神経,<br>尺側2筋<br>→尺骨神経 | C8〜T1 |
| 掌側骨間筋（3筋） | 第2・4・5指<br>MP❾（　　　）・屈曲<br>PIP・DIP❿（　　　） | | 尺骨神経 | C8〜T1 |
| 背側骨間筋（4筋） | 第2・4指<br>MP外転・屈曲<br>第3指<br>MP⓫（　　　）<br>尺屈（または内転）<br>第2・3・4指<br>PIP・DIP伸展 | | 尺骨神経 | C8〜T1 |
| 小指外転筋 | 小指MP⓬（　　　） | | 尺骨神経 | C8〜T1 |
| ⓭（　　　）筋 | 小指MP屈曲 | | 尺骨神経 | C(7),8,(T1) |
| ⓮（　　　）筋 | 小指対立 | | 尺骨神経 | C(7),8,(T1) |
| ⓯（　　　）筋 | 手掌腱膜の緊張 | | 尺骨神経 | C(7),8,T1 |
| 短母指屈筋 | 母指MP屈曲・内転 | | 正中神経,<br>尺骨神経 | C6〜7,<br>C6〜T1 |
| ⓰（　　　）筋 | 母指CM掌側外転，MP屈曲，IP伸展 | | 正中神経 | C6〜7 |
| 母指対立筋 | 母指対立 | | 正中神経 | C6〜7 |
| ⓱（　　　）筋 | 母指CM内転，MP屈曲，IP伸展 | | 尺骨神経<br>(深枝) | C8〜T1 |

## 6 股関節の動き

| 主動作筋 | 主な動作 | 他の動作 | 神経支配 | 髄節 |
|---|---|---|---|---|
| ❶（　　　）筋 | 股関節屈曲 | 骨盤前傾 | 腰神経叢,大腿神経 | L1～3<br>L2～4 |
| ❷（　　　）筋 | 股関節屈曲・外転・外旋 | 膝関節屈曲, 下腿内旋 | 大腿神経 | L2～4 |
| 大腿直筋 | 股関節屈曲 | 膝関節❸（　　） | 大腿神経 | L2～4 |
| 恥骨筋 | 股関節屈曲・内転・外旋 | | 閉鎖神経,大腿神経 | L2～4<br>L2～4 |
| ❹（　　　）筋 | 股関節内旋・屈曲・外転 | 膝関節❺（　　） | 上殿神経 | L4～5 |
| 大殿筋 | 股関節伸展・外旋 | | 下殿神経 | L(4),5,S1,(2) |
| 大腿二頭筋 | 股関節伸展・外旋 | 膝関節❻（　　）,下腿外旋 | 長頭：脛骨神経<br>短頭：腓骨神経 | L5～S2<br>L5～S1 |
| ❼（　　　）筋 | 股関節伸展 | 膝関節屈曲, 下腿内旋 | 脛骨神経 | L(4),5,S1,(2) |
| 半膜様筋 | 股関節伸展 | 膝関節❽（　　）,下腿内旋 | 脛骨神経 | L4～S1 |
| 中殿筋 | 股関節外転 | | 上殿神経 | L4～S1 |
| ❾（　　　）筋 | 股関節内旋・❿（　　） | | 上殿神経 | L4～S1 |
| 薄筋 | 股関節内転 | 膝関節⓫（　　）,下腿⓬（　　） | 閉鎖神経 | L2～4 |
| ⓭（　　　）筋 | 股関節内転 | | 閉鎖神経 | L2～4 |
| ⓮（　　　）筋 | 股関節内転 | | 閉鎖神経 | L2～4 |
| ⓯（　　　）筋 | 股関節内転 | | 深層：閉鎖神経<br>表層：坐骨神経 | L2～4<br>L3～4 |
| 深層外旋六筋 | 股関節外旋 | | 閉鎖神経,仙骨神経叢 | L3～4<br>L5～S1 |

※深層外旋六筋：内閉鎖筋, 外閉鎖筋, 上双子筋, 下双子筋, 大腿方形筋, 梨状筋

---

**解答** 5 ❶ 浅指屈　❷ 深指屈　❸ 背屈　❹ 長母指屈　❺ 長母指伸　❻ 橈屈　❼ 屈曲　❽ 伸展　❾ 内転　❿ 伸展　⓫ 橈屈（または外転）　⓬ 外転　⓭ 短小指屈　⓮ 小指対立　⓯ 短掌　⓰ 短母指外転　⓱ 母指内転

6 ❶ 腸腰　❷ 縫工　❸ 伸展　❹ 大腿筋膜張筋　❺ 伸展　❻ 屈曲　❼ 半腱様　❽ 屈曲　❾ 小殿　❿ 外転　⓫ 屈曲　⓬ 内旋　⓭ 長内転　⓮ 短内転（⓭～⓮順不同）　⓯ 大内転

## 7 膝関節の動き

| 主動作筋 | | 主な動作 | 他の動作 | 神経支配 | 髄節 |
|---|---|---|---|---|---|
| 大腿四頭筋 | ❶（　　　）筋 | 膝関節伸展 | 股関節屈曲 | 大腿神経 | L2〜4 |
| | ❷（　　　）筋 | 膝関節伸展 | | 大腿神経 | L3〜4 |
| | ❸（　　　）筋 | 膝関節伸展 | | 大腿神経 | L2〜4 |
| | 内側広筋 | 膝関節❹（　　　） | | 大腿神経 | L2〜3 |
| 腓腹筋 | | 膝関節❺（　　　） | 足関節❻（　　　） | 脛骨神経 | L5〜S2 |
| 膝窩筋 | | 膝関節屈曲，内旋 関節包を張る | | ❼（　　　）神経 | L4〜S1 |
| 足底筋 | | 膝関節屈曲 | 足関節底屈 | ❽（　　　）神経 | L4〜S1 |

## 8 足関節の動き

| 主動作筋 | 主な動作 | 他の動作 | 神経支配 | 髄節 |
|---|---|---|---|---|
| ❶（　　　）筋 | 足関節背屈・内がえし，下腿前傾 | | 深腓骨神経 | L4〜S1 |
| 長趾指伸筋 | 足関節背屈・母趾の伸展，下腿前傾 | | 深腓骨神経 | L4〜S1 |
| ❷（　　　）筋 | 第2〜5趾伸展，足関節背屈・外がえし，下腿前傾 | | 深腓骨神経 | L4〜S1 |
| 第3腓骨筋 | 足関節背屈・外転・外がえし | | 深腓骨神経 | L4〜S1 |
| ❸（　　　）筋 | 足関節底屈・外がえし | | 浅腓骨神経 | L5〜S1 |
| 短腓骨筋 | 足関節底屈・外がえし | | 浅腓骨神経 | L5〜S1 |
| 腓腹筋 | 足関節底屈 | 膝関節の❹（　　　） | 脛骨神経 | L5〜S2 |
| ヒラメ筋 | 足関節底屈 | | 脛骨神経 | L5〜S2 |
| ❺（　　　）筋 | 足関節底屈 | | 脛骨神経 | L4〜S1 |
| ❻（　　　）筋 | 足関節底屈・内転・内がえし | | 脛骨神経 | L5〜S1, (2) |
| ❼（　　　）筋 | 第2〜5趾屈曲，足関節底屈・内がえし | | 脛骨神経 | L5〜S2 |
| ❽（　　　）筋 | 母趾屈曲，足関節底屈・内がえし | | 脛骨神経 | L5〜S2 |

**解答** 7 ❶ 大腿直　❷ 外側広　❸ 中間広（❷〜❸順不同）　❹ 伸展　❺ 屈曲　❻ 底屈　❼ 脛骨　❽ 脛骨
8 ❶ 前脛骨　❷ 長趾伸　❸ 長腓骨　❹ 屈曲　❺ 足底　❻ 後脛骨　❼ 長趾屈　❽ 長母趾屈

## 9 足の指の動き

| 主動作筋 | 主な動作 | 神経支配 | 髄節 |
|---|---|---|---|
| ❶（　　　）筋 | 母趾伸展 | 深腓骨神経 | L4〜S1 |
| 短趾伸筋 | 第❷（　　　）趾伸展 | ❸（　　　）神経 | L4〜S1 |
| 母趾外転筋 | 母趾外転，屈曲 | 内側足底神経 | L4〜S1 |
| ❹（　　　）筋 | 母趾MP屈曲 | 内側足底神経<br>外側足底神経 | L5〜S1<br>S1〜2 |
| 母趾内転筋 | 母趾内転，屈曲 | 外側足底神経 | S1〜2 |
| 小趾外転筋 | ❺（　　　）外転・屈曲 | ❻（　　　）神経 | S1〜2 |
| ❼（　　　）筋 | 小趾屈曲 | 外側足底神経 | S1〜2 |
| ❽（　　　）筋 | 第2〜5趾屈曲 | 内側足底神経 | L4〜S1 |
| ❾（　　　）筋 | 長趾屈筋補助，趾屈曲 | 外側足底神経 | S1〜2 |
| 虫様筋 | 第2〜5趾MP屈曲，PIP・DIP伸展 | 第1・2：内側足底神経<br>第3・4：外側足底神経 | L5〜S1<br>S1〜2 |
| 底側骨間筋 | 足趾MP❿（　　　）・屈曲<br>PIP・DIP伸展 | 外側足底神経 | S1〜2 |
| 背側骨間筋 | 足趾の⓫（　　　）・屈曲<br>PIP・DIP伸展 | 外側足底神経 | S1〜2 |

## 10 体幹の動き

| 主動作筋 | | 主な動作 | 神経支配 | 髄節 |
|---|---|---|---|---|
| ❶（　　　）筋 | | 体幹の前方屈曲 | ❷（　　　）神経 | T7〜12 |
| 外腹斜筋 | | 体幹の❸（　　　）側回旋，同側側屈 | 肋間神経<br>腸骨下腹神経 | T5〜12<br>L1 |
| ❹（　　　）筋 | | 体幹の同側回旋，同側側屈 | 肋間神経，腸骨下腹神経，腸骨鼠径神経 | T10〜L1, (L2) |
| 脊柱起立筋 | 腸肋筋 | 体幹の後方伸展，同側側屈，同側回旋 | 脊髄神経後枝 | C8, T1〜12, L1 |
| | ❺（　　　）筋 | 体幹の後方伸展，同側側屈，同側回旋 | 脊髄神経後枝 | C1, T1〜12, L5 |
| | 棘筋 | 体幹の❻（　　　），同側側屈，同側回旋 | 脊髄神経枝 | C2〜8, T1〜12 |
| ❼（　　　）筋 | | 同側側屈，骨盤引き上げ | 腰神経叢 | T12〜L3 |

解答　9　❶ 短母趾伸　❷ 2〜5　❸ 深腓骨　❹ 短母趾屈　❺ 小趾　❻ 外側足底　❼ 短小趾屈　❽ 短趾屈　❾ 足底方形　❿ 内転　⓫ 外転

10　❶ 腹直　❷ 肋間　❸ 対　❹ 内腹斜　❺ 最長　❻ 後方伸展　❼ 腰方形

## 11 骨盤の動き

| 主動作筋 | 主な動作 | 神経支配 | 髄節 |
|---|---|---|---|
| ❶（　　　）筋 | 骨盤の引き上げ | 腰神経叢の枝 | T12〜L3 |
| ❷（　　　）筋 | 骨盤の引き上げ | 脊髄神経後枝 | T12〜L1 |

**解答** 11 ❶ 腰方形　❷ 腰腸肋

## MEMO

# 文献

### 第1章 運動学総論
1) 中村隆一，齋藤　宏：基礎運動学．第5版，医歯薬出版，2002, p17, 表2-1.
2) 中村隆一，齋藤　宏：基礎運動学．第4版，医歯薬出版，1998, p32, 図2-19.
3) 中村隆一，齋藤　宏：基礎運動学．第5版，医歯薬出版，2002, p34, 図2-21.
4) 中村隆一，齋藤　宏：基礎運動学．第5版，医歯薬出版，2002, p34, 図2-22.
5) 中村隆一，齋藤　宏：基礎運動学．第5版，医歯薬出版，2002, p35, 図2-25.
6) 中村隆一，齋藤　宏，長崎　浩：基礎運動学．第6版補訂，医歯薬出版，2012, p85, 図3-42.
7) Dupont DC, Freedman AP：Pulmonary Physiology of Exercise. in AA Bove, DT Lowenthal (eds)：Exercise Medicine：Physiological Principles and Clinical Applications, Academic Press, New York, 1983.
8) McArdle WD, Katch EI, Katch VL：Exercise Physiology：Energy, Nutrition, and Human Performance, 3rd ed, Lea & Febiger, Philadelphia, 1991.

### 第2章 上肢の運動学
1) Chusid JG：Correlative Neuroanatomy and Functional Neurology. 14th ed, Maruzen, Tokyo, 1970.
2) 柴崎　浩：感覚障害の診かた．平山恵造（編）：臨床神経内科学．第4版，南山堂，2000.
3) 中村隆一，齋藤　宏：基礎運動学．第5版，医歯薬出版，2002, p192, 図4-12.
4) 中村隆一，齋藤　宏：基礎運動学．第5版，医歯薬出版，2002, p199, 図4-23.
5) 中村隆一，齋藤　宏：基礎運動学．第5版，医歯薬出版，2002, p201, 図4-25, 26.
6) 齋藤　宏編著・後藤保正・柳澤　健：リハビリテーション医学講座第3巻　運動学．医歯薬出版，1995, p76, 図5-49.
7) 中村隆一，齋藤　宏：基礎運動学．第5版，医歯薬出版，2002, p208, 図4-35.

### 第3章 下肢の運動学
1) Hollinshead WH：Anatomy for Surgeons. Vol 3. The Back and Limbs. Harper & Row, Philadelphia, 1982.
2) 中村隆一，齋藤　宏：基礎運動学．第5版，医歯薬出版，2002, p231, 図4-68.
3) 中村隆一，齋藤　宏：基礎運動学．第5版，医歯薬出版，2002, p230, 図4-67.
4) 中村隆一，齋藤　宏：基礎運動学．第5版，医歯薬出版，2002, p233, 図4-70.
5) 中村隆一，齋藤　宏：基礎運動学．第5版，医歯薬出版，2002, p233, 図4-71.
6) 中村隆一，齋藤　宏：基礎運動学．第5版，医歯薬出版，2002, p237, 図4-75, p238, 図4-77.
7) 河野邦雄，伊藤隆造，堺　章：解剖学．社団法人東洋療法学校協会編，医歯薬出版，1991, p106, 図3-59.
8) 河野邦雄，伊藤隆造，堺　章：解剖学．社団法人東洋療法学校協会編，医歯薬出版，1991, p106, 図3-60.
9) 河野邦雄，伊藤隆造，堺　章：解剖学．社団法人東洋療法学校協会編，医歯薬出版，1991, p56, 図2-52.
10) 中村隆一，齋藤　宏：基礎運動学．第5版，医歯薬出版，2002, p240, 図4-81.

### 第4章 体幹の運動学
1) 松村讓兒：イラスト解剖学．中外医学社，1997, p30.
2) 中村隆一，齋藤　宏：基礎運動学．第5版，医歯薬出版，2002, p250, 図4-97.
3) 中村隆一，齋藤　宏：基礎運動学．第5版，医歯薬出版，2002, p251, 図4-99.
4) 中村隆一，齋藤　宏：基礎運動学．第5版，医歯薬出版，2002, p251, 図4-101.
5) 中村隆一，齋藤　宏：基礎運動学．第5版，医歯薬出版，2002, p254, 図4-104.
6) 中村隆一，齋藤　宏：基礎運動学．第5版，医歯薬出版，2002, p260, 図4-113.
7) 中村隆一，齋藤　宏，長崎　浩：基礎運動学．第6版補訂，医歯薬出版，2012, p292, 図4-114, 図4-113.
8) 中村隆一，齋藤　宏：基礎運動学．第5版，医歯薬出版，2002, p259, 図4-111.
9) Kapandji IA：The physiology of joints, vol 3, New York, 1974, Churchill Livingstone.
10) Donald A. Neumann著，嶋田智明，有馬慶美監訳：カラー版 筋骨格系のキネシオロジー 原著第2版，医歯薬出版，2012, p401, 図9-73.
11) Donald A. Neumann著，嶋田智明，有馬慶美監訳：カラー版 筋骨格系のキネシオロジー 原著第2版，医歯薬出版，2012, p392, 図9-63AB.
12) 中村隆一，齋藤　宏，長崎　浩：基礎運動学．第6版補訂，医歯薬出版，2012, p276, 図4-90（b）.
13) 中村隆一，齋藤　宏，長崎　浩：基礎運動学．第6版補訂，医歯薬出版，2012, p280, 図4-100.
14) Luttgens K, Hamilton N：Kinesiology：Scientific Basis of Human Motion, 9th ed. Madison, Wis, 1997, Brown and Benchmark.

### 第5章 頭部・顔面の運動学
1) 坂井建雄，河田光博監訳：プロメテウス解剖学アトラス　頭頸部/神経解剖．第2版，医学書

院，2014，p35.
2) 坂井建雄，河田光博監訳：プロメテウス解剖学アトラス　頭頸部／神経解剖，第2版，医学書院，2014，p134.

### 第7章　歩行と走行

1) Murray MP, Kory RC, Clarkson BH, et al：A comparison of free and fast speed walking patterns of normal men. Am J Phys Med 45：8-24, 1966.
2) Donald A. Neumann著，嶋田智明，有馬慶美監訳：カラー版 筋骨格系のキネシオロジー 原著第2版，医歯薬出版，2012，p698，図15-11.
3) Donald A. Neumann著，嶋田智明，有馬慶美監訳：カラー版 筋骨格系のキネシオロジー 原著第2版，医歯薬出版，2012，p699，図15-12.
4) Donald A. Neumann著，嶋田智明，有馬慶美監訳：カラー版 筋骨格系のキネシオロジー 原著第2版，医歯薬出版，2012，p700，図15-13，一部改変.
5) Donald A. Neumann著，嶋田智明，有馬慶美監訳：カラー版 筋骨格系のキネシオロジー 原著第2版，医歯薬出版，2012，p703，図15-15.
6) 中村隆一，齋藤　宏，長崎　浩：基礎運動学．第6版，医歯薬出版，2003，p372，図8-11.
7) Adams JM, Perry J：Gait analysis：Clinical application. In Rose J, Gamble JG：Human walking, 2nd ed, Philadelphia, Williams & Wilkins, 1994.
8) Donald A. Neumann著，嶋田智明，有馬慶美監訳：カラー版 筋骨格系のキネシオロジー 原著第2版，医歯薬出版，2012，p722，図15-31より改変.
9) Donald A. Neumann著，嶋田智明，有馬慶美監訳：カラー版 筋骨格系のキネシオロジー 原著第2版，医歯薬出版，2012，p723，図15-32.
10) Whittle MW：Gait Analysis：An Introduction, 4th ed, Butterworth-Heinemann, Oxford, 2007.
11) Eberhart HD, Inman VT, Bresler B：The principal elements in human locomotion. In PE Klopsteg, PD Wilson (eds)：Human Limbs and Their Substitutes, McGraw-Hill, New York, 1954.

### 第8章　運動学習

1) 細田多穂，柳澤　健編：理学療法ハンドブック 改訂第4版 第1巻 理学療法の基礎と評価．協同医書出版社，2013，p111.
2) Singer RN：Motor Learning and Performance. Macmillan, New York, 1968.
3) Schmidt RA：A schema theory of discrete motor skill learning. Psychol Rev 82：225-260, 1975.

### 解答集

1) 中島雅美：理学療法士・作業療法士PT・OT 基礎から学ぶ生理学ノート第3版．医歯薬出版，2018.
2) 伊藤　朗：運動によるからだの生化学的変化．中野昭一（編）：図説・運動の仕組みと応用．医歯薬出版，1982.

### 参考図書

・運動生理学研究会編：PT・OT国家試験のための運動解剖生理学のまとめ．第3版，アイペック，1999.
・荻島秀夫監訳，嶋田智明訳：カパンディ関節の生理学Ⅰ．医歯薬出版，1986.
・荻島秀夫監訳，嶋田智明訳：カパンディ関節の生理学Ⅱ．医歯薬出版，1986.
・荻島秀夫監訳，嶋田智明訳：カパンディ関節の生理学Ⅲ．医歯薬出版，1986.
・竹内修二：クイックマスター解剖生理学．医学芸術社，1997.
・中村隆一・齋藤　宏，長崎　浩編：運動学実習 第2版．医歯薬出版，1989.
・中村隆一・齋藤　宏：臨床運動学．第3版，医歯薬出版，2002.
・理学療法科学学会監修・丸山仁司編：運動学ワークブック．アイペック，2000.
・和才嘉昭・嶋田智明：リハビリテーション医学全書5．測定と評価　2版，医歯薬出版，1987.
・渡辺正仁監修：理学療法士・作業療法士・作業療法士のための解剖学．第2版，廣川書店，1995.
・Rene Cailliet著（荻島秀男訳）：手の痛みと機能障害．原著第4版，医歯薬出版，1995.
・Rene Cailliet著（荻島秀男訳）：肩の痛み．原著第3版，医歯薬出版，1992.
・Rene Cailliet著（荻島秀男訳）：腰痛症．原著第5版，医歯薬出版，1996.
・Rene Cailliet著（荻島秀男訳）：足と足関節の痛み．原著第3版，医歯薬出版，1998.
・Rene Cailliet著（荻島秀男訳）：頸と腕の痛み．原著第3版，医歯薬出版，1992.
・Rene Cailliet著（荻島秀男訳）：膝の痛みと機能障害．原著第3版，医歯薬出版，1993.

# 索引

## 和文

### あ
アクチンフィラメント 31
アヒル歩行 202
アライメント 174
足の指の動き 225
足のアーチ 134
足の変形 136

### い
インピンジメント 73
位置エネルギー 15
異常歩行 201
一歩 182

### う
烏口肩峰アーチ 73
内がえし 127
運動エネルギー 15
運動の分類方法 2
運動の法則 12
運動学的歩行分析 186
運動技能 214
運動時の血圧 54
運動時の心拍出量 53
運動軸 5, 103
運動単位 37
運動力学的歩行分析 190
運動量保存の法則 12

### え
円書き歩行 202
遠位指節間関節 88
遠位手根骨 84

### お
横足根関節 127

### か
下肢の解剖学 100
下肢の骨格 100
下肢の神経 104
下肢の動脈 104
下肢の皮膚感覚 106
下肢骨 100
下肢帯（または骨盤帯）の骨 101
下腿骨 102
加速度 6
臥位レベル 5
回旋筋腱板 73
解糖系エネルギー 49
解剖軸 103
外眼筋 168
外在筋 90
外側縦アーチ 135
外側側副靱帯 117
外側半月板 116
外腹斜筋 159
外来筋 90
外肋間筋 151
踵打ち歩行 202
踵接地 183
踵離地 183
学習 210
学習曲線 215
顎関節 163
顎関節の動き 164
滑車 23
構え 172
間欠性跛行 202
感覚記憶 212
感覚神経支配域 63
寛骨 101
慣性 12
関節の安定性 41
関節の運動性 43
関節運動 21
関節角度 20
関節面の形状分類 27
環椎 145
眼球運動 168

### き
顔面筋 166
顔面頭蓋 162
記憶 211
記憶構造 212
機能肢位 95
機能別表情筋 166
吸気筋 151
休息肢位 95
距骨下関節 127
距踵関節 127
距腿関節 127
共同筋 33
胸郭 150
胸郭呼吸運動 150
胸鎖関節 66
胸鎖乳突筋 149
胸椎 152
胸椎椎間関節の連結 150
胸部の運動と筋 153
近位指節間関節 88
近位手根骨 84
筋の逆作用 35
筋萎縮 39
筋収縮 33, 37
筋収縮のエネルギー源 31
筋収縮のメカニズム 31
筋張力 38
筋肥大 39
筋皮神経 61
筋紡錘 46
緊張性運動単位 37

### く
草刈り歩行 202

### け
脛骨神経 105
痙性両麻痺（脳性麻痺）の異常歩行 204

# 索引

## け
頸体角　102, 108
頸椎　145
頸椎の運動　147
頸椎の連結　146
頸部の筋　148
鶏歩　201
結果の知識　217
肩関節　71
肩関節の動き　220
肩関節の運動と筋　74
肩関節の靱帯　72
肩甲胸郭(仮性)関節　67
肩甲骨　57, 67
肩甲骨の動き　220
肩甲骨の運動分析　69
肩甲上腕関節　71
肩鎖関節　67

## こ
小刻み歩行　201
股関節の動き　223
股関節の運動と筋　111
股関節の構造　108
股関節の靱帯　108
呼気筋　151
固有筋　91
後十字靱帯　117
後方ユニット　143
高齢者の歩行　199
剛体　17
骨の連結　157
骨格筋の構造と機能　30
骨間筋　90, 92
骨盤の動き　226
骨盤の傾斜　178
骨盤傾斜　157
転がり運動　120

## さ
左右分力　192
鎖骨　57
鎖骨の可動域　66
坐骨神経　105
座位レベル　5
酸素摂取量　52

## し
仕事　14
仕事の単位　14
仕事率　14
矢状面　5
肢位　5
姿勢　172
姿勢の型　178
姿勢制御　179
姿勢保持　178
自律歩行　198
軸椎　145
失調性歩行　201
膝関節　114
膝関節の動き　224
膝関節の半月板　116
尺骨　58
尺骨神経　62
尺屈　83
手関節の動き　221
手関節の運動に働く筋　85
手関節の可動域　83
手関節の構成　83
手根管の内部構造　84
手根中手関節　88
手指の運動と筋　89
手指の外来筋　90
手指の内在筋　91
手部の骨　58
十字靱帯　117
重心　172
重心線　172, 174
重心動揺　178
重量　13
重力加速度　13
重力筋　177
小児の起立と歩行　198
小児の歩行　198
掌屈　85
上肢の解剖学　56
上肢の血管　60
上肢の神経　59
上肢の動脈　60
上肢の末梢神経　59
上肢骨　56
上肢帯　66
上肢帯の運動と筋　68
上腕骨　57

## す
身体の基本面　5
伸張反射　46
神経支配比　37

スカラー量　6
スカルパ三角　100
水平(横断)面　5
垂直分力　191
錘内筋線維　46
随意運動　45
随意運動の中枢機構　46
髄核　142
滑り運動　120

## せ
生体力学　2
正中神経　62
脊柱　141
脊柱の可動性　143
脊柱起立筋群　159
仙腸関節　156
線維輪　142
前額面　5
前後分力　192
前十字靱帯　117
前捻角　102, 108
前方ユニット　142
前腕の関節　80
前腕骨間膜　80

## そ
咀嚼　164
咀嚼筋　165
走行　206
走行時の接地　206
相動性運動単位　37
総腓骨神経　105
足圧中心の軌跡　192
足関節　125
足関節の動き　224
足関節の運動範囲　131
足弓　134
足根間関節　126
足根中足関節　127
足底接地　183
足部の運動学　125
足部の運動範囲　131

# 索引

足部の変形 135
足力 190
速度 6
側副靱帯 118
外がえし 127

## た
代謝当量 50
代謝率 50
体位 172
体幹 140
体幹の動き 225
体節の回旋 187
大腿脛骨角 103
大腿骨 102
大腿神経 104
第1のてこ 17
第1頸椎 145
第2のてこ 18
第2頸椎 145
第3のてこ 18
第7頸椎 145
単脚支持期 184
短期感覚貯蔵 212
短期記憶 212

## ち
チャンク 212
力の合成 9
力の単位 13
力の表示 6
力の分解 9
中手指節関節 88
中殿筋筋力低下時の異常歩行 204
虫様筋 90, 92
肘角 79
肘関節の動き 221
肘関節の構造 78
長期記憶 212
重複歩 182
重複歩長 182
腸腰筋 109

## つ
つま先離地 183
椎間円板 142
椎間関節 142
椎間板ヘルニア 155

椎骨 141
椎骨の連結 140

## て
てこの種類 17, 21
てこの釣り合い 19
手の肢位 95
手の変形 95
手の指の動き 222
底屈 131
定滑車 23

## と
トルク 192
等加速度運動 7
等速度運動 7
頭蓋骨 162
橈屈 83
橈骨 58
橈骨神経 61
橈尺関節の靱帯 80
動滑車 23
動筋 33
動揺性歩行 202
突進歩行 201

## な
内在筋 91
内側縦アーチ 135
内側側副靱帯 117
内側半月板 116
内腹斜筋 159
内肋間筋 151

## の
脳卒中片麻痺歩行 203
脳頭蓋 162

## は
パフォーマンス 215, 217
はさみ足(脚)歩行 202
背屈 85, 131
反射運動 45
反張膝歩行 201
半月板 116

## ひ
ヒューター三角 78

ヒューター線 78
膝立ち位レベル 5
表情筋 166

## ふ
フィードバック 217
部位別抗重力筋 177
腹直筋 159
分回し歩行 201

## へ
ベクトル 6, 8
ベクトル量 6
閉鎖神経 104
変位 2, 6

## ほ
歩隔 182
歩行 206
歩行の決定因子 188
歩行時の筋活動 195
歩行時の重心移動 186
歩行周期 182
歩行速度 183
歩行率 183
歩幅 182
歩容要素の定義 184
母指のCM関節 89

## ま
マジカルナンバー 212
末梢神経麻痺における異常歩行 204

## み
ミオシンフィラメント 31

## む
無酸素性作業閾値 53

## め
酩酊歩行 201

## も
モーメント 6, 10

## や
ヤコビー線 100

## ゆ

ユニットの役割　142
有酸素系エネルギー　50
遊脚相　184
床反力　190, 193
床反力の3方向の分力　191
指の屈曲機構　92
指の伸展機構　93, 95
指の内転・外転　90

## よ

腰椎の動き　155
腰椎の靱帯　155
腰椎弯曲　157
腰部の運動と筋　159
腰部の筋　157
腰方形筋　159
横アーチ　135

## ら

らせん関節　79

## り

リバースアクション　35
力学　2
力学的エネルギー　15
立位レベル　5
立位姿勢　176
立位姿勢保持　178
立位保持　177
立脚相　182, 183
立脚中期　183

隆椎　145
両脚支持期　184
輪軸　23, 24

## ろ

ローザー・ネラトン線　100

## わ

腕神経叢　59

# 欧文

$\alpha$–$\gamma$連関　46
$\gamma$運動ニューロン　46

## A

ACL　117
AT　53
ATP-CP系エネルギー　49
ATPの生成過程　49

## B

Böhler角　134

## C

CGS単位系　3
CM関節　88

## D

DIP関節　88
Duchenne型筋ジストロフィー症患者の歩行　203

## F

FTA　103

## K

KR　211, 217

## L

LCL　117
LM　116

## M

MCL　117
METs　50
MKS単位系　3
MM　116
MP関節　88
MU　37

## P

PCI　183
PCL　117
PIP関節　88

## T

Trendelenburg徴候　196
Trendelenburg歩行　202

## 数字

4指の屈曲　92
4指の伸展　92

【著者略歴】

中島雅美（なかしままさみ）

| | |
|---|---|
| 1978年 | 九州リハビリテーション大学校卒業 |
| | 福岡大学病院リハビリテーション科 |
| 1980年 | 筑後川温泉病院理学診療科 |
| 1981年 | つくし岡本病院理学診療科 |
| 1992年 | 西日本リハビリテーション学院　教務課長 |
| 2000年 | 放送大学教養学部卒業「発達と教育」専攻 |
| 2006年 | 九州中央リハビリテーション学院　理学療法学科長，教育部長 |
| 2012年 | PTOT学習教育研究所　所長 |
| | 九州医療スポーツ専門学校　教育参与 |
| 2016年 | 一般社団法人日本医療教育協会 国試塾リハビリアカデミー校長 |
| | PTOT学習教育研究所　所長 |

中島晃徳（なかしまあきのり）

| | |
|---|---|
| 2006年 | 慶応義塾大学 法学部 政治学科 卒業 |
| 2010年 | 大宮法科大学院 卒業 |
| 2015年 | 九州中央リハビリテーション学院 卒業，理学療法士免許 取得 |
| 同　年 | 誠愛リハビリテーション病院 入職 |
| 2018年 | 一般社団法人日本医療教育協会 国試塾リハビリアカデミー 専任教員 |
| 2020年 | 白鳳短期大学（現 大和大学白鳳短期大学部）卒業，言語聴覚士免許 取得 |
| 2021年 | 一般社団法人日本医療教育協会 国試塾リハビリアカデミー 専任教員 |

理学療法士・作業療法士
PT・OT基礎から学ぶ運動学ノート
第3版（解答集付）　　ISBN978-4-263-26676-2

2002年 7月20日　第1版第 1 刷発行
2016年 1月10日　第1版第15刷発行
2016年12月20日　第2版第 1 刷発行
2023年 1月10日　第2版第 7 刷発行
2023年12月10日　第3版第 1 刷発行
2025年 1月10日　第3版第 2 刷発行

著　者　中　島　雅　美
　　　　中　島　晃　徳

発行者　白　石　泰　夫

発行所　医歯薬出版株式会社
〒113-8612　東京都文京区本駒込1-7-10
TEL. (03) 5395-7628（編集）・7616（販売）
FAX. (03) 5395-7609（編集）・8563（販売）
https://www.ishiyaku.co.jp/
郵便振替番号 00190-5-13816

乱丁，落丁の際はお取り替えいたします．
印刷・真興社／製本・皆川製本所
© Ishiyaku Publishers, Inc., 2002, 2023. Printed in Japan

本書の複製権・翻訳権・翻案権・上映権・譲渡権・貸与権・公衆送信権（送信可能化権を含む）・口述権は，医歯薬出版(株)が保有します．
本書を無断で複製する行為（コピー，スキャン，デジタルデータ化など）は，「私的使用のための複製」などの著作権法上の限られた例外を除き禁じられています．また私的使用に該当する場合であっても，請負業者等の第三者に依頼し上記の行為を行うことは違法となります．

JCOPY ＜出版者著作権管理機構 委託出版物＞
本書をコピーやスキャン等により複製される場合は，そのつど事前に出版者著作権管理機構（電話03-5244-5088, FAX 03-5244-5089, e-mail:info@jcopy.or.jp）の許諾を得てください．

# ●学内試験から理学療法士・作業療法士の国試対策まで！

◆PT・OTの授業で扱う項目をドリル形式でまとめた知識の整理ノート
◆基本事項を把握しながら無理なく基礎学力が身につく

## PT・OT 基礎から学ぶ 解剖学ノート 第3版

中島雅美〔著〕

■B5判　344頁
定価4,400円（税10％込）
ISBN978-4-263-21675-0

## PT・OT 基礎から学ぶ 生理学ノート 第3版

中島雅美〔著〕

■B5判　342頁
定価4,400円（税10％込）
ISBN978-4-263-26551-2

## PT・OT 基礎から学ぶ 運動学ノート 第3版

中島雅美
中島晃徳〔著〕

■B5判　272頁
定価4,400円（税10％込）
ISBN978-4-263-26676-2

## PT・OT 基礎から学ぶ 病理学ノート 第2版

中島雅美・鳥原智美〔編著〕
中嶋淳滋〔編集協力〕

■B5判　216頁
定価3,520円（税10％込）
ISBN978-4-263-26558-1

## PT・OT 基礎から学ぶ 内科学ノート 第2版

中島雅美・鳥原智美〔編著〕
中嶋淳滋〔編集協力〕

■B5判　304頁
定価4,400円（税10％込）
ISBN978-4-263-26589-5

## PT・OT 基礎から学ぶ 神経内科学ノート 第2版

中島雅美・鳥原智美〔編著〕
中嶋淳滋〔編集協力〕

■B5判　336頁
定価4,620円（税10％込）
ISBN978-4-263-26578-9

## PT・OT 基礎から学ぶ 精神医学ノート 第2版

中島雅美・野口瑠美子〔著〕
天野 恵〔編集協力〕

■B5判　292頁
定価4,070円（税10％込）
ISBN978-4-263-26657-1

## PT・OT 基礎から学ぶ 画像の読み方 第3版
### 国試画像問題攻略

中島雅美・中島喜代彦
大村優慈〔編著〕

■B5判　226頁
定価3,520円（税10％込）
ISBN978-4-263-26590-1

医歯薬出版株式会社　〒113-8612 東京都文京区本駒込1-7-10　https://www.ishiyaku.co.jp/